Un heureux bouleversement

*

Le meilleur des papas

CAROL MARINELLI

Un heureux
bouleversement

HARLEQUIN

Collection : Blanche

Cet ouvrage a été publié en langue anglaise
sous le titre :
JUST ONE NIGHT ?

Traduction française de
MARCELLE COOPER

HARLEQUIN®
est une marque déposée par le Groupe Harlequin
Blanche® est une marque déposée par Harlequin

HARLEQUIN
83-85, boulevard Vincent-Auriol, 75646 PARIS CEDEX 13.
Service Lectrices — Tél. : 01 45 82 47 47
www.harlequin.fr
ISBN 978-2-2803-2884-5 — ISSN 0223-5056

Prologue

— Isla, que signifient ces bips ? demanda Cathy d'une voix angoissée.

— Ce n'est rien, ne vous inquiétez pas.

Au grand soulagement d'Isla, le médecin anesthésiste baissa le volume sonore des moniteurs.

— Cela signale une souffrance de mon bébé ?

— Non, Cathy. Cela indique simplement que votre pression artérielle est un peu basse, ce qui est normal sous péridurale.

Assise sur un tabouret, la tête à hauteur de celle de sa patiente, Isla tentait de son mieux de la rassurer. Derrière la vitre de l'antichambre, Dan, le futur papa, passait une blouse et un masque.

— Vous êtes sûre que ce n'est pas le bébé qui déclenche ces alarmes ?

— Sûre. Tout va bien de son côté.

— J'ai tellement peur, Isla.

— Je sais, dit-elle avec douceur. Mais il n'y a pas de raison.

Il *fallait* que cette césarienne se passe bien. Il le fallait.

Sage-femme et coordinatrice à la maternité du Victoria Hospital de Melbourne, Isla avait aidé Dan et Cathy à traverser bien des épreuves. Dans son travail, il n'y avait rien de pire que de mettre au monde un bébé mort-né ; or la malheureuse Cathy avait accouché de deux bébés mort-nés à quelques années d'intervalle. C'était une expérience extraordinairement difficile, mais Isla considérait comme un privilège de partager avec les parents les quelques minutes si poignantes où ils faisaient la connaissance de leur enfant avant de lui dire adieu. Avec le recul, ils chérissaient souvent le souvenir de ce moment où ils avaient serré contre eux leur petit ange endormi.

Le sort s'était acharné sur Cathy et Dan. Après une série de fécondations *in vitro* et de transferts d'embryon, Cathy avait fait quatre fausses couches puis mis deux enfants mort-nés au monde.

Et aujourd'hui, en ce soir de la Saint-Valentin, l'enfant qu'ils désiraient tant allait enfin naître, avec une semaine d'avance sur la césarienne, programmée pour le jeudi suivant à trente-sept semaines de grossesse. Deux heures auparavant, Cathy avait appelé la maternité pour prévenir qu'elle avait perdu les eaux, et la sage-femme de garde lui avait dit de venir sur-le-champ.

Ses précédents accouchements s'étaient toujours déroulés par la voie basse. Même dans le cas d'enfant mort-né où le travail durait plus longtemps, il était préférable d'accoucher par les voies naturelles.

En sa qualité de surveillante et coordinatrice des sages-femmes, Isla travaillait de 9 heures à 17 heures. En théorie, car les bébés ne respectaient pas les horaires de bureau.

Ce soir, à l'annonce de l'arrivée de Cathy, elle avait annulé sa participation à une réunion budgétaire, et devrait peut-être également faire l'impasse sur le cocktail de bienvenue donné en l'honneur du Dr Alessandro Manos, un néonatologiste qui prendrait ses fonctions chez eux la semaine suivante.

Cathy passait avant tout le reste. Pour rien au monde, Isla n'aurait manqué la naissance de son bébé.

A vingt-huit ans, Isla était bien jeune pour occuper les responsabilités de surveillante et coordinatrice, et d'aucuns s'imaginaient qu'elle devait son poste au piston : son père, Charles Delamere, était le directeur de l'hôpital.

Ils se trompaient.

A leur décharge, elle prêtait le flanc aux rumeurs qui la décrivaient comme une fille à papa. En dehors de l'hôpital, Isla et sa sœur Isabel, obstétricienne de son état — c'était elle qui supervisait ce soir l'accouchement de Cathy — avaient une vie mondaine bien remplie ; les médias suivaient assidûment toutes les soirées, premières et vernissages auxquels elles assistaient. Aussi blondes l'une que l'autre, et ravissantes de l'avis de tous, elles partageaient un luxueux duplex sur les hauteurs de la ville, s'habillaient chez les plus grands couturiers et remontaient nombre de tapis rouges au côté d'actrices et de mannequins en vogue.

Un travail de représentation, rien d'autre.

La seule véritable passion d'Isla était son métier. Au Victoria Hospital, loin du strass et des paillettes, elle pouvait enfin être elle-même.

Vêtue de la blouse de bloc, ses longs cheveux blonds ramassés sous une charlotte en cellulose rose et la bouche cachée sous un masque, elle se fondait dans le reste de l'équipe. Le personnel se souciait bien peu qu'elle soit la célèbre Isla Delamere, la riche héritière que les magazines people disaient fiancée à Rupert, son ami d'enfance désormais acteur à succès à Hollywood.

Ici, elle était simplement Isla, leur collègue et chef, stricte, équitable et loyale. Elle attendait de la part de ses subordonnés la même attention et la même concentration qu'elle accordait à ses patientes, et les obtenait en règle générale.

Certains la jugeaient froide, distante, mais les futures mamans appréciaient ses manières calmes et professionnelles.

— Voici Dan.

Souriant sous le masque, Isla accueillit l'homme qui venait vers elles d'un pas nerveux. « Mon roc », l'appelait Cathy. D'une constance admirable, Dan avait soutenu Cathy tout au long de ces années noires en gardant ses larmes pour lui, avait-il un jour confié à Isla loin des oreilles de son épouse. Des amis avaient conseillé à Dan d'ouvrir son cœur à cette dernière, de lui faire part de son découragement, mais il s'y était refusé, pour des raisons qu'Isla comprenait parfaitement.

Quand on voulait rester fort pour aider l'autre, on était obligé de se forger une carapace, quitte à s'exposer aux accusations de froideur, ou d'insensibilité.

— Dan, j'ai un mauvais pressentiment, dit Cathy. Je suis sûre que quelque chose ne va pas.

Comme Dan interrogeait Isla du regard, elle secoua la tête pour lui signifier que tout allait bien.

— Isla nous le dirait, s'il y avait un problème, ma chérie. Essaie de te détendre.

— Oh ! mon Dieu, je sens quelque chose !

Isla s'avança.

— Souvenez-vous de ce que je vous ai dit, Cathy. Malgré la péridurale, vous sentirez le bébé sortir de l'utérus…

— Et c'est exactement ce qui est en train de se passer, dit la voix d'Isabel de l'autre côté du champ opératoire. Votre bébé est presque sorti… Ça y est ! Il m'a l'air plein d'énergie.

Tous tournèrent le regard vers le barrage des draps verts au-dessus duquel on ne voyait toujours rien.

— Il ne crie pas, dit Cathy.

— Attends un peu, ma chérie.

Bien qu'il fût probablement aussi paniqué que sa femme, Dan s'efforçait d'adopter un ton rassurant.

Même Isla, qui avait pourtant l'habitude des quelques secondes entre la naissance et le premier cri, se surprit à retenir son souffle. Mais ses émotions restaient absolument indéchiffrables, un exercice qu'elle maîtrisait à merveille à l'hôpital comme en dehors.

— Cathy, regardez !

Isabel soulevait un petit garçon brun très chevelu. Il ouvrit la bouche et poussa un hurlement à percer les tympans, manifestement furieux d'avoir été tiré de la quiétude de son cocon. Et tout ça pour quoi, je vous le donne en mille ? Pour naître !

— Regarde, Cathy, comme notre fils est beau ! Tu as été formidable, je suis fier de toi.

La pédiatre prit le bébé pour nettoyer ses voies aériennes tandis qu'Isabel procédait à l'expulsion du placenta.

Né quatre semaines avant terme, le bébé affichait une taille et un poids respectables, et il semblait très alerte. Après un rapide examen, la pédiatre le passa à l'infirmière de bloc qui l'enveloppa dans une couverture couleur ivoire et le coiffa d'un minuscule bonnet. Plus tard, on le soumettrait à des examens plus poussés afin d'établir son Apgar, mais la présentation aux parents passait avant tout le reste.

Isla prit le nouveau-né et, au contact du petit corps chaud et gigotant, sentit l'émotion la submerger. Elle s'y était préparée, mais le moment dépassait encore en intensité ce qu'elle avait imaginé.

Elle tint le bébé tout près de Cathy afin que celle-ci puisse l'embrasser, puis elle le déposa sur sa poitrine ; et Dan entoura prestement sa petite famille de ses bras robustes.

Isla, en retrait, restait silencieuse. Ce moment appartenait aux parents, et rien qu'à eux. La gorge serrée, elle regarda Dan lâcher prise et pleurer pour la première fois devant sa femme.

— Je n'arrive pas à croire que je suis maman, murmura Cathy en tournant la tête vers elle. Je sais, cela semble stupide...

— Pas du tout. Je comprends parfaitement ce que vous ressentez. Vous récoltez enfin la récompense de tous vos efforts et vous avez du mal à y croire.

Les points de suture posés, Isla remonta Cathy et le nouveau-né dans la chambre de maternité et les laissa en compagnie du fier papa. Plus tard, elle s'efforcerait d'avoir une conversation avec le couple, car les mamans qui accouchaient après un long parcours du combattant en PMA souffraient souvent de dépression post-natale.

Bien que cela semblât paradoxal, la venue de l'enfant tant désiré leur faisait perdre leurs repères. Les félicitations

11

de leurs proches qui leur disaient combien elles avaient de la chance et combien elles devaient se sentir heureuses ne faisaient qu'ajouter à leur détresse et à leur sentiment de culpabilité. La fatigue, le chagrin des grossesses non abouties, la peur de ne pas être à la hauteur entraînaient un état dépressif plus ou moins accentué par le bouleversement hormonal. Isla était décidée à parler à Dan et à Cathy pour les préparer à cette éventuelle complication de la période du *post-partum*.

Mais pas ce soir.

Ce soir était réservé à la célébration de la venue de cette miraculeuse nouvelle vie.

— Tout à l'heure, je dois assister à une soirée, je boirai un verre de champagne à votre santé, dit Isla en les laissant à leur bonheur.

Elle prit congé du personnel de l'étage et se dirigea vers les vestiaires.

Zut, elle avait oublié sa robe de cocktail. Ce matin, elle l'avait pourtant accrochée à la porte de sa chambre pour penser à la prendre en sortant. C'était bien la peine !

Un coup d'œil à sa montre la dissuada de rentrer chez elle se changer. Le temps de l'aller-retour, la fête en l'honneur d'Alessandro Manos serait déjà terminée.

En d'autres circonstances, elle aurait peut-être fait l'impasse sur le cocktail, mais en ce soir de la Saint-Valentin, il n'y aurait certainement pas grand monde pour accueillir leur nouveau collègue. En tant que responsable des sages-femmes, elle se devait de faire acte de présence.

Dans le service, les informations circulaient déjà sur Alessandro. On disait qu'il sortait d'une semaine de gardes de nuit dans son ancien établissement et qu'il avait prévu de partir en week-end avec sa petite amie juste avant sa prise de fonctions au Victoria Hospital.

Elle fouilla dans son casier à la recherche de quelque chose de présentable, sans grand succès. Il ne contenait qu'un short, un T-shirt et une paire de tennis pour les hypothétiques séances de jogging qu'elle n'était jamais parvenue à faire à l'heure du déjeuner. Tout de même, elle ne pouvait pas se présenter au Rooftop Garden, un établissement très select, en short, T-shirt et tennis.

Mais qu'y avait-il au fond du casier ? Miracle, c'était la paire de sandales couleur crème à plate-forme qu'elle avait prêtée à une collègue.

N'ayant pas le choix, elle jeta son pyjama de bloc à la poubelle et enfila la tenue de sport et les sandales. Avec le short qui lui arrivait au ras des fesses et les hauts talons compensés, elle avait l'air d'une joggeuse plutôt délurée que certains auraient pu confondre avec l'une des créatures arpentant les boulevards extérieurs…

Tant pis, il faudrait s'en contenter. Habituée à ce que les têtes se tournent sur son passage, elle ne se souciait guère des codes vestimentaires. C'était l'un des avantages d'être une Delamere ; quelle que fût sa tenue, on ne lui refusait l'entrée nulle part.

Elle appliqua un soupçon de mascara sur ses cils, une touche de gloss sur ses lèvres, puis sortit de la maternité et héla un taxi.

— Au Rooftop Garden, dit-elle, un peu essoufflée, au chauffeur.

Quelques minutes plus tard, le taxi s'arrêtait devant l'élégant bar lounge du centre-ville, et elle monta les marches conduisant à l'entrée.

Alessi écarquilla les yeux devant l'étonnante apparition. Une sublime jeune femme blonde aux jambes interminables, très court vêtue, venait d'entrer d'un pas assuré dans le bar. Son visage lui rappelait vaguement quelqu'un. Faisait-elle partie des invités de la soirée de bienvenue ? L'événement ne réunissait pas grand monde, jusqu'à présent…

Qui que fût l'inconnue, c'était décidé, il allait faire plus

13

ample connaissance avec elle. Il la regarda saluer le petit groupe de ses futurs collègues.

— Isla, ce n'est pas trop tôt !

Ainsi donc, c'était elle, Isla Delamere, sage-femme en chef de la maternité du Victoria Hospital et fille cadette du directeur de l'hôpital. Cette filiation expliquait sans doute qu'elle occupe un poste aussi important à son jeune âge. Mais son nom lui était également familier pour une autre raison : il ne se souvenait pas vraiment d'elle, mais ils avaient fréquenté les mêmes amphithéâtres, à la faculté de médecine.

— Désolée pour le retard, dit-elle, tout sourires, à ses collègues.

— Alors, comment s'est passé l'accouchement de Cathy ? demanda Emily, l'une des sages-femmes.

— Très bien. J'étais tellement contente de pouvoir y assister.

— Veinarde, j'aurais bien voulu être à ta place, répondit Emily, qui entreprit de faire les présentations. Isla, voici Alessandro Manos, notre nouveau néonatologiste. Alessandro, je vous présente Isla Delamere, sage-femme, coordinatrice et régulatrice, bref, notre chef à tous.

Curieux de voir si *elle* le reconnaissait, Alessi s'avança vers le groupe.

Avec son mètre quatre-vingt-dix, ses cheveux de jais bouclés et sa barbe de trois jours, le nouveau médecin était beau à couper le souffle. Quand Isla plongea dans ses yeux noirs, un étrange frisson la parcourut tout entière. Si seulement Rupert avait pu être là…

Rupert et elle étaient censés être le couple de l'année. Amis inséparables au lycée, ils avaient un soir, à l'issue d'un bal de fin d'année, échangé un baiser un peu gauche et Rupert lui avait avoué qu'il était gay. Craignant la réaction de ses parents et de leurs camarades de classe, il préférait garder son homosexualité secrète. Isla avait accepté de le couvrir en jouant le rôle de sa petite amie, ce qu'elle continuait de faire à ce jour.

Depuis deux ans, la carrière d'acteur de Rupert avait véritablement décollé et son agent lui avait fortement conseillé de cacher son orientation sexuelle afin de continuer à être crédible dans ses rôles de jeune premier.

Malgré l'intérêt qu'il avait à prolonger le statu quo, Rupert avait proposé à Isla de reprendre sa liberté en annonçant par exemple aux médias qu'ils se séparaient. Mais, trouvant elle aussi des avantages à la situation, elle s'y était refusée.

Passer pour la fiancée de Rupert lui convenait, même s'il fallait supporter les piques de la presse à scandale qui la taxait d'immorale ou de complaisante face aux infidélités de son compagnon. Le jeune acteur cultivait en effet en public une image de séducteur. Personne, absolument personne, n'aurait pu se douter de la vérité : Isla était vierge.

L'histoire entière de sa vie de femme aurait pu tenir au dos d'un timbre-poste. Après le baiser raté de la fête du lycée, il ne s'était plus rien passé, hormis les baisers langoureux que Rupert et elle simulaient devant les objectifs des photographes. Pour la galerie.

Parfois, elle avait l'impression d'être un imposteur. Elle conseillait les femmes en matière de contraception, de musculation du périnée ou de sexualité au cours de la grossesse et après, alors qu'elle-même n'avait jamais fait l'amour.

Pourtant, tandis qu'on la présentait à ce beau brun ténébreux, elle aurait simplement voulu que Rupert soit là pour lui tenir la main. Pour une fois, elle n'avait aucune envie de se livrer à son numéro habituel.

— Appelez-moi Alessi, dit-il.

— Isla supervise aussi bien le travail des sages-femmes que celui des internes. Même les médecins filent doux devant elle, fit Emily d'un ton taquin.

— Ravi de faire votre connaissance, dit Alessi en serrant la main d'Isla.

Sa paume était chaude, mais pas autant que ses propres joues, qui étaient en feu. Elle que les plus beaux acteurs et mannequins laissaient de marbre, elle se sentait soudain intimidée comme une petite fille devant Alessi.

— Puis-je vous offrir quelque chose à boire ? demanda-t-il.

— Non, merci. Ou plutôt, si, fit-elle, se ravisant. J'ai promis à Cathy, une patiente, de boire une coupe de champagne à sa santé et à celle de son bébé.

Comme il s'éloignait vers le comptoir, Emily s'approcha.

— Merci de t'être libérée, Isla. Maintenant que tu es là, je vais pouvoir regagner mes pénates.

— Bien sûr. D'ailleurs, c'est à moi de te remercier d'être venue. Je me doutais qu'il n'y aurait pas foule et j'avais raison, dit-elle en promenant son regard sur la petite demi-douzaine de collègues présents dans le salon-bar. Rentre vite retrouver ta famille.

Après le départ d'Emily, Gwyneth, une autre sage-femme, vint bavarder quelques instants avec elle.

— Il est canon, n'est-ce pas ?

— Si on veut, dit Isla en haussant les épaules avec une désinvolture étudiée.

Ce genre de remarque dédaigneuse collait avec le rôle qu'elle jouait, la fiancée d'un acteur devenu la coqueluche des midinettes. Ce soir, Dieu savait pourquoi, cette comédie lui pesait plus que d'habitude.

Alessi, dos à elle, commandait leurs boissons au bar, son pantalon noir et sa chemise blanche à la coupe cintrée soulignant sa silhouette à la fois athlétique et élancée.

Le sang afflua à ses joues tandis qu'elle se rendait compte qu'elle détaillait ses longues jambes et son postérieur. Quand il se retourna, elle reporta aussitôt les yeux sur Gwyneth et ses collègues. Las, elle fut bien obligée de le regarder quand il lui tendit la flûte de champagne.

— Merci, dit-elle en prenant le verre.

Un peu désemparée, elle le vit s'asseoir sur le canapé bas où elle avait pris place.

Elle sirota une gorgée et, forte de ses connaissances d'œnologie glanées au fil d'années de dîners et réceptions, sut immédiatement qu'il s'agissait d'un champagne Veuve Clicquot, et d'un cru millésimé s'il vous plaît. Contrairement à un champagne ordinaire qui se contentait de chatouiller le palais, les bulles éclataient en bouche, diffusant tout leur arôme fruité.

— Quand je parlais de champagne, je ne pensais pas que vous me prendriez au mot.

A Melbourne, ce terme désignait généralement du vin blanc pétillant, elle avait cru qu'il se plierait à l'usage.

— Vous devez me trouver sans-gêne, dit-elle, sincèrement embarrassée.

Il avait dû payer au moins vingt dollars pour cette flûte qui ne contenait pas autant de centilitres du divin breuvage.

— Pas du tout. Le bébé de votre patiente vaut bien cela.

Elle hocha la tête.

— Ç'a été une naissance extraordinaire.

Et elle se surprit à lui raconter en détail l'accouchement, et le long parcours qui avait conduit à cet heureux dénouement.

— Désolée, dit-elle en s'interrompant enfin. Je suis en boucle…

— Cela se comprend. Il n'y a rien de plus émouvant qu'un couple déterminé à renverser le destin et dont les efforts sont récompensés. Ce sont ces souvenirs-là qui nous aident à supporter les moments plus sombres de notre métier.

Encore une fois, elle acquiesça, contente qu'un collègue masculin perçoive si bien la dimension miraculeuse de la naissance de ce soir.

Ils continuèrent à bavarder comme s'ils se connaissaient depuis toujours, s'interrompant simplement pour saluer les collègues qui commençaient à partir. Quand il lui apprit qu'ils avaient fréquenté la même fac, elle tomba des nues.

— C'est tout de même incroyable que nous ne nous soyons jamais croisés ! s'exclama-t-elle. Quel âge avez-vous ?

— Trente ans.

— Alors, vous aviez deux ans d'avance sur moi. On ne logeait pas sur le même campus, mais vous connaissez peut-être ma sœur aînée, Isabel ?

— Je me souviens vaguement d'elle. Elle était la représentante des élèves, et chef d'étage de ma résidence, c'était elle qui organisait les soirées, les fêtes, les voyages, mais je n'y participais pas. J'étais boursier, si je voulais conserver ma bourse, j'avais intérêt à travailler dur pour obtenir de bonnes notes. Vous avez aussi été représentante des élèves ?

— Et chef d'étage, confirma-t-elle en riant. Delamere oblige !

Alessi n'avait pas envie de rire. Ses années de résidence universitaire lui avaient laissé de mauvais souvenirs. En tant qu'étudiants boursiers, sa sœur jumelle Allegra et lui avaient dû supporter les moqueries de l'élite, des gosses de riches qui leur faisaient sentir qu'ils n'appartenaient pas au même monde.

La plupart du temps, il traitait les provocations par le mépris, mais il était intervenu à quelques reprises pour corriger de petits imbéciles qui s'en prenaient à Allegra.

A l'époque, Alessi et Allegra travaillaient quelques après-midi par semaine dans le snack-bar familial. Leurs camarades de classe qui passaient prendre un café sur le chemin de la fac les écrasaient de leur dédain et de leurs sourires condescendants, quand ils ne lâchaient pas des invectives sur les « petits immigrés grecs qui voulaient jouer dans la cour des grands ».

A présent, c'était au tour d'Allegra d'accueillir leurs anciens camarades avec une moue de mépris quand ils venaient dîner Chez Geo, le nouveau restaurant des Manos, symbole de leur réussite. Le Tout-Melbourne s'y pressait.

Il tenta de se raisonner. Que sa sœur et lui aient été confrontés à la bêtise et à la méchanceté de certains ne signifiait pas qu'Isla était à mettre dans le même sac.

Le contact passait vraiment entre eux.

Elle exhiba même sur son portable la photo d'une réunion d'anciens élèves datant de deux ans.

— Je me souviens de lui, dit Alessi en montrant l'un de ceux qui posaient sur la photo de groupe. Et il se souvient certainement de moi !

— Pourquoi ?

— Parce que je lui ai flanqué une bonne raclée. Il avait volé le blouson de ma sœur, qui avait trop peur de le dire à mes parents.

— Et le blouson a été restitué à sa propriétaire ?

— Avec des excuses, plus ou moins sincères, fit-il, amusé par le souvenir de la scène.

Son sourire s'effaça quand Isla pointa une femme au premier rang de la photo.

— Et Talia, vous la connaissiez ? Elle exerce désormais à Singapour. C'était incroyable, elle avait fait l'aller-retour rien que pour la réunion.

Oh oui, il avait bien connu Talia à une époque, mais il se garda de tout commentaire. Ses parents en parlaient parfois encore, pour déplorer qu'il se soit si mal conduit envers elle. Ils reprochaient à leur fils d'avoir rompu quelques jours avant l'annonce officielle des fiançailles. Il aurait pu être marié et bien installé dans la vie au lieu d'enchaîner des liaisons sans lendemain qu'ils désapprouvaient au plus haut point.

Seuls Talia et lui connaissaient la véritable raison de leur rupture.

Par une étrange ironie du sort, c'était Isla, incarnation parfaite de l'élite qui l'avait pris de haut, qui ressuscitait cette facette de son passé en attirant son attention sur la photo.

— Elle a quatre enfants, dit-elle. Imaginez-vous, quatre !

Cinq, en réalité. Le cœur lourd, il se souvenait comme si c'était la veille de la journée qui avait tout fait basculer.

Talia ne s'étant pas montrée au cours de la matinée, il était passé la voir dans sa chambre du campus. Il était inquiet pour sa santé car elle était enceinte. Il l'avait trouvée allongée sur son lit, pâle comme un linge, et avait cru qu'elle était en train de perdre leur bébé. Comme il voulait l'emmener d'urgence à l'hôpital, elle lui avait avoué avoir subi une IVG le matin même. Seule, sans le consulter, elle avait décidé du sort de leur enfant.

Bien entendu, il n'était pas question de faire part de ces souvenirs à Isla et il changea de sujet en lui demandant si elle avait des photos de son bal des débutantes. Elle lui en montra une où il eut du mal à la reconnaître.

Au milieu des adolescentes de la bonne société se trouvait une femme âgée dont la tenue sobre contrastait avec les robes à paillettes.

— Qui est cette dame ?

— Notre gouvernante, Evie, dit Isla avec un sourire un peu triste. Mes parents n'avaient pu venir, mais Evie n'aurait manqué cela pour rien au monde. C'est elle qui assistait aux réunions avec les professeurs et aux fêtes de fin d'année quand mes parents ne pouvaient pas se libérer. Elle était déjà très malade lorsque la photo a été prise, elle est morte deux mois plus tard. Elle ne travaillait déjà plus depuis de nombreuses années. Plutôt que de la laisser aller en maison de retraite, Isabel et moi avons préféré la garder chez nous pour nous occuper d'elle jusqu'au bout.

Voilà qui jetait un éclairage nouveau sur l'héritière jet-setteuse qui faisait la une des magazines *people*. Sous ses dehors excentriques et frivoles, Isla Delamere avait du cœur. Et s'il en croyait son instinct, elle lui réservait de nombreuses autres surprises.

Il était presque minuit quand, à contrecœur, Isla se leva.

— Je vais rentrer.

— Vous êtes de garde demain matin ? demanda Alessi.

— Non. Je suis de repos ce week-end. Ces derniers temps, j'ai presque des horaires de fonctionnaire, même s'il m'arrive de travailler la nuit.

Côte à côte, ils descendirent les marches de l'établissement et se retrouvèrent dans la rue.

— Vous commencez lundi ? demanda-t-elle.

— Oui. J'ai hâte. Dans le dernier service de néonatologie spécialisée où j'ai exercé, il fallait se battre pour obtenir des berceaux et des couveuses en soins intensifs ; cela va être agréable de ne plus avoir à jongler avec le budget, et de travailler avec des appareils dernier cri. Mais en attendant, je compte bien profiter de mon week-end.

— C'est vrai, vous allez partir avec votre petite amie…

— Non. Nous avons rompu.

— Je suis désolée.

La formule de circonstance.

— Pas moi.

La réponse d'Alessi inquiéta Isla. Malgré l'attirance qu'elle éprouvait pour lui, elle se rendait compte qu'elle s'était un peu trop livrée à lui, ce soir. L'avoir cru en couple avait constitué un garde-fou, découvrir qu'il était libre la déstabilisait et la tentait à la fois.

Elle regarda ses yeux noirs puis descendit vers la bouche pleine, sensuelle, qui se plissait en un sourire séducteur. Très efficace.

Il ne l'avait pas encore embrassée, mais il n'allait pas tarder à le faire, elle le savait.

Quelques secondes plus tard, il se pencha vers elle, et quand ses lèvres effleurèrent les siennes, elle eut l'impression de fondre. Mmm, c'était agréable, doux, sublime. Un baiser d'expert, très différent des baisers de cinéma de Rupert.

Picotant délicieusement et comme mues par une volonté propre, ses lèvres épousèrent celles d'Alessi.

Il avait posé les mains sur ses hanches, elle sentait leur chaleur à travers la toile de jean du short. Elle aurait voulu qu'il l'attire contre lui, qu'il aille plus loin.

Toutefois, quand il approfondit le baiser, elle ouvrit les yeux et recula, choquée par le contact de sa langue, et encore plus de s'être laissé embrasser en pleine rue.

Il la prenait de toute évidence pour une fille facile, à cause du short très court, et de la facilité avec laquelle elle lui tombait dans les bras. Sans doute croyait-il pouvoir l'entraîner sans problèmes dans son lit.

Parmi toutes les armes d'autodéfense dont elle disposait, elle opta pour la plus agressive et le fusilla d'un regard indigné.

— Pour qui me prenez-vous ? Ce n'était qu'un geste amical...

Quelle hypocrite ! Après avoir pleinement participé au baiser, elle jouait les vierges effarouchées. Sauf qu'elle ne jouait pas. Elle était vraiment vierge et elle avait peur.

Ainsi, Alessi s'était trompé sur le compte d'Isla. Il avait baissé la garde, la croyant différente des gosses de riches qui l'avaient snobé par le passé. Mais elle était exactement comme eux, pour preuve, le mépris qu'il lisait dans son regard.

« Ote tes pattes de moi, pauvre petit Grec, nous ne sommes pas du même monde. » Elle n'avait pas besoin de le dire, il avait reçu le message cinq sur cinq.

— Désolé, dit-il en haussant les épaules. Bonne nuit, Isla.

N'ayant aucune envie de se faire humilier davantage, il s'éloigna à grands pas.

Tant pis pour elle.

Il savait pourtant qu'elle avait aimé l'embrasser. Sa bouche, son corps l'avaient encouragé à aller plus loin. Puis elle avait fait marche arrière.

*
* *

Dans le taxi qui la ramenait chez elle, Isla ne cessait de repenser au baiser d'Alessi. L'embarras le disputait à la honte d'avoir réagi comme elle l'avait fait — elle ne valait pas mieux que ces allumeuses qui excitaient les hommes pour mieux les repousser. Pourtant, un autre sentiment se levait en elle. Ou plutôt une sensation, inédite, l'éveil de quelque chose au plus profond d'elle-même, une chaleur qui la submergeait encore, longtemps après le baiser. Enfin, enfin, elle savait ce que désirer un homme signifiait.

Sans même tenter de maîtriser son sourire béat, elle entra dans le duplex qu'elle partageait avec sa sœur.

— Désolée de ne pas t'avoir rejointe au cocktail, dit Isabel, assise devant la baie vitrée avec vue imprenable sur Melbourne. As-tu au moins passé une bonne soirée ?

Encore étourdie par le baiser et les réactions qu'il éveillait en elle, Isla se contenta de hocher la tête.

Ç'avait été la meilleure Saint-Valentin de sa vie.

Si Alessi apprenait un jour pourquoi, il en mourrait de rire.

1.

Le jour de l'an

A l'échangeur, Isla prit la direction de l'aéroport, bavardant avec Isabel sur le ton le plus léger possible, comme si elles sortaient simplement pour une virée en ville.

Toutes deux essayaient d'oublier que cette dernière allait s'envoler à l'aube pour l'Angleterre où elle comptait passer un an, voire davantage. Elles parlaient donc de tout sauf de son départ, et Rupert, le « fiancé » d'Isla, occupait une bonne partie de leur conversation. Il était de retour à Melbourne depuis une semaine, et la rumeur lui prêtait une aventure avec la partenaire de son dernier film, une flamboyante actrice latino-américaine.

Même Isabel ignorait la nature réelle de la relation d'Isla et de Rupert. Afin de protéger le secret de son meilleur ami et éviter toute indiscrétion, Isla n'avait rien dit à sa sœur.

— Comment fais-tu pour ne pas être jalouse ?

Son masque de désinvolture bien en place, Isla éclata de rire.

— Les paparazzi peuvent écrire ce qu'ils veulent, je m'en fiche ; et tout le monde sait qu'on peut faire dire ce que l'on veut à des photos. Elles le montrent enlaçant sa partenaire par la taille lors de la première du film, et alors ? Moi, j'ai une totale confiance en lui.

— Eh bien, je t'envie. A ta place, je ne serais pas aussi forte si…

Sa voix s'effilocha et Isla devina la fin de la phrase. Isabel n'aurait pas été aussi forte si, à l'époque, son petit ami s'était affiché avec une autre qu'elle. Sean Anderson, obstétricien et ancien fiancé d'Isabel, avait refait surface au Victoria Hospital en novembre, raison pour laquelle sa sœur échangeait son poste avec celui d'une certaine Darcie Green, de Cambridge. Plutôt que de côtoyer son amour de jeunesse tous les jours, Isabel préférait s'exiler à l'autre bout du monde.

Le cœur serré, Isla s'engagea sur le parking de l'aéroport. Elles déchargèrent les valises, les empilèrent sur un chariot et se dirigèrent vers l'ascenseur.

Dans la cabine qui les menait à l'étage du terminal, Isla adressa un sourire crispé à sa sœur.

— Si l'avion de Darcie arrive à l'heure, tu auras peut-être le temps de la croiser.

La mine chagrine, Isabel hocha la tête.

— Elle a l'air sympa, d'après ses e-mails. J'espère que c'est le cas, puisque tu vas partager l'appartement avec elle.

Isla n'avait jamais vécu seule, et vu la taille du duplex, la sous-location des quartiers d'Isabel à la collègue britannique lui avait semblé une bonne idée, sur le coup. A présent, elle n'en était plus aussi sûre.

A l'image d'Isabel qui prenait du recul pour voir plus clair en elle-même, en ce 1er janvier Isla était elle aussi pleine de bonnes résolutions. Les choses devaient changer cette année, sa vie de femme devait enfin démarrer. Mais pour sortir avec quelqu'un, il lui faudrait d'abord mettre un terme à la comédie qu'elle jouait avec Rupert. S'aventurer dans l'inconnu l'effrayait un peu. De toute façon, ce n'était pas pour tout de suite !

Le lendemain soir, ou plutôt le soir même, puisqu'il était minuit passé, le personnel de la maternité avait prévu de donner une fête au Rooftop Garden en l'honneur de Darcie. Alessi y assisterait certainement.

Alessi. Cela faisait presque un an qu'ils avaient échangé

un baiser devant ce même bar, et qu'elle l'avait éconduit. Depuis, l'atmosphère était restée tendue entre eux, pour ne pas dire orageuse.

Play-boy impénitent, il était sorti avec une kyrielle de doctoresses et d'infirmières depuis son arrivée — elle avait cessé de les compter. Isla avait tout spécialement horreur de le voir flirter avec les filles de son service. Au moins, il ne tentait plus rien avec elle. En fait, il ne la regardait même pas, la considérant de toute évidence comme une fille coincée qui avait grimpé les échelons en un temps record grâce à son lien de parenté avec le directeur. Une fille à papa sans intérêt, lui disait son regard méprisant lorsqu'il daignait s'arrêter sur elle. Ils travaillaient rarement ensemble, ce qui valait mieux pour tout le monde.

Le soleil commençait à se lever quand Isla et Isabel s'engagèrent sur le tapis roulant menant au salon d'embarquement. Quand les deux sœurs pénétrèrent dans la salle, quelques têtes se tournèrent vers elles, peut-être parce qu'elles étaient grandes et blondes, ou parce qu'on les reconnaissait. Peu importait.

D'ordinaire, les regards des curieux ne dérangeaient pas Isla outre mesure. Mais ce matin, elle allait dire au revoir à sa sœur. Elles ne se reverraient pas pendant un an et Isabel s'en allait pour une raison qu'elles ne parvenaient pas à aborder — un événement qui avait eu lieu dix-sept ans auparavant et que toutes deux avaient essayé, sans succès, d'enfouir au plus profond de leur mémoire.

Ce qui s'était passé autrefois les avait marquées à jamais. Bien qu'Isabel ne se fût pas confiée à elle, Isla savait que cette nuit fatidique avait laissé à sa sœur des cicatrices indélébiles. Et à elle aussi, pour des raisons différentes.

— A la réflexion, je ne vais pas attendre Darcie, dit Isabel, je ne me sens pas d'humeur très sociable. Tu sais que je n'ai jamais aimé les adieux, alors autant les écourter. Tu salueras ma remplaçante pour moi.

— Et toi, tu diras bonjour à l'Angleterre de ma part…

Sa voix, qu'elle voulait enjouée, se brisa. Le moment était venu de se quitter.

— Tu vas tellement me manquer !

Non seulement elles travaillaient et vivaient ensemble, mais elles étaient les meilleures amies du monde, sans secrets l'une pour l'autre — à part sa relation avec Rupert —, même en ce qui concernait ce terrible soir d'autrefois.

Oseraient-elles enfin aborder le sujet au moment de se dire adieu ?

— Tu comprends pourquoi je dois partir, n'est-ce pas ?

Trop émue pour répondre, Isla se contenta de hocher la tête.

— Je ne sais comment me comporter en présence de Sean, dit Isabel. Depuis son retour, je me sens complètement perdue. Après toutes ces années, il n'a toujours pas accepté que j'aie si brutalement mis fin à notre relation. C'était beaucoup plus qu'un béguin d'adolescents entre nous, il était l'amour de ma vie…

Des larmes se mirent à couler sur ses joues. Malgré sa position de cadette, Isla sut que c'était à elle d'être forte. Ignorant ses propres peurs, ses propres blessures, elle prit donc sa grande sœur dans ses bras pour la consoler, lui dire qu'elle faisait le bon choix. Tout irait bien.

— Tu n'as pas d'autre solution que de partir. Depuis le retour de Sean, la situation est intenable pour toi.

— Tu ne lui diras rien…

— Pour qui me prends-tu ? Je t'ai promis autrefois de garder le secret et je n'ai qu'une parole. Tu as une année pour voir clair en toi-même et résoudre ton problème. Ce ne serait d'ailleurs pas une mauvaise idée que je fasse de même.

— Toi ? Mais quels problèmes peux-tu bien avoir ? Je n'ai jamais connu quelqu'un d'aussi à l'aise dans ses baskets que toi.

Ainsi, elle donnait bien le change.

— Je t'aime, dit-elle au lieu de répondre à la question. Appelle-moi dès que tu seras à Cambridge.

— Sans faute. Moi aussi, je t'aime.

Elles s'embrassèrent une dernière fois puis Isabel sortit son billet et se dirigea vers l'hôtesse d'embarquement. Juste avant de disparaître en direction de l'avion, elle se retourna pour faire un signe de la main à sa sœur. Un courageux sourire plaqué sur les lèvres, Isla agita la main en retour.

Puis elle ouvrit les vannes et, tout en gagnant le terminal des arrivées, laissa libre cours à son chagrin. Heureusement, l'avion de Darcie n'atterrissait que dans une heure. Elle avait le temps de se ressaisir.

Assise dans le hall, elle repensa à l'époque où, petite fille de douze ans, elle écoutait avidement sa sœur de seize lui raconter ses sorties en compagnie de son petit ami, et les baisers qu'ils échangeaient… Puis, du jour au lendemain, Isabel avait cessé de lui décrire ses émois.

Un avion gronda au-dessus de la tête d'Isla et, sans prévenir, un sanglot jaillit de sa gorge, rauque, viscéral, comme lors de la funeste nuit où les pleurs de sa sœur l'avaient réveillée. Le souvenir de ces heures qui avaient changé sa vie resurgit.

Leurs parents s'étaient absentés pour le week-end. Evie, la gouvernante, dormait dans le petit appartement au-dessus du garage, si bien qu'elles avaient la maison pour elles. Guidée par le bruit des sanglots, Isla s'était arrêtée devant la porte de la salle de bains, qu'elle avait essayé d'ouvrir. Elle était verrouillée de l'intérieur.

— Isabel, laisse-moi entrer.

— Va-t'en, Isla, avait répondu Isabel avec un gémissement qui lui avait glacé le sang.

— Si tu n'ouvres pas, j'appelle Evie.

Devant l'absence de réponse, Isla s'apprêtait à s'exécuter quand la porte s'était enfin entrouverte. Elle était entrée dans la salle de bains et avait découvert Isabel, couverte de sueur, allongée sur le carrelage taché de sang. Comme sa sœur se pliait en deux en grimaçant, Isla avait soudain compris ce qui se passait : Isabel était en train d'accoucher.

— Ne dis rien à Evie, avait supplié Isabel. Personne ne doit savoir, Isla. Promets-moi de ne jamais en parler.

Malgré le sang, les cris étouffés de sa sœur et la terreur qui se lisait dans ses yeux, Isla était parvenue à garder son calme. Sachant d'instinct quoi faire, elle s'était agenouillée à côté d'Isabel et avait mis son bébé au monde. Un garçon, minuscule, et parfaitement formé. Mort-né.

Elle avait tenu le petit corps inerte entre ses mains tandis qu'une Isabel épuisée sanglotait de plus belle.

Plus tard, Isla s'était posé mille questions, allant jusqu'à se demander si elle aurait pu accomplir un geste pour sauver son neveu. Mais, dans le huis clos de la salle de bains, elle avait su sans l'ombre d'un doute qu'il n'y avait rien à faire.

— Il est beau, avait-elle dit à Isabel après avoir enveloppé dans une serviette de toilette le corps toujours attaché au placenta par le cordon ombilical.

Quand elle avait senti Isabel prête, elle avait déposé l'enfant dans ses bras.

— Tu savais que tu étais enceinte ?

Sans répondre, Isabel avait caressé la joue du bébé.

— Sean était au courant ?

— Non, avait murmuré Isabel d'une voix sourde. Et personne ne doit jamais l'apprendre. Promets-moi de garder le secret.

Devant son regard implorant, Isla avait hésité.

— Il va bien falloir le dire à Evie.

— Non, Isla, s'il te plaît.

— Mais qu'allons-nous faire du bébé ?

— Je ne sais pas.

— Il nous faut l'aide d'un adulte, Isabel. Laisse-moi en parler à Evie.

— D'accord, avait répondu Isabel en désespoir de cause. Mais à personne d'autre, promets-le-moi.

Et Isla avait promis.

D'abord bouleversée par la nouvelle, la vieille gouvernante avait vite compris la nécessité de garder le silence autour de cette naissance. Un scandale aurait non seulement hypothéqué l'avenir d'Isabel, mais éclaboussé toute la famille. Prenant les choses en main, elle les avait conduites dans l'hôpital de banlieue où sa sœur travaillait en tant que sage-femme. Dès leur arrivée, Isabel avait été installée dans un fauteuil roulant et conduite en maternité ; et le bébé avait été confié à la sœur d'Evie — toute sa vie, Isla garderait le souvenir de cette dernière emportant le petit paquet enveloppé dans la serviette.

C'était la dernière fois qu'Isla avait vu son neveu. Elle était ensuite restée longtemps seule en salle d'attente. Puis Evie était revenue lui dire que le bébé était trop petit pour être « enregistré », ce qui signifiait que l'hôpital ne garderait aucune trace de lui et que personne n'apprendrait jamais son existence.

Par leur gentillesse et leur calme efficacité, la sœur d'Evie et les autres sages-femmes avaient fait une forte impression sur Isla. Sa vocation était née ce jour-là. Elle serait sage-femme. Des années plus tard, quand ses parents avaient discuté son choix de carrière, laissant entendre que cette profession n'était pas assez prestigieuse pour une Delamere, elle avait tenu bon. Elle voulait être aussi calme, bienveillante et à l'écoute que les sages-femmes de l'hôpital l'avaient été avec Isabel cette nuit-là.

Elle n'avait qu'un reproche à leur faire : alors qu'elle n'était qu'une fillette de douze ans terrorisée qui venait de mettre au monde son neveu mort-né, elles l'avaient laissée seule sans s'occuper d'elle, sans lui donner de nouvelles de sa sœur ni lui expliquer quoi que ce fût.

Beaucoup plus tard, Isla avait appris que le bébé était né à dix-huit semaines et qu'elle n'aurait rien pu faire pour le sauver. Elle avait dû les chercher elle-même ces informations car, chaque fois qu'elle avait essayé d'aborder le sujet, Isabel s'était murée dans le silence.

Pour des raisons différentes, cette nuit avait causé un profond traumatisme chez les deux sœurs.

Malgré ses manières libérées, ses tenues audacieuses et sa vie mondaine débridée, Isla considérait le sexe comme une activité dangereuse susceptible d'entraîner des conséquences désastreuses. Durant toute son adolescence, elle avait évité de sortir avec des garçons et, lors de son année de terminale, Rupert lui avait semblé la solution idéale.

Même si le secret de sa sœur pesait parfois lourd, jamais elle ne la trahirait. Une promesse était une promesse.

2.

Quelques minutes avant l'arrivée du vol de Darcie, Isla alla se remaquiller dans les toilettes du terminal pour réparer les dégâts causés par les larmes. Las, c'était mission impossible. Son nez était trop rouge, ses yeux trop gonflés. Elle se résigna à chausser des lunettes noires, quitte à paraître jouer les stars aux aurores.

Derrière la vitre qui séparait le hall d'arrivée des guichets des douanes, elle observa le flot des passagers en provenance du vol de British Airways. Allait-elle reconnaître Darcie, qu'elle n'avait vue qu'en photo ?

En fait, ce fut Darcie qui la reconnut.

— Isla ! entendit-elle crier dans la foule.

Deux secondes plus tard, une ravissante jeune femme l'embrassait.

— Bonne année ! se souhaitèrent-elles en chœur.

— J'avais peur de ne pas vous reconnaître.

— Moi, je vous ai reconnue de suite, dit Darcie. Vous êtes aussi jolie que dans le magazine que je lisais pendant le voyage…

Darcie rougit, se rendant compte sans doute de son impair. Ledit magazine relatait avec force détails les infidélités de Rupert.

A leur sortie de l'aéroport, le soleil matinal et un grand ciel bleu les accueillirent. Melbourne était connue pour son climat capricieux, mais le temps était pour une fois de la partie.

— Cela me change de la grisaille de Cambridge. Dire que c'est l'hiver en Angleterre !

— Bienvenue aux antipodes ! Le trajet ne sera pas long, dit Isla en s'engageant sur la bretelle d'autoroute. Vous avez pu dormir dans l'avion ?

— Pas vraiment. Je suis désolée, mais je sens que je vais passer une bonne partie de la journée sous la couette. Vous comptiez sur ma compagnie ?

— Je vous mets à l'aise tout de suite, répondit Isla en souriant. Je suis de garde aujourd'hui. Vous allez avoir la maison pour vous toute seule.

— Puisque nous allons être colocataires, je propose que l'on se tutoie.

— Proposition adoptée !

— Je ne savais pas que tu travaillais, il ne fallait pas venir me chercher. J'aurais pu prendre un taxi.

— Pas de problème. De toute façon, j'étais à l'aéroport pour déposer Isabel.

— C'est vrai qu'elle partait ce matin…

Isla sentit le regard de Darcie sur elle. Malgré les lunettes et le fond de teint, devinait-elle qu'elle avait pleuré ?

— Cela a dû être difficile de dire au revoir à ta sœur…

De toute évidence, Darcie mettait ses larmes sur le compte du départ d'Isabel.

— Oui. Elle va beaucoup me manquer. Mais je me console en me disant que ce séjour en Grande-Bretagne va être une expérience professionnelle unique pour elle.

— Ne t'inquiète pas, mes collègues vont la chouchouter.

Comme elles traversaient le centre-ville, Isla ralentit devant quelques hauts lieux touristiques — Federation Square, la tour Eureka, le Victorian Arts Centre.

— J'ai hâte de prendre un tramway pour visiter la ville, dit Darcie.

— Nous en prendrons un ce soir, dit Isla. On a organisé une petite fête en ton honneur, dans un bar où mon équipe a ses habitudes. C'est une tradition, dans le service de maternité, de se réunir autour d'un verre avec un nouveau collègue avant sa prise de fonctions, cela permet de faire connaissance sur un mode informel. Ne t'inquiète pas, si tu ne te sens pas le courage d'y assister à cause de la fatigue du voyage et du décalage horaire, tout le monde comprendra.

— Mais je compte bien y aller ! J'ai hâte de faire connaissance avec l'équipage.

— As-tu laissé un petit ami en Angleterre ?

Quitte à paraître indiscrète, Isla voulait savoir avec qui elle allait partager son appartement durant les douze mois à venir.

Darcie secoua la tête.

— Non. Je suis célibataire depuis peu et je compte bien le rester. Ma priorité est désormais ma carrière. J'ai beaucoup entendu parler du service de maternité du Victoria Hospital de Melbourne, ses premières chirurgicales font la une des publications médicales du monde entier. La perspective d'y passer un an à me perfectionner me ravit.

— Justement, voici l'hôpital, dit Isla en passant devant l'imposante bâtisse victorienne qui abritait des salles à la pointe de la modernité.

Quelques minutes plus tard, elles se garèrent en sous-sol dans le parking de la résidence et chargèrent les bagages de Darcie dans l'ascenseur.

— Waouh, dit cette dernière en entrant dans le duplex. Tu m'avais parlé de partager un appartement, mais je ne m'attendais pas à un logement aussi luxueux.

Elle s'approcha de la baie vitrée panoramique.

— La vue est à couper le souffle.

— Tes quartiers sont à l'étage supérieur. Je te fais une rapide visite des lieux ?

— Inutile. Je vais prendre une douche et faire le tour du cadran. Sans doute serai-je encore au lit à ton retour.

Isla aida Darcie à monter ses valises, puis lui expliqua le fonctionnement de la télécommande des stores et quelques autres détails pratiques.

— Il faut vraiment que j'y aille maintenant, dit-elle en se dirigeant vers la porte. J'essaierai de rentrer pour 6 heures. La fête au Rooftop commence à 7. Si jamais je suis retenue au travail, j'enverrai quelqu'un te chercher.

— Pas la peine. Donne-moi l'adresse du bar, je me débrouillerai pour venir par mes propres moyens.

Isla sourit. Sa nouvelle colocataire était de toute évidence une jeune femme très indépendante.

— Pour ton premier soir à Melbourne, je préfère te savoir avec un guide. Ensuite, tu pourras aller et venir à ta guise.

Durant le trajet vers l'hôpital, Isla essaya de remettre de l'ordre dans ses idées. Elle ne savait que penser de Darcie, sans doute parce qu'elle n'était pas encore remise de sa crise de larmes. D'habitude, elle faisait en sorte de ne pas remonter dix-sept ans en arrière pour évoquer la nuit terrible. C'était la première fois qu'elle se permettait d'y penser et qu'elle pleurait ainsi. Depuis que Sean Anderson était de retour, le passé semblait les rattraper, Isabel et elle.

Quand on parlait du loup… Sean fut la première personne qu'elle rencontra à son entrée dans le service. Il la salua et elle fut bien obligée de le saluer en retour, quitte à ce qu'il voie ses yeux rougis.

— J'aimerais que tu voies l'une de mes patientes, dit-il. Il s'agit de Christine Adams, une adolescente qui ne tient aucun compte de mes conseils en matière de contraception. Tu trouveras sans doute mieux que moi les mots pour la convaincre de se protéger. Sinon, elle sera de retour chez nous dans neuf mois. Après son accouchement, je lui avais posé un stérilet, mais elle a fait une hémorragie qui l'a expulsé, il faut attendre six semaines avant de pouvoir lui en poser un nouveau. Et comme elle souffre de thrombose veineuse profonde, la pilule est contre-indiquée. Il faut absolument que tu les persuades, elle et son petit ami, d'utiliser des préservatifs. Elle m'a assuré qu'elle ne voulait pas d'autre enfant avant au moins deux ans, et elle a raison, son corps n'est actuellement pas en état de supporter une autre grossesse.

— On a discuté de cette patiente lors de la dernière réunion de travail des sages-femmes. Christine fait de l'anémie, n'est-ce pas ?

— A un stade aigu. Lors de l'hémorragie, il a fallu la transfuser. Je lui ai proposé une cure de fer, mais, comme pour la contraception, elle n'en veut pas. Elle prétend qu'elle va essayer de se soigner à l'aide d'une alimentation riche en fer.

— Je vais lui parler.

Isla avait créé l'année précédente un groupe de parole pour les adolescentes enceintes, Futures jeunes mamans. Elle avait donc l'habitude du contact avec ces patientes très jeunes qui n'étaient pas forcément sensibles aux discours médicaux classiques. FJM, comme on l'appelait désormais au Victoria Hospital, attirait des dizaines de participantes à ses réunions bimensuelles, Christine Adams y avait d'ailleurs assisté. Alors qu'elle était à peine sortie de l'enfance, son petit Robbie, né quelques jours auparavant, était son second enfant ! Se relevant d'un accouchement long et difficile et souffrant d'anémie sévère, la jeune fille allait rentrer chez elle pour s'occuper de son nouveau-né et de son frère de dix mois. Sean avait raison : si on la laissait livrée à elle-même, elle serait de retour chez eux dans neuf mois pour accoucher d'un troisième enfant.

— Une dernière chose, Isla, dit Sean comme elle s'apprêtait à s'éloigner. J'aimerais savoir…

Il s'arrêta pour regarder derrière elle et son visage s'éclaira d'un large sourire.

— Bonjour, Alessi, merci d'être venu si vite. Dis donc, tu es bien élégant ce matin. En quel honneur ?

Isla se retourna. Alessi, plus séduisant que jamais en complet sombre et cravate, était, pour une fois, rasé de près. A le voir, on aurait cru qu'il allait à un mariage plutôt qu'en soins intensifs de néonatologie pour examiner l'un des petits patients de Sean.

— Salut, tout le monde, dit Alessi à la ronde.

— Bonjour, Alessi, dit une sage-femme.

— Waouh, on se croirait à la remise des oscars, dit une autre. L'oscar du médecin le plus canon est décerné à…

Un sifflement admiratif retentit, en provenance du bureau des infirmières.

Toutes les femmes présentes semblaient butiner autour de lui, telles des abeilles, et lui, souriant à toutes, considérait manifestement cela comme son dû. Souriant à toutes, sauf à elle.

Le courant ne passait pas entre eux. Quand ils étaient obligés de travailler ensemble, ils se comportaient en professionnels, sans se perdre en politesses inutiles. Leurs chemins se croisaient quotidiennement, mais ils essayaient de limiter leurs échanges au strict minimum.

Pourtant, elle commençait à en avoir vraiment assez de le voir flirter avec ses sages-femmes. Elle avait bien envie de le rappeler à l'ordre, d'autant qu'il sortait apparemment depuis peu avec l'une de ses stagiaires, Amber.

Oh ! il ne s'agissait pas d'un détournement de mineure. Amber avait la trentaine, mais elle n'en demeurait pas moins une stagiaire dont elle, Isla, était responsable.

Malgré ses griefs envers Alessi, Isla reconnaissait que c'était un néonatologiste de premier plan, il fallait bien l'admettre, et un bourreau de travail. Il travaillait autant qu'il draguait. Le premier arrivé et le dernier parti, il passait plus de temps à l'hôpital que chez lui.

— Alors, pourquoi m'as-tu appelé ? demanda Alessi à Sean.

— Je vais vous laisser, dit Isla.

— Attends, on n'a pas fini notre conversation, dit Sean, l'empêchant de battre en retraite, puis se tournant vers Alessi. Cette nuit j'ai mis au monde un bébé, apparemment en parfaite santé. Le seul problème, c'est qu'il semble presque muet : même quand il pleure, sa gorge ne laisse échapper qu'un son très faible.

— Je vais l'examiner.

— Tu ne m'as toujours pas dit pourquoi tu étais sur ton trente et un ?

— Je déjeune avec les huiles, dit Alessi en levant les yeux au ciel. Dont le père d'Isla.

Il lui adressa un sourire qui ressemblait plus à une grimace.

Sauf erreur, il la provoquait.

— Je vous souhaite bien du plaisir, répliqua-t-elle froidement.

Ils étaient les seuls à se vouvoyer dans le service.

— Je n'en aurai aucun, dit-il sans se soucier de politesse. Ce sera un mauvais moment à passer.

Elle était au courant de ce déjeuner de travail, les administrateurs voulaient préparer la remise du prix récompensant la contribution d'Alessi au service de maternité. La cérémonie elle-même devait avoir lieu trois semaines plus tard, lors d'un bal de charité au profit de l'hôpital. Décidé à impliquer Alessi dans leurs œuvres caritatives, Charles Delamere voulait profiter du déjeuner pour lui demander de mettre son physique avantageux et son sourire ô combien médiatique au service des relations publiques du Victoria Hospital.

Y réussirait-il ? Cela semblait mal parti, vu le peu d'enthousiasme d'Alessi pour cette rencontre avec les « huiles ».

Pas dupe des raisons pour lesquelles Charles Delamere le conviait à ce déjeuner directorial, Alessi n'avait aucune envie de céder à ses demandes. Son travail le comblait, et il était fier de faire partie de la prestigieuse équipe de médecins du Victoria Hospital. Mais il n'avait aucune envie de « racoler » des donateurs lors d'émissions de télévision ou de conférences dans des country clubs.

Durant sa conversation avec Sean, il avait remarqué les

yeux rougis d'Isla. Elle avait pleuré. Sans doute à cause des révélations des journaux du week-end sur les infidélités de son petit ami. Il était impossible de ne pas être au courant de l'affaire, la trahison de Rupert s'étalait dans toute la presse. Même affligée, Isla restait glaciale envers lui. Elle lui avait à peine accordé un coup d'œil depuis son arrivée.

Eh bien, il en avait autant. Quand il la croisait, il prenait soin de l'ignorer avec superbe ou de s'en tenir au minimum indispensable à la bonne marche du service. Personne n'aurait pu deviner l'attirance insensée qu'il éprouvait toujours pour elle.

Armée de préservatifs, Isla alla trouver Christine et son petit ami, Blake. Joel, leur fils aîné, se trouvait également dans la chambre, que se partageaient trois autres patientes.

En approchant du lit, autour duquel le rideau était tiré, Isla se raidit. De belles chaussures de cuir se trouvaient à côté du lit. Celles d'Alessi. Il devait être en train d'examiner le bébé de la jeune fille.

En d'autres circonstances, elle aurait rebroussé chemin pour revenir plus tard, mais Christine allait rentrer chez elle dans la matinée. Pour la convertir aux bienfaits de la contraception, c'était maintenant ou jamais.

Plaquant un sourire enjoué sur ses lèvres, Isla se glissa derrière le rideau. A son grand soulagement, Alessi s'écarta et lui laissa la place.

— Bonjour, Christine. Bonjour, Blake, dit-elle. Il paraît que vous allez nous quitter ce matin ?

— J'ai hâte de rentrer à la maison, dit la jeune maman en baissant des yeux attendris vers son bébé.

Accroché à son sein, le petit Robbie tétait goulûment sous le regard ombrageux de Joel.

— Vous allaitez aussi Joel, je crois ? demanda Isla.

— Juste de temps en temps. Mais maintenant, il est

jaloux à cause du bébé et me réclame de nouveau le sein tout le temps.

Bien que Christine fût une maman attentive et aimante, Isla comprenait parfaitement l'inquiétude de Sean à son sujet. Alors que la jeune maman n'était pas remise de son accouchement — sa pâleur en témoignait —, elle allait devoir allaiter son bébé *et* son fils de dix mois, ce qui ne l'aiderait certainement pas à récupérer.

— Je voudrais vous toucher un mot en matière de contraception…

— Oh ! la sage-femme et le Dr Sean nous en ont déjà rebattu les oreilles, inutile d'en rajouter une couche.

— Je crois au contraire que c'est indispensable, répondit Isla.

— Dans ce cas, je vous laisse, dit Blake en se levant.

— Non, Blake, restez. Cela vous concerne autant que Christine.

Le jeune homme se rassit, visiblement à contrecœur.

— Comme vous le savez, la pose du stérilet a échoué, dit Isla. Cela arrive parfois et il faut alors attendre six semaines pour en poser un autre.

— Le Dr Sean nous l'a déjà expliqué, dit la jeune maman, soupir à l'appui.

— Vous savez, j'espère, qu'allaiter votre bébé ne vous protège pas du risque de tomber enceinte durant le *post-partum* ?

— Si je l'ignorais, j'en ai maintenant la preuve vivante sous les yeux.

— Et vous savez aussi que la pilule contraceptive vous est interdite à cause de vos antécédents thrombotiques ?

— Merci, je sais.

Elle ne prenait de toute évidence pas cela au sérieux.

— Il va falloir utiliser des préservatifs lors de vos rapports ou pratiquer l'abstinence au cours des semaines à venir.

— Il y a toujours la pilule du lendemain, dit Christine d'un ton désinvolte.

Isla préférait la prescrire en dernier recours, dans des cas de viol par exemple, car cette solution s'apparentait à ses yeux plus à un avortement qu'à un moyen contraceptif. De plus, le progestatif pouvait entraîner des saignements et des effets secondaires non négligeables. Si une patiente la lui demandait après un rapport non ou mal protégé, elle acceptait toutefois de la délivrer car cela faisait partie de son métier.

En revanche, elle désapprouvait absolument le raisonnement de Christine, qui semblait considérer ladite pilule comme un contraceptif commode, à utiliser a posteriori de manière récurrente. De toute façon, du fait de ses problèmes de thrombose veineuse, cette pilule était à proscrire.

— Je ne vais pas attendre six semaines, dit Christine. Et Blake ne pourra certainement pas attendre aussi longtemps.

La tête baissée, le jeune homme fixait ses chaussures, l'air embarrassé.

— Personne ne vous demande d'attendre. Il faut simplement pratiquer une sexualité sans pénétration ou employer des préservatifs. Et ces conseils valent pour *tous les deux*, dit-elle à l'intention de Blake.

— Oh ! laissez-le tranquille.

— Christine, vous souffrez d'une anémie sévère et votre corps n'est pas en état de supporter une autre grossesse. Il faut absolument que Blake fasse attention.

— Il essaie, dit Christine, prenant aussitôt la défense de son compagnon. Mais c'est plus facile à dire qu'à faire. Ça ne vous est jamais arrivé d'être tellement dans le feu de l'action que vous en oubliez la prudence ?

De l'autre côté du rideau, Isla aperçut les chaussures d'Alessi. Il était toujours là, ne ratait pas une miette de leur conversation et s'amusait sans doute beaucoup.

— Euh, il ne s'agit pas de moi mais de vous, Christine, répondit-elle, les joues en feu. Si c'est le prix des préservatifs qui pose problème, vous n'avez pas à vous inquiéter. J'ai dévalisé l'armoire à pharmacie, il y a là un stock d'échantillons gratuits, de quoi vous faire quelques semaines.

Elle tendit le sac à Blake.

— Souvenez-vous, un à chaque rapport, dit-elle en marquant ses mots. Sinon, la famille risque de s'agrandir encore dans neuf mois. Imaginez que ce soit des jumeaux, vous auriez quatre enfants de moins de deux ans… Je crois que vous ne le souhaitez ni l'un ni l'autre.

La mine décomposée, Blake jeta un coup d'œil à Christine. Le message semblait enfin passer.

— D'accord ?

— Compris, dit Blake.

Les laissant explorer le contenu du sac, Isla émergea du rideau et se retrouva nez à nez avec Alessi. Miracle, il lui souriait, même si c'était d'un air goguenard.

— Vous n'avez pas répondu à la question de Christine, Isla.

— Et alors ?

— Seriez-vous du genre à donner des conseils que vous ne suivez pas vous-même ?

Elle haussa les épaules en s'efforçant de prendre un air détaché. Seigneur, il aurait hurlé de rire s'il avait su la vérité, à savoir qu'elle n'avait jamais été dans « le feu de l'action ».

Au sortir de la chambre, il bascula heureusement en mode travail.

— Je viens d'examiner le petit patient de Sean, dit-il, il ne présente aucun signe d'infection. Ce bébé a un larynx encore trop souple, ce qui explique la faiblesse de ses cris. Mais, par précaution, j'ai tout de même ordonné une analyse de sang, et j'aimerais que l'on prenne sa température toutes les deux heures.

— Je m'en charge.

— Si vous notez le moindre symptôme alarmant, bipez-moi aussitôt.

Non sans appréhension, elle se rendit compte qu'il la dévisageait. Zut. Lui aussi avait remarqué ses yeux rougis.

Alessi hésitait à sortir de sa réserve professionnelle. Qu'aurait-il pu lui dire, de toute façon ?

« Je suis désolé que votre petit ami vous ait trompée avec une autre. »

Il n'était pas désolé.

Peut-être l'était-il de la savoir blessée et humiliée, apprendre par journaux interposés qu'on était cocufiée était doublement traumatisant, mais il ne regrettait certainement pas que la relation d'Isla et de Rupert vole en éclats.

Car après un tel affront, elle allait certainement rompre.

Il y avait presque un an, ils avaient partagé un baiser mémorable auquel il lui arrivait encore de penser, et même souvent. C'était étrange, comme il se sentait toujours attiré par elle alors qu'il ne ressentait aucune sympathie particulière à son égard.

D'autant que tout les opposait. Née avec une cuillère d'argent dans la bouche, elle n'avait pas eu à fournir beaucoup d'efforts pour se faire une place au soleil, alors que lui avait dû gravir les échelons à la force du poignet.

— A quelle heure commence la fête ce soir ? lui demanda-t-il.

— 7 heures.

— Je vous y verrai ?

— Oui. J'y serai.

C'était la première fois qu'ils échangeaient deux phrases d'affilée sur autre chose que le travail. Mais il n'avait pas l'intention de briser davantage la glace.

Il considérait l'attirance qu'il éprouvait pour elle comme une faiblesse, il s'en voulait de réagir à son parfum, de se sentir excité à son contact.

Au début de l'année précédente, cette femme lui avait clairement fait comprendre qu'ils n'étaient pas du même monde et qu'elle ne voulait rien avoir à faire avec lui. Il n'était pas question de baisser la garde face à elle, même si elle était pour l'heure malheureuse et vulnérable.

De toute façon, il ne voulait plus d'histoire sérieuse. Depuis Talia, il préférait collectionner les aventures sans engager ses sentiments, et prenait soin de choisir des partenaires sur la même longueur d'onde.

Surtout, il ne laisserait pas à Isla Delamere le plaisir de le rejeter une seconde fois.

3.

Retenue par un accouchement, Isla rentra plus tard que prévu. Cela tombait bien, Darcie venait de se lever. Elles partagèrent un verre de vin tout en se préparant pour la soirée.

— Puis-je t'emprunter ton sèche-cheveux ? demanda Darcie. L'adaptateur que j'ai apporté pour le mien ne fonctionne pas.

— Bien sûr. Il est dans le placard sous le lavabo. Je vais appeler Rupert pour l'avertir que je serai en retard et lui demander de nous retrouver directement au Rooftop Garden.

— Oh ! vous vous voyez toujours. Je croyais que... Excuse-moi, Isla, cela ne me regarde absolument pas.

— Ne t'excuse pas. Ma sœur a eu la même réaction ce matin en apprenant que j'avais toujours confiance en Rupert. Tu sais, s'il fallait croire tout ce qu'on lit dans les magazines...

— Tu as raison, les journalistes inventeraient n'importe quoi pour vendre du papier.

Une lueur de pitié brillait dans les yeux de Darcie, trahissant sa pensée. Elle faisait semblant d'être d'accord avec Isla, mais pensait de toute évidence, comme tout le monde, que Rupert la menait en bateau.

Sous la douche, Isla affermit ses résolutions. Nouvelle année, nouvelle vie. Il fallait qu'elle rompe son arrangement avec Rupert, qu'elle cesse de se cacher derrière lui. Cela lui pesait de plus en plus, que les gens la prennent pour une imbécile s'acharnant à défendre un homme qui ne le méritait pas, ou pire, pour une femme complaisante qui fermait les yeux sur les frasques de son fiancé.

Avant la révélation du scandale, Rupert l'avait appelée pour lui expliquer ce qui s'était passé. L'actrice avec qui il partageait l'affiche de son dernier film avait le même agent que lui, et ce dernier avait eu la brillante idée d'une supposée idylle entre eux pour aider à la promotion de la comédie romantique. Lors des photos de la première, Rupert avait posé avec sa partenaire, et celle-ci l'avait piégé, glissant la main dans la sienne et se collant contre lui. Mais il avait juré ses grands dieux à Isla qu'il n'était pas au courant de la machination.

Elle ne l'avait pas cru, et le lui avait dit.

Elle avait toutefois eu du mal à lui en vouloir — après tout, elle savait que les « révélations » du magazine n'étaient qu'un tissu de mensonges.

Pour Rupert, continuer à passer pour son fiancé tout en s'autorisant de temps en temps quelques supposées aventures et peaufiner son image de séducteur était tout bénéfice. Mais pour elle, la comédie avait assez duré.

Bien que décidée à reprendre sa liberté, elle était tentée de remettre la rupture à plus tard. Sachant qu'Alessi serait de la fête, elle avait demandé à Rupert de ne pas la quitter d'une semelle. Elle appréhendait également le bal caritatif qui devait se tenir trois semaines plus tard, et au cours duquel Alessi recevrait une distinction pour son travail. En sa qualité d'invité d'honneur, il serait assis à la table directoriale en compagnie de son père — et d'elle. Pourvu que l'organisateur ne décide pas de les installer côte à côte.

Aujourd'hui pourtant, elle avait noté un léger progrès dans leur relation. Il lui avait même souri à la sortie de la chambre de Christine, certes avec une expression quelque peu narquoise.

Fermant les yeux, elle se souvint des sourires sans retenue qu'il lui avait adressés lors de la soirée de la Saint-Valentin. Et de son baiser. Comme elle repensait à ce moment délicieux, ses mains se posèrent sur ses hanches, qu'il avait touchées… Soudain, elle ouvrit les yeux. Ses doigts, comme mus par une volonté propre, descendaient vers la croisée de ses cuisses où pulsait une petite douleur sourde, la même que le baiser d'Alessi avait fait naître. Elle voulait savoir ce qu'elle aurait ressenti si elle ne lui avait pas dit non ; c'était comme si son corps la suppliait d'oser le geste.

Choquée, elle ferma le robinet et sortit de la douche. Elle avait failli explorer son intimité. Elle se sécha rapidement et s'habilla à la hâte.

Elle avait jeté son dévolu sur une robe d'été vert pâle qui ne faisait, hélas, qu'accentuer l'écarlate de ses joues, mais il était trop tard pour changer de tenue.

Pendant des années, elle avait ignoré sa sexualité, et voilà le résultat. Le souvenir du baiser d'Alessi avait réveillé toutes sortes de désirs en elle, qui la laissaient désemparée et insatisfaite. Frustrée. A supposer que ce terme puisse s'appliquer à la novice qu'elle était.

Ce soir, Alessi serait là. Elle avait intérêt à se contrôler. Si elle lui montrait le pouvoir qu'il exerçait sur ses sens, il en profiterait. A l'aide de ses sourires dévastateurs, cet homme avait séduit la moitié du personnel féminin du Victoria Hospital.

Et aucune de ses conquêtes ne semblait regretter de lui avoir cédé, même si la liaison n'avait duré que quelques jours.

Elle, le regretterait-elle ?

Secouant la tête, elle se raisonna. D'abord, il était peu probable qu'il lui propose quoi que ce fût. Et si, d'aventure, cela arrivait, elle lui résisterait. Un don juan était le dernier homme qu'il lui fallait pour l'initier aux plaisirs de la chair. Seigneur, comme il rirait s'il découvrait la vérité sur son compte !

Cette pensée eut le mérite de la refroidir complètement.

— Tu es très élégante, dit Darcie, quand elle la rejoignit dans le salon. Je me sens un peu nerveuse à l'idée de rencontrer mes futurs collègues.

— Il ne faut pas. Ils sont très sympa, tu verras.

La soirée était chaude et douce, et elles prirent le tramway pour se rendre au Rooftop Garden. Comme prévu, tout le monde se montra très accueillant avec la nouvelle obstétricienne.

— Je te présente Lucas, dit Isla. Il est cadre infirmier, *et* sage-femme.

— Ravie de vous rencontrer.

— Et voici Sophia, une sage-femme libérale qui travaille avec nous.

Alessi n'étant pas là, Isla se détendit et alla commander leurs boissons au bar. Elle venait de rejoindre Darcie à leur table quand il arriva accompagné d'Amber, ce qui ne fit qu'accentuer la contrariété d'Isla.

— Darcie, je te présente notre néonatologiste, Alessi, dit-elle, un sourire forcé aux lèvres, comme il s'approchait d'elles. Et voici Amber, l'une de mes stagiaires.

A son grand dam, sa voix eut une note aigre qui n'échappa pas à Alessi, à en juger par le sourire moqueur qu'il lui adressa. Elle aurait tant voulu lui dire que non, elle n'était pas jalouse d'Amber, simplement furieuse contre lui.

— Bonsoir.

Elle sentit un bras s'enrouler autour de sa taille. C'était Rupert.

— Désolé d'être en retard, ma chérie.

— Cela ne fait rien.

Contente de le voir, elle l'embrassa avec la fougue d'une fiancée éperdument amoureuse, et il lui rendit son baiser avec la même ardeur. Depuis le temps, leur petit duo était parfaitement rodé.

Comme elle s'asseyait, elle fut surprise du regard noir qu'Alessi décocha à Rupert. Puis il tourna les yeux vers elle, clairement désapprobateur.

Son sang ne fit qu'un tour. Il était mal placé pour jouer les censeurs !

Durant l'heure qui suivit, elle eut beaucoup de mal à

jouer les hôtesses parfaites alors qu'Alessi glissait mots doux sur mots doux à l'oreille d'Amber. Heureusement, Darcie monopolisait l'attention en parlant de l'Angleterre, de Cambridge en particulier, et du service où Isabel allait travailler durant l'année à venir. Personne, sauf peut-être Rupert, ne semblait remarquer qu'Isla bouillait.

— Doucement, lui dit-il comme elle remplissait son verre pour la énième fois.

D'habitude elle s'en tenait à un verre de vin, mais ce soir elle s'autorisait quelques excès dans l'espoir d'oublier un peu la situation. Elle était assise à côté d'un homme censé être son fiancé alors que celui qui l'intéressait vraiment s'affichait avec une autre.

C'était pathétique.

Après tout ce que Rupert avait fait endurer à Isla, il se permettait de lui donner des conseils de sobriété ? Alessi n'en revenait pas. La seule présence de Rupert à cette fête le choquait. Décidément, Isla n'était pas rancunière…

Il essayait de donner le change, mais il passait une mauvaise soirée. Il se sentait coupable, vis-à-vis d'Amber. Ce n'était en effet pas à côté d'elle qu'il désirait être assis, mais à côté d'Isla.

Comme Amber se tournait vers lui, il se força à lui sourire. Son histoire avec elle était terminée, mais elle semblait l'ignorer. Il allait donc falloir le lui signifier sans lui causer de peine. Le pire, c'était que cela ne l'inquiétait même pas. La seule personne pour laquelle il s'inquiétait, c'était Isla.

Ayant bu un peu trop de vin, Isla alla aux toilettes s'asperger le visage d'eau fraîche. A sa sortie, elle tomba nez à nez avec Alessi.

— Ça va ? lui demanda-t-il.

Elle le foudroya du regard. Comme ils étaient hors de portée d'oreille de leurs collègues, elle décida d'attaquer.

— La façon dont vous vous comportez avec Amber, une stagiaire qui fait ses classes chez nous, ne me plaît pas du tout.

— Pardon ?

— Vous avez très bien entendu.

— Amber n'est pas mon élève, mais la vôtre. A vous entendre, on dirait qu'elle est mineure et que je suis un vieux pervers qui la détourne du droit chemin. Je vous rappelle qu'elle a trente-deux ans et qu'elle est mère de deux enfants.

— Peu importe. Elle est sous *ma* responsabilité et je n'aime pas la manière dont vous flirtez avec mes sages-femmes.

Il faisait plus que flirter, mais elle n'avait pas l'intention d'entrer dans les détails.

— Avez-vous reçu des plaintes me concernant ? demanda-t-il, visiblement guère impressionné par ses remontrances.

Indignée par son aplomb, elle se contenta de hausser les épaules.

— Ai-je été accusé de harcèlement, ou d'user de ma position hiérarchique pour obtenir ses faveurs ? poursuivit-il. Non. Alors, à votre place, je ferais très attention à mes propos. Je sors avec des femmes adultes et consentantes, et nous y trouvons tous notre compte. Il n'y a qu'une seule personne que cela semble déranger, c'est vous. Et je me demande bien pourquoi…

Sa colère enflait à chaque mot. Elle regrettait à présent de lui avoir cherché querelle — ce n'était ni le lieu ni le moment pour le rappeler à l'ordre —, mais il était impossible de faire marche arrière.

— Je voulais juste vous donner mon opinion sur le sujet.

— Quel sujet ?

L'air plus moqueur que jamais, il avança d'un pas et elle se retrouva acculée au mur.

— J'aime flirter, c'est vrai, reprit-il devant son silence.

J'aime la compagnie des femmes, mais je leur annonce clairement la couleur dès le départ, à savoir que la relation sera très éphémère.

— Pourquoi ?

La question avait jailli de ses lèvres avant qu'elle ait pu la retenir.

— Pourquoi ? fit-il en haussant le ton. Parce que c'est la manière dont j'ai choisi de vivre ma vie. Et je me passerai de votre approbation. Tout ce que je peux vous dire, c'est que même si mes histoires sont courtes, je n'ai jamais trompé personne. Jamais je n'ai eu à mentir sur l'endroit où je me trouvais, à inventer des excuses...

Sauf erreur, c'était une attaque en règle contre Rupert. La situation commençait à lui échapper.

— Je vais retourner auprès de nos amis, dit-elle.

— Ah non ! dit-il en lui bloquant le passage. Puisque vous semblez si intéressée par ma vie sentimentale, vous me permettrez de vous dire ce que je pense de la vôtre. Vous vous abaissez en continuant à fréquenter ce Rupert. N'avez-vous donc aucun respect pour vous-même ?

Il était le premier à formuler à voix haute ce que personne n'avait eu le courage de lui dire, pas même sa sœur.

— Pourquoi restez-vous avec lui, Isla ? Ses infidélités s'étalent sur internet, dans tous les magazines, et vous faites comme si de rien n'était. Franchement, je ne vous comprends pas.

— Je ne vous le demande pas.

— Vous ne m'empêcherez pas de me poser des questions. Pourquoi le laissez-vous vous traiter avec si peu de respect alors que vous ne... ?

Rupert venait d'apparaître dans le couloir.

— Je te cherchais, ma chérie.

Cher Rupert. Il suivait à la lettre ses instructions de ne pas la quitter d'une semelle.

— Darcie commence à montrer des signes de fatigue,

dit-il en l'enlaçant par la taille. Il serait peut-être temps de la ramener à la maison.

— Bien sûr.

Alessi n'avait pas bougé d'un pouce. Il semblait défier Rupert du regard comme pour lui dire : « Vas-y, ose seulement m'adresser la parole et tu en prendras pour ton grade. »

Désireuse d'éviter une confrontation entre les deux hommes, Isla se tourna vers Rupert.

— Veux-tu dire à Darcie que j'arrive, s'il te plaît ? J'ai juste une affaire à régler avec Alessi.

— D'accord. Ne tarde pas trop.

Et il s'éloigna sous le regard furieux d'Alessi.

— Ce type a un sacré toupet ! Il vous défend de boire trop de vin, il vous espionne à la sortie des toilettes pour voir avec qui vous parlez, mais lui, il a le droit de faire les quatre cents coups et de vous tromper avec tout ce qui bouge !

— Notre vie privée ne vous regarde pas, dit-elle d'une voix qui, à son grand effroi, tremblait de plus en plus. De quel droit le critiquez-vous alors que vous collectionnez les conquêtes et que vous… vous… Vous parlez de respect, mais c'est *vous* le macho misogyne qui n'avez aucun respect pour les femmes ! conclut-elle, sentant qu'elle perdait ses moyens.

— Sans doute le Grec en moi.

Et en plus, il se moquait d'elle.

Ils s'affrontaient comme des mois auparavant, au même endroit, sauf que l'enjeu était désormais plus important. Elle fixa sa bouche pleine, sensuelle, et sentit la même émotion que sous la douche. Le sang s'accéléra dans ses veines, qui s'embrasèrent. Posés sur elle, les yeux d'Alessi luisaient tels des charbons ardents dans la pénombre du couloir.

— Nous sommes seuls, dit-il comme s'il lisait dans ses pensées. Je pourrais vous embrasser si je le voulais.

Dans son regard se lisait un désir ardent.

— Vous pourriez, dit-elle pour le provoquer.

Seigneur, faites qu'il le fasse. Ils étaient à quelques centimètres l'un de l'autre, il n'avait qu'à se pencher pour…

— Mais je ne le ferai pas, dit-il d'une voix où se mêlaient mépris et dégoût. Croyez-le ou non, j'ai du respect pour Amber et je n'ai pas l'intention d'entrer dans vos jeux malsains.

Elle voulut reculer et se cogna au mur. Sans échappatoire possible, elle était condamnée à lui faire face.

— Il y a une autre raison pour laquelle je ne le ferai pas, fit-il, les traits durcis. Je ne vous donnerai pas l'occasion de me repousser une seconde fois, Isla. Quand le moment sera venu, c'est vous qui m'embrasserez. Après vous être excusée.

Sur cette prédiction qui ressemblait fort à une menace — une délicieuse menace —, il s'éloigna.

— Jamais ! lança-t-elle.

— On verra, dit-il par-dessus son épaule.

Et il disparut au bout du couloir.

Le cœur battant, Isla tenta de se composer une contenance avant d'aller retrouver ses amis. Désormais, elle savait au moins qu'Alessi et elle étaient sur la même longueur d'onde : ils se détestaient et se désiraient à la fois.

4.

Visiblement morte de fatigue, Darcie, à peine la porte franchie, souhaita bonne nuit à Rupert et Isla, et monta se coucher.

Restée seule avec Rupert, Isla réfléchissait à la manière de lui annoncer sa décision lorsqu'il prit les devants.

— Toi et moi, c'est fini, n'est-ce pas ?

— Comment as-tu deviné ?

— Je ne suis pas ton meilleur ami pour rien. On publiera une annonce officielle : tu me quittes car tu en as assez de mes infidélités.

— Merci de te montrer si compréhensif.

— Merci à toi d'avoir joué le jeu pendant si longtemps. Mais comment vas-tu faire, au dîner de gala, pour repousser les assauts de ton ami grec ?

— Ce n'est pas mon ami, il me déteste et il en va de même pour moi.

— Avoue au moins que c'est à cause de lui que nous « rompons », dit-il avec une redoutable perspicacité. Tu sais ce que l'on dit : entre la haine et l'amour, la frontière est mince. Il était temps que tu sautes le pas.

— Je ne le sauterai pas avec Alessi. Il change de petite amie comme de chemise.

— Mais tu es attirée par lui et c'est réciproque, à en juger par la manière dont il te dévorait du regard durant toute la soirée. Alors, lance-toi. Si cela ne marche pas, ce ne sera pas grave.

Pour elle, si, ça le serait.

Elle le raccompagna à la porte et l'embrassa tendrement sur la joue. C'était une rupture pour la forme. Rupert resterait toujours son ami et son confident. Elle lui avait toujours tout dit, sauf ce qui s'était passé pour Isabel autrefois.

Elle ne pouvait toutefois s'empêcher d'avoir un peu peur. Désormais, elle n'aurait plus de filet de sécurité pour la protéger.

— Je te souhaite bonne chance, dit-il en la serrant contre lui.

— Merci. Tu es sûr que ça va aller ?

— Bien sûr, je suis un grand garçon. Puis-je juste te demander…

— De ne parler à personne de ton homosexualité ? dit-elle en terminant pour lui. Cela va de soi.

— Promets-le-moi. Je vais bientôt passer une audition pour le premier rôle d'une superproduction et, si je l'obtiens, je serai constamment sous les feux des projecteurs.

L'insistance de Rupert lui faisait de la peine. Ne savait-il pas qu'il pouvait compter sur son silence ?

— Je t'ai déjà donné ma parole lorsque nous avions dix-huit ans, Rupert. La promesse tient toujours.

Le lendemain, Isla se chargea de l'échographie d'une jeune femme enceinte de trente-deux semaines. Dès le départ, elle sut que ce ne serait pas une patiente comme les autres. A l'issue de sa consultation avec Darcie, Allegra — la future maman — avait demandé que le Dr Manos ne soit pas informé de sa présence. Elle était accompagnée de Niko, son petit garçon de trois ans.

En parlant avec elle, Isla découvrit qu'elle était la sœur jumelle d'Alessi.

— J'ai eu un accouchement très difficile avec Niko, expliqua la jeune femme brune qui était la copie conforme de son frère au féminin. Nous habitions Sydney à l'époque, et mon fils se présentait par le siège. Au terme d'un travail qui a duré des heures, on a fini par me faire une césarienne d'urgence. Niko ne respirait pas à la naissance, il a dû être réanimé.

Elle était encore visiblement bouleversée à ce souvenir, mais continua néanmoins.

— Malheureusement, il en a conservé une légère paralysie cérébrale. C'est la faute du médecin accoucheur, qui a trop tardé à pratiquer la césarienne, mais j'ai décidé de ne pas le poursuivre. Je voulais tourner la page et me concentrer sur l'éducation de mon fils. Alessi, en revanche, était furieux, et mes parents aussi. C'est pour cette raison que je ne veux pas qu'il s'occupe de moi…

— Vous craignez que ses griefs envers le médecin de l'époque ne resurgissent ?

— Ce n'est pas ça. Au cas où quelque chose se passerait mal, je ne veux pas qu'il soit impliqué et se sente coupable.

— Tout de même, il va nous en vouloir de lui taire votre visite…

Allegra ne lui disait pas tout, Isla le sentait.

— Y a-t-il une autre raison qui vous pousse à le laisser en dehors ?

Allegra hocha la tête.

— J'aimerais accoucher de manière naturelle cette fois, mais Alessi est contre. Plutôt que de m'imposer plusieurs heures de travail qui risquent de se terminer comme il y a trois ans, il pense que l'on devrait programmer d'emblée une césarienne. Je suis désolée de vous mettre en porte-à-faux par rapport à lui.

— Ne vous inquiétez pas pour moi. Il s'agit de *votre* grossesse et de *votre* accouchement. Vous n'allez pas subir une opération juste pour faire plaisir à votre famille. Si vous voulez, je peux le lui expliquer.

— Il risque de mal le prendre si cela vient de quelqu'un d'autre que de moi. Nous sommes très proches. Bien que nous soyons jumeaux, il se comporte comme un grand frère ; à l'école, il me protégeait… Au fait, nous avons fréquenté la même université que vous ; je me souviens de vous et de votre sœur.

— Ah bon ? dit Isla qui se sentait un peu coupable de ne pas se souvenir d'eux.

— Les autres étudiants nous infligeaient toutes sortes de brimades et de moqueries, à cause de notre milieu modeste et de nos origines grecques.

— Vraiment ?

L'Alessi sûr de lui qu'elle connaissait avait-il vraiment subi des brimades par le passé ? Elle avait du mal à le croire.

— Nous étions boursiers, alors que la plupart de nos camarades de classe étaient issus de familles riches, dit Allegra. Dès le premier jour, ils nous ont traités comme des parias. Ils se moquaient de nous car nous ne pouvions pas nous permettre de vacances au ski, ni des vêtements et des chaussures de marque ; tout était prétexte à nous humilier. C'était très cruel. Alessi me protégeait de son mieux ; comme il essaie de le faire aujourd'hui. Le problème, c'est que…

Cette fois, Isla devinait où Allegra voulait en venir.

— Vous n'avez plus besoin qu'il vous protège ?

— Exactement, répondit-elle, soupir à l'appui. Sans vouloir faire courir de risque à mon bébé, je tiens à accoucher par la voie basse…

Elle sembla réfléchir un instant.

— Au fond, ce serait peut-être une bonne idée que vous en parliez à mon frère. Moi, j'ai déjà essayé, et il ne veut rien entendre.

— D'accord. Vous n'êtes pas la première patiente à rencontrer ce genre de problèmes avec sa famille. Quand on aime quelqu'un, on veut le protéger à tout prix mais, en l'occurrence, Alessi doit apprendre à s'effacer. La décision vous appartient à vous seule.

— Merci, Isla.

Durant leur conversation, le petit Niko s'était endormi sur le canapé de la salle. Isla appliqua le gel sur le ventre d'Allegra et déplaça la sonde jusqu'à ce que les images apparaissent sur l'écran du moniteur.

— Tout m'a l'air parfait. Nous ferons un nouvel examen dans deux semaines. Sophia va vous fixer un rendez-vous. Entre-temps, si vous avez des questions, n'hésitez pas à nous appeler.

Comme Allegra sortait de la salle, son fils endormi dans les bras, Isla aperçut Alessi dans le couloir.

— Que fais-tu là ? demanda-t-il à sa sœur. Et pourquoi ne m'a-t-on pas averti de ta présence ?

Isla s'avança.

— Alessi, pourrais-je vous dire deux mots ? Tout va bien avec Allegra et son bébé, précisa-t-elle aussitôt devant son air inquiet. J'ai juste besoin de discuter de quelque chose avec vous.

Pendant quelques secondes, elle crut qu'il allait tourner les talons.

— Allegra, je te rejoins dans une minute. De quoi voulez-vous me parler ?

Elle le conduisit dans un bureau vide. Se retrouver seule avec lui après ce qui s'était passé, ou avait failli se passer, entre eux était un peu embarrassant. Mais dans l'intérêt de sa patiente, il fallait faire fi de ses états d'âme.

Isla s'assit derrière la table et il prit place en face. De là où elle était, elle sentait sa lotion après-rasage. Ce huis clos tombait mal, après leur confrontation houleuse de la veille, mais elle n'avait pas le choix.

— Je viens de m'entretenir longuement avec votre sœur et je me fais son porte-parole. Bien qu'elle apprécie grandement votre sollicitude…

— De quoi vous mêlez-vous ? l'interrompit-il brutalement. Si ma sœur a quelque chose à me dire, elle viendra me trouver.

— Justement, elle l'a fait, à plusieurs reprises, semble-t-il, et vous êtes resté sourd à son point de vue.

— Isla, je refuse d'en discuter avec vous.

D'après son ton péremptoire et la contrariété qui se lisait sur son visage, il avait parfaitement deviné où elle voulait en venir.

— Je ne vous demande pas de discuter de quoi que ce soit avec moi, répondit-elle très calmement. J'aimerais juste que vous preniez quelques instants pour m'écouter…

Comme il esquissait un geste pour se lever, elle se pencha par-dessus la table pour l'en empêcher.

— Alessi, Allegra n'est pas votre patiente, mais la mienne.

— Je préfère en parler directement avec elle.

— Et lui causer du stress dans son état ?

— Pourquoi la stresserais-je ? Je suis son frère, je ne veux que son bien et celui du bébé, dit-il en adoucissant le ton ; et je pense qu'il serait imprudent de la laisser accoucher par la voie normale.

— Allegra pense le contraire et le Dr Green, son obstétricienne, partage son avis.

— Darcie Green n'a pris ses fonctions que ce matin. Elle ignore tout du dossier.

Elle préféra ne pas relever. Comme tous les obstétriciens du service, Darcie avait évidemment étudié scrupuleusement les dossiers des patientes inscrites à sa consultation.

— Moi, je trouve les intentions d'Allegra très raisonnables. La plupart des femmes qui ont eu une césarienne veulent accoucher par la voie naturelle la fois suivante. Allegra sera monitorée durant le travail ; s'il y a la moindre complication, on aura recours à une césarienne sans attendre, étant donné ses antécédents. Votre sœur bénéficiera d'une attention de tous les instants, de la part de Darcie et de nos autres collègues. Vous êtes bien placé pour le savoir, Alessi, le Victoria Hospital ne recrute que les meilleurs médecins, même pour des missions d'intérim.

— Je sais…

— Si cela peut vous rassurer, je superviserai les visites anténatales de votre sœur. Et si mon planning le permet, je serai présente à l'accouchement.

Toute colère avait disparu des yeux d'Alessi, ils exprimaient désormais quelque chose qui ressemblait à… de l'estime ! Eh oui, tout arrivait !

— Je sais que vous me prenez pour une fille à papa qui doit son poste au piston, mais, quelle que soit votre opinion personnelle sur moi en tant que femme, je doute que vous ayez quoi que ce soit à me reprocher sur le plan professionnel. Si vous voulez, je me chargerai d'accoucher Allegra.

— Vous feriez cela ?

— Bien sûr.

— Cela me rassurerait beaucoup de savoir que vous vous occupez de ma sœur. Si c'est le cas, je veux bien m'effacer et vous laisser carte blanche.

— A la bonne heure.

Il se leva pour sortir. Sur le seuil, il se retourna.

— Tant qu'on y est, j'aimerais m'excuser pour ce que je vous ai dit hier soir. Je n'avais aucun droit de critiquer votre couple et votre attitude envers votre petit ami. Cela ne me ressemble pas de me mêler de la vie privée des gens, je ne sais pas ce qui m'a pris.

— Excuses acceptées.

— Je voulais aussi vous informer que j'avais rompu avec Amber hier soir ; vous n'aurez plus à vous inquiéter de me voir sortir avec l'une de vos stagiaires.

— Est-ce à cause de ce que je vous ai dit ?

Un rire amer échappa à Alessi.

— Non.

— Alors, pourquoi ?

A son tour de se mêler de ce qui ne la regardait pas. La curiosité était plus forte que tout.

— Comme je vous l'ai dit, je ne trompe jamais ma compagne du moment. Or hier soir, il n'y avait qu'une personne avec qui je voulais être, c'était vous. J'ai donc préféré être honnête avec Amber.

Sur ce, il s'en alla et elle resta bouche bée à regarder la porte. Avait-elle bien entendu ?

Oui.

Ce qui signifiait…

Seigneur.

Elle avait l'impression de marcher sur un fil, suspendue au-dessus d'un gouffre sans balancier ni filet de sécurité. C'était effrayant et excitant à la fois !

Sur un nuage, elle sortit du bureau. Le couloir, les salles, son environnement quotidien, tout semblait prendre des couleurs nouvelles.

Non seulement Alessi la désirait, mais il avait pris la peine de lui signifier qu'il était célibataire. Bien entendu, il ne fallait rien espérer de sérieux avec lui. Cela durerait ce que cela durerait.

La balle était désormais dans son camp. A elle de lui faire comprendre que le désir était réciproque, qu'elle ne rêvait que d'une chose, faire le grand saut avec lui.

Car ce serait une expérience inédite pour elle. Il ne devait bien sûr jamais l'apprendre. Pour lui, elle devait entretenir son image de jeune femme glamour et sophistiquée qui connaissait la vie et les hommes, alors qu'en réalité, elle lui ferait don de sa virginité. Et de son cœur.

5.

Après sa garde, Isla prépara la salle pour la réunion de FJM, le groupe de parole des adolescentes enceintes.

Elle mit la bouilloire en marche et remplit deux assiettes de biscuits. Une dizaine de futures mamans à divers stades de leur grossesse assistaient d'habitude à ces rendez-vous bimensuels.

Elle venait de finir d'installer les chaises autour de la table quand une jeune fille passa la tête à la porte. Comme elle semblait nerveuse, Isla lui adressa un large sourire.

— Vous cherchez FJM ?

Un hochement de tête lui répondit.

— Alors, vous êtes au bon endroit. Moi, c'est Isla.

— Et moi, Ruby.

— Asseyez-vous. Et servez-vous à boire, dit-elle en désignant les sachets de thé et les bouteilles de jus de fruits qu'elle avait disposés au milieu de la table.

Tout en terminant les préparatifs, elle observa Ruby du coin de l'œil. Très maigre, celle-ci devait avoir dans les seize ans et portait un short et un T-shirt qui laissait entrevoir un ventre absolument plat. Peut-être n'était-elle qu'au tout début de sa grossesse ? Son désir de participer à la réunion témoignait dans ce cas d'un sens des responsabilités fort louable.

Isla sortit la feuille de présence que signaient celles qui le désiraient — ce n'était pas une obligation et certaines jeunes mamans tenaient à conserver leur anonymat. Puis elle jeta un nouveau coup d'œil en direction de Ruby. Ce qu'elle vit lui serra le cœur. Ne se croyant pas observée, Ruby venait de fourrer une poignée de biscuits dans sa poche. Quelques minutes plus tard, elle récidiva.

La pauvre petite avait faim.

Elle était enceinte et elle avait faim.

— Je reviens dans deux minutes, Ruby.

Retournant au bureau des infirmières, elle téléphona à la cafétéria pour faire livrer des sandwichs et des fruits en salle de réunion. C'était l'un des privilèges du poste de coordinatrice — dont elle usait rarement. Le gérant de la cafétéria enregistra sa commande sans faire aucune difficulté.

Les autres participantes arrivèrent l'une après l'autre, et, à 19 heures, une fois les présentations faites, la réunion put commencer.

Harriet, dix-neuf ans, prit la parole. Lors de l'échographie du premier trimestre, on avait diagnostiqué une malformation génétique chez son bébé, mais elle avait choisi de le garder.

— Il devra subir une opération tout de suite après la naissance, dit-elle à la ronde. L'obstétricienne m'a expliqué le problème : le canal j'sais-plus-comment n'est pas refermé. Bref, j'ai pas tout compris. Maman a promis de m'accompagner pour la prochaine consultation.

Ce fut ensuite au tour d'Alison qui, à quatre semaines du terme, ne cachait pas son excitation.

— Dire que j'ai pris la nouvelle de ma grossesse comme une catastrophe ! Maintenant, je n'ai qu'une hâte, serrer mon bébé dans mes bras.

Isla sourit. Voilà pourquoi elle avait créé ce groupe : pour que de jeunes mamans en devenir puissent échanger leurs émotions, leurs joies, mais aussi leurs doutes et leurs craintes, et découvrir qu'elles n'étaient pas seules, chacune dans son coin, à les éprouver.

Silencieuse jusqu'à présent, Ruby semblait boire leurs paroles.

— Voulez-vous nous dire quelque chose ? lui proposa Isla.

— Euh, je m'appelle Ruby, je suis enceinte de quatorze semaines.

— Quel âge as-tu ? demanda l'une des participantes.

— Dix-sept ans, dit Ruby, visiblement sur la défensive. Ma mère voulait que j'avorte, mais j'ai voulu le garder.

— Et elle a accepté ta décision ?

Ruby haussa les épaules.

— J'en sais rien. Je la vois pas beaucoup, ces derniers temps, je n'habite plus à la maison. Ce sont des amis qui m'hébergent.

Isla se promit de consulter le dossier de Ruby, elle voulait en apprendre plus à son sujet pour l'aider. A l'issue de la séance, elle tâcherait de la prendre à part pour l'amener à se confier.

Pour l'heure, elle laissa la réunion suivre son cours.

Alison posa des questions sur la gestion de la douleur au cours de l'accouchement.

— Moi, je refuserai de rester allongée.

— Rien ne vous oblige à être couchées, dit Isla. On encourage d'ailleurs les mamans à se promener au cours du travail.

D'autres questions suivirent, sérieuses, anecdotiques ou carrément loufoques. Isla aimait l'enthousiasme de ces jeunes filles qui riaient pour un rien malgré des situations personnelles parfois difficiles.

Ce fut lors d'un éclat de rire général qu'Alessi passa la tête à la porte, derrière le chariot de sandwichs que l'employé de la cafétéria poussait dans la salle.

Accroupie par terre, Isla était en train de montrer à ses patientes les multiples avantages de cette position pour ouvrir le col de l'utérus. La démonstration étant parfaitement pertinente dans le cadre de la réunion, elle résista à l'envie de se relever et resta dans sa position scabreuse.

— Maître Alessi par l'odeur alléché suivit en ces lieux

le chariot, dit-elle, s'essayant à la dérision pour cacher son embarras.

L'assemblée éclata de rire devant cette version revisitée d'une fable célèbre.

— Vous ne croyez pas si bien dire, répondit-il, pas gêné pour un sou. Désolé de vous déranger, mesdames, je ne savais pas qu'il s'agissait d'une séance de préparation à l'accouchement. Je croyais que c'était une réunion de travail où, n'ayant pas mangé de la journée, j'espérais pouvoir voler quelques sandwichs.

— Que fait-on, les filles ? On le nourrit ?

Toutes eurent pitié de lui. Le contraire l'aurait étonnée, il était si craquant avec ses yeux de velours noir et son sourire mi-suppliant mi-malicieux. Pendant qu'il se servait, Isla le présenta.

— Alessi est l'un de nos néonatologistes. Certaines fréquenteront assidûment sa consultation dans quelques mois.

Au lieu de filer avec son butin, il s'approcha de la table.

— Pour vous remercier de votre gentillesse, je vous autorise à me poser toutes les questions que vous voudrez.

Harriet, la plus audacieuse des filles, en profita aussitôt et les autres suivirent, posant toutes sortes de questions sur l'accouchement, le retour de couches, le *post-partum*, le baby blues, les meilleures techniques pour allaiter…

Bref, Isla avait perdu l'attention de ses ouailles. Entourant le beau médecin autour du chariot des victuailles, elles buvaient ses paroles comme s'il avait été Dieu le Père.

Tout en se joignant au petit groupe, elle observa du coin de l'œil Ruby et une autre jeune fille, Carla, qui remplissaient leur assiette à ras bord. Elle non plus n'avait de toute évidence pas mangé de la journée, et peut-être même de la veille. Désormais, ce serait une bonne idée de commander de la nourriture à chaque séance, décida-t-elle, se reprochant de ne pas y avoir pensé avant.

— La prochaine fois, nous commanderons des pizzas, dit-elle.

Ne serait-ce que pour faire venir Ruby qui pourrait, tout en se restaurant, bénéficier de précieux conseils et se lier d'amitié avec d'autres. Rompre l'isolement de certaines était également le but de ces réunions. Malheureusement, elles ne se tenaient que deux fois par mois. Il allait falloir trouver un autre moyen de garder un œil sur Ruby et Carla.

Alessi se montra très gentil envers les jeunes filles, sans toutefois faire du charme comme il en avait l'habitude avec le personnel.

— Voulez-vous que je revienne ? demanda-t-il à Isla quand il eut terminé de répondre aux questions. Je pourrais préparer un exposé sur un sujet précis.

— Ce serait une bonne idée. Nous nous retrouvons deux fois par mois.

Sortant son portable de sa poche, il vérifia son agenda.

— Zut. Dans quinze jours j'ai une réunion, et la fois d'après, c'est l'anniversaire de mariage de mes parents. A quelle heure terminez-vous d'ordinaire ?

— 8 heures et demie — 9 heures.

— Dans ce cas, cela devrait aller. Comptez sur moi. Et préparez une liste de questions, dit-il en se tournant vers les filles.

Il sortit, accompagné de quelques sifflets admiratifs, et Isla rit, contente de voir qu'il avait redonné le moral au groupe.

Et à elle.

A la fin de la réunion, au lieu de reprendre directement l'ascenseur, elle décida de repasser par le bureau des infirmières dans l'espoir d'y trouver Alessi.

Il y était.

— Votre garde n'est pas encore terminée ? demanda-t-elle.

— Je vais rester cette nuit.

— Vous ne figurez pas sur le planning.

— Allez dire cela à Donna, la patiente de la chambre 4 qui attend des jumeaux. Elle a perdu les eaux, et le travail progresse vite.

— Merci pour la proposition de tout à l'heure. Vos interventions seront très appréciées par mes patientes.

— Ces jeunes filles sont sympathiques, à la fois vulnérables et fortes. Je les admire.

— Moi aussi.

Elle se tourna pour partir.

— Isla.

— Oui ?

— Etes-vous prête pour samedi ?

— Samedi ? demanda-t-elle en fronçant les sourcils. Ah oui, le bal. J'avais oublié.

— Avec toutes vos obligations, je comprends que cela vous soit sorti de l'esprit.

Cela ne lui était pas sorti de l'esprit. Depuis qu'elle avait vu le plan de table et découvert qu'elle serait assise entre son père et Alessi — elle représenterait la maternité et Alessi la néonatologie —, elle se sentait nerveuse, et impatiente.

— Je vous promets de bien me conduire en présence de Rupert, cette fois, dit-il.

— Rupert ne sera pas là.

— Il est rentré aux Etats-Unis ?

— Je crois que oui.

— Vous *croyez* ?

« Dis-lui. » Mais ses jambes tremblaient et elle n'avait qu'une envie, s'enfuir.

Soudain, sa résolution pour la nouvelle année lui revint à la mémoire. Si elle voulait enfin vivre sans se cacher derrière personne, le moment était venu de le prouver. De se le prouver. S'obligeant donc à soutenir le regard d'Alessi, elle fit le grand saut.

— Nous avons rompu.

— Oh. Je suis désolé.

La note de soulagement ne lui échappa pas.

— Pas moi, répondit-elle.

Les lèvres d'Alessi s'étirèrent en un sourire.

Quelque chose d'étrange se produisit. Soit tous les bébés

de l'étage cessèrent soudain de pleurer en même temps soit le monde s'était arrêté pour un instant. Quoi qu'il en fût, un silence irréel les enveloppa. Isla venait d'accomplir un pas de géant. Si elle le voulait, samedi soir marquerait le début de sa vie de femme.

6.

Le samedi matin, le ventre de plus en plus noué à l'approche de la soirée, Isla fit l'impasse sur le petit déjeuner. Après s'être forcée à avaler tout de même un verre de jus de pamplemousse, elle décida d'aller travailler pour quelques heures. Elle n'était pas de garde, mais cela lui occuperait l'esprit.

— C'est tout de même un monde d'aller à l'hôpital alors que tu es de repos ! Tu ne devrais pas plutôt te préparer pour le bal de ce soir ? lui demanda Darcie comme elles sortaient ensemble de l'appartement.

— J'ai rendez-vous chez le coiffeur à 2 heures.

— Je suppose que, pour toi, ce genre de soirée est la routine. Moi, si je devais assister à un tel événement, je m'offrirais la totale, non seulement les cheveux, mais une séance de soins complète chez l'esthéticienne avec massage, sauna, et tout ce qu'il faut pour me transformer en reine du bal. Que vas-tu porter ?

— Du noir. Ou du rouge, je ne sais pas encore. Pour l'heure, je préfère penser à la montagne de courriels qui m'attendent dans ma messagerie. C'est terrible, mais le seul moment où je peux m'occuper de mon courrier est mon jour de repos.

Ayant tout leur temps car Darcie ne commençait qu'à 9 heures, elles firent le chemin à pied au lieu de prendre le tramway et s'arrêtèrent à une pâtisserie pour acheter des croissants chauds.

A leur arrivée dans le service, laissant Darcie continuer vers la salle des médecins, Isla se dirigea vers son bureau. Elle était en train d'ouvrir sa porte quand Alessi s'approcha dans le couloir.

— Je vous croyais de repos ce week-end, dit-elle, surprise.

— Plus maintenant. L'un des jumeaux de Donna a fait une hémorragie cérébrale cette nuit, on m'a appelé en urgence. Le neurologue de pédiatrie a pratiqué l'opération de la dernière chance. Archie est désormais en soins intensifs de néonatologie, mais l'opération a, hélas, échoué à résorber l'hématome du cerveau. Il est en train de vivre ses dernières heures, nous l'avons mis sous antidouleurs pour que sa fin soit la plus douce possible. Ses parents sont auprès de lui…

A sa grande surprise, elle vit des larmes briller dans les yeux d'Alessi. Elle ne le savait pas aussi sensible, aussi émotif. Mais peut-être était-ce simplement dû à la fatigue de la nuit. Ayant déjà du mal à gérer ses propres émotions, elle resta là à le regarder, sans savoir comment le réconforter.

— Heureusement, vous montrez plus d'empathie envers vos patientes, remarqua-t-il sèchement.

Il prenait son absence de réaction pour de la froideur. Et il se trompait. Elle ne pouvait survivre qu'à condition de rester en retrait. Alessi lui donnait envie de briser sa réserve, de sauter le pas, mais comment ?

Voyant le tour que prenait la conversation, elle l'invita à entrer dans son bureau. Il accepta et elle ferma soigneusement la porte derrière eux.

— Peut-être êtes-vous si bouleversé car il s'agit d'un jumeau, comme vous ?

— Je ne sais pas… En fait, nous étions des triplés au départ. J'étais le deuxième et Allegra est née la dernière. Notre frère, Geo, est mort alors qu'il n'avait que cinq jours.

— Est-ce la raison pour laquelle vous vous investissez tellement dans votre travail ?

— Oh ! j'ai droit à des compliments maintenant ? dit-il

d'un ton amer. Il y a peu, vous me traitiez de vil séducteur et vous m'interdisiez d'approcher vos stagiaires.

— Vous méritez les deux, les compliments et les reproches.

En vérité, depuis qu'il avait cessé de sortir avec Amber, elle n'avait plus de reproches à lui faire.

— Je souffre de dédoublement de personnalité, en somme…

Il bâilla. L'épuisement et la tristesse se lisaient dans ses yeux.

— Passez la relève à Jed et rentrez vous reposer. Il faut que vous soyez en forme pour ce soir.

— J'ai trois choses à vous demander, Isla. D'abord, j'aimerais bien goûter à ce qui sent si bon dans ce sac. Je n'ai rien mangé depuis hier.

— Prenez le tout, dit-elle en lui tendant le sac.

— Ensuite, je pense qu'il serait temps de se tutoyer. Nous sommes les seuls à nous donner du *vous* dans le service, ça commence à devenir ridicule.

— D'accord.

De fait, le tutoiement la rapprocherait d'Alessi, qu'elle le veuille ou non.

— Et quelle est la troisième requête ?

Il prit son temps pour avaler un morceau du croissant.

— Eh bien, si je ne peux pas assister au bal de ce soir, j'aimerais que tu fasses le discours à ma place.

— Alessi, tu es l'invité d'honneur, on va te remettre une récompense ! Si tu n'es pas là, mon père…

Il la coupa.

— Tu m'excuseras auprès de lui. Archie a des convulsions, des crises violentes qui ne font qu'ajouter à la détresse de sa famille. Je veux être à son chevet jusqu'à la fin pour m'assurer que ce pauvre bébé souffrira le moins possible. Tant pis si ton père le prend mal, Archie est ma priorité.

Tentée un instant d'insister, elle se ravisa. A sa place, elle aurait réagi de la même manière.

— D'accord. Que dois-je dire en ton nom ?

— Quelques paroles de circonstance, je suis très honoré, je remercie la distinguée assemblée, ce genre de choses. Tu trouveras bien. Prendre la parole en public, c'est ton truc, non ?

— Je ne sais comment je dois le prendre.

— Ce que je veux dire, c'est que tu es dans ton élément à ce genre de sauterie, improviser devant un micro ne te fait pas peur.

— Cela se voit que tu ne me connais pas vraiment.

— Et comment aurais-je pu connaître la vraie Isla ? Depuis un an, nous passons notre temps à nous éviter.

Elle ne tenta même pas de protester.

— Lors de notre rencontre, poursuivit-il, j'aurais pu jurer que tu étais attirée par moi, que tu me voulais autant que je te voulais, mais la suite m'a prouvé que je me trompais. Tu m'as repoussé en me traitant comme un moins-que-rien…

— Ce n'est pas vrai ! J'avais peur !

— De quoi ? Qu'un pauvre garçon grec te salisse en posant les mains sur toi ?

Elle n'en crut pas ses oreilles. Pourtant, elle aurait dû n'être qu'à moitié surprise, Allegra lui avait raconté que, durant toute leur adolescence, son frère et elle avaient été en butte au mépris de leurs camarades.

Le malentendu était total. Si elle l'avait repoussé le soir de leur rencontre, c'était parce qu'elle était vierge et paniquée à l'idée qu'il le découvre. Hélas, il était hors de question de le lui avouer.

— Jamais plus tu ne me prendras de haut, Isla. Et rien ne sera possible entre nous tant que tu ne te seras pas excusée.

— Excusée ?

— Eh oui. La balle est dans ton camp.

— Qui te dit que j'aimerais être avec toi ?

— La manière dont tu m'as embrassé il y a un an. Et tu m'embrasseras de nouveau.

— Et si je ne le fais pas ?

— Eh bien, nous mourrons idiots.

Elle mourrait idiote. Quoi que lui réservât l'avenir, elle voulait au moins partager une nuit avec Alessi. Il était l'homme le plus beau et le plus sensuel qui ait jamais croisé sa route et elle était prête à prendre ce qu'il lui donnerait.

— Il faut que j'aille parler à Donna et à son mari, dit-il. Merci pour les croissants.

— Peut-être qu'en dépit du pronostic, l'état d'Archie s'améliorera ?

— Je n'y crois pas, et il ne sert à rien de se bercer de faux espoirs. Il faut affronter la réalité et aider les parents à traverser ce terrible moment.

Sur ce, il s'en alla.

Les joues en feu, elle repensa à ce qu'il lui avait dit. Il était si sûr de lui. Et il avait raison. Plus forte que ses peurs, l'attirance qu'elle éprouvait pour lui transformait son appréhension en impatience.

Mais il l'avait prévenue. Sans excuses de sa part, rien ne serait possible.

Darcie était une colocataire agréable, mais Isla se réjouit d'avoir l'appartement pour elle cet après-midi-là. Fixés au sommet de son crâne, ses cheveux retombaient sur sa nuque en une masse de bouclettes sculptées par Orlando, son coiffeur préféré. Elle était ensuite passée chez l'esthéticienne se faire vernir les ongles en une teinte rosée neutre, puisqu'elle ne savait pas encore ce qu'elle allait porter.

Avec sa robe noire, elle jouerait la sécurité.

Sauf qu'elle n'eut pas cette impression une fois qu'elle l'eut enfilée. Le décolleté exposait la blancheur de sa gorge, et le noir ne faisait que souligner l'écarlate de ses joues chaque fois qu'elle pensait à Alessi. C'est-à-dire toutes les dix secondes.

Peut-être ne viendrait-il même pas. Loin de la soulager, cette pensée la déprimait profondément.

La balle était dans son camp, lui avait-il dit. Et elle comptait bien la lui renvoyer ce soir. A condition qu'il soit là.

Assise à l'arrière de la limousine que son père lui avait envoyée — il ne voulait pas qu'elle prenne un taxi —, Isla avait l'impression de faire un saut dans le vide. Elle n'avait plus Isabel à qui se confier ni Rupert pour lui servir de bouclier.

Ce soir, elle ne devrait compter que sur elle-même.

Le chauffeur la déposa devant l'hôtel de luxe où se tenait la fête. Aussitôt entrée dans la salle, elle promena son regard sur la foule. Pas d'Alessi.

Elle prit une coupe de champagne et alla de groupe en groupe, conversant avec chacun de manière enjouée et spirituelle comme elle savait si bien le faire. C'était ce qu'on attendait d'elle et elle remplissait le contrat.

Une heure plus tard, quand le maître de cérémonie leur demanda de prendre place autour des tables, Alessi n'était toujours pas arrivé. Le père d'Isla vint la rejoindre.

— Où est Manos ? demanda-t-il, le sourcil froncé, en désignant la place vide à côté d'elle.

— Je crois qu'il est retenu à l'hôpital. Il m'a demandé de faire un discours de remerciements à sa place au cas où il ne pourrait se libérer.

— Tu plaisantes, j'espère ? Le but de cet événement est de promouvoir notre unité de néonatologie et de récolter des fonds à son profit. Comment allons-nous persuader nos invités de signer des chèques si la star de la soirée ne prend même pas la peine de se déplacer ?

— Papa ! Il est avec des parents dont le bébé est mourant.

— Peu m'importe, Isla. Il faut parfois savoir faire passer l'intérêt général avant les besoins particuliers de tel ou tel. C'est le discours que je lui ai tenu, l'autre jour, lors de notre déjeuner d'affaires, je voyais bien qu'il ne m'écoutait que d'une oreille. Mais je ne le croyais tout de même pas capable de m'infliger un tel affront ! L'arrogant…

La voix de Charles s'effilocha comme Alessi s'approchait de la table.

— Content de vous voir *enfin*, dit Charles en se levant pour lui serrer la main. Je croyais pourtant vous avoir expliqué l'enjeu de cette soirée. Il était très important que vous soyez là…

— Et me voilà, répondit Alessi sans donner la raison de son retard.

Il avait une belle prestance dans son smoking, bien qu'il ne se fût pas rasé — ce qui, au fond, ne faisait qu'ajouter à son charme. Ses cheveux humides prouvaient qu'il sortait de la douche.

Les deux hommes se mesuraient du regard, et Isla retint son souffle. Mais l'affrontement qu'elle craignait n'eut pas lieu. Tout le monde s'assit.

Le parfum boisé d'Alessi lui chatouilla les narines, elle sentit la chaleur de son bras.

— Comment s'est passée ta journée ? demanda-t-elle.

— J'en ai connu de meilleures. C'était épuisant et éprouvant. Excuse-moi, je n'ai pas très envie d'en parler. Tout ce que je peux te dire, c'est qu'Archie est parti paisiblement, sans souffrir. Je suis content d'être resté avec lui jusqu'à la fin.

Plongeant dans ses yeux, elle lui sourit. Elle comprenait et approuvait.

Le sourire d'Isla arracha Alessi à ses tristes pensées. La soirée sembla soudain s'éclairer.

— Tu es magnifique, dit-il.

— Toi aussi.

Ils se regardèrent longuement. S'ils avaient été seuls, il l'aurait embrassée, avec ou sans les excuses qu'il attendait d'elle.

Les employés du traiteur commencèrent à servir les entrées.

— Il va falloir que je m'éclipse pour écrire mon discours. Je n'en ai pas encore trouvé le temps.

— J'en ai écrit un, dit-elle, sortant une feuille de papier pliée en quatre de sa pochette. Tu n'auras qu'à sauter la première partie où je transmettais les regrets du Dr Manos de ne pouvoir être là.

— Je peux t'assurer que le Dr Manos est très content d'être là, dit-il, un sourire aux lèvres.

En quittant l'hôpital, il n'aurait jamais cru pouvoir sourire ainsi. Grâce à cette soirée, il ne se retrouvait pas seul chez lui. Il avait toujours pris très à cœur la mort de ses petits patients et compris depuis longtemps qu'une tournée des bars ou la compagnie d'une jolie fille dans son lit ne réussissaient pas à chasser la tristesse qui l'envahissait dans ces moments-là.

D'ailleurs la présence d'Isla ne lui faisait pas oublier son chagrin, ce n'était pas exactement cela.

Le dîner lui parut interminable, tout comme les discours des uns et des autres. Isla, en revanche, s'entretenait aimablement avec tous les invités de son père et applaudissait avec enthousiasme les différents intervenants. Etait-elle en représentation pour le bénéfice du service de néonatologie ? Ou passait-elle réellement un bon moment ?

Quand vint son tour, il monta sur l'estrade, le discours d'Isla en main, et régla le pied du micro à sa hauteur.

Après avoir sauté le premier paragraphe, il adressa les remerciements d'usage à la direction de l'hôpital, citant un certain nombre de personnes, Charles Delamere en tête.

— Je suis très fier de recevoir ce prix, dit-il en continuant à lire la prose d'Isla. Il appartient à toute l'équipe de la maternité du Victoria Hospital, et j'aimerais le partager tout particulièrement avec une personne, l'extraordinaire Isla Delamere qui accomplit un travail prodigieux chez nous.

Il la vit rougir.

— Ce n'était pas dans le texte, lui chuchota-t-elle à l'oreille lorsqu'il eut regagné sa place.

— Et alors ? Tu méritais une mention particulière.

Il détestait ce genre d'exercice imposé et n'était certainement pas prêt à se compromettre dans une émission télévisée pour lancer un appel de fonds en faveur de l'hôpital, comme Charles essayait de l'en convaincre. Mais il était décidé à faire plus d'efforts, dans l'intérêt général du service.

Il mit aussitôt sa résolution en pratique en circulant de table en table pour bavarder poliment avec les convives et les remercier de leurs félicitations.

Puis l'orchestre commença à jouer et les couples gagnèrent la piste de danse.

— Bien joué, dit Isla en s'approchant de lui.

— Merci.

— Ça n'a pas été trop pénible ?

— Quoi donc, le discours ? Il était parfait. Grâce à la rédactrice.

Le visage sévère, Charles Delamere les rejoignit.

— A nous deux, mon garçon. Pourriez-vous m'expliquer votre retard ?

On aurait dit un professeur qui réclamait des comptes à un collégien.

Alessi, les dents serrées, s'exhorta au calme.

— A exactement 18 h 08, j'ai déclaré la mort d'un nourrisson, puis j'ai passé un moment avec les parents. Cela vous suffit-il comme raison ?

— Ne le prenez pas sur ce ton avec moi, docteur Manos. J'ai de grandes ambitions pour vous…

— Et comme je vous l'ai dit lors de notre déjeuner, vous faites une erreur de casting en me choisissant comme champion de votre cause. La promotion médiatique, très peu pour moi. A chacun son travail ; le mien est de soigner mes patients et le vôtre est de faire rentrer de l'argent dans les caisses.

Isla jetait des regards effarés de l'un à l'autre, comme si elle craignait qu'ils n'en viennent aux mains.

Le visage cramoisi de colère, Charles resta un instant bouche bée. Il n'avait pas l'habitude qu'on lui parle ainsi.

— Vous… vous auriez au moins pu vous raser avant de venir ! fit-il enfin.

— Je suis resté avec les parents du bébé jusqu'à 7 heures, me raser n'était pas ma priorité. Tu veux danser, Isla ?

Elle accepta et ils s'éloignèrent en direction de la piste de danse où l'orchestre jouait un slow.

— Je suis désolée de la réaction de mon père, dit-elle en posant la main sur son épaule. Il a le droit de critiquer le travail de ses employés, certes, mais de là à lancer des attaques personnelles comme te reprocher de ne pas t'être rasé ! Franchement, je ne comprends pas ce qu'il lui a pris.

Alessi l'enlaça par la taille.

— Moi, j'en ai une petite idée. Il sait que, ce soir, je coucherai avec sa fille.

Elle recula.

— Je te trouve bien sûr de toi, dit-elle d'une voix qui tremblait un peu.

— Ose me dire que je me trompe.

Il l'attira de nouveau contre lui et se pencha pour poser la joue contre la sienne.

— Je te croyais épuisé…, dit-elle.

— Depuis tout à l'heure, j'ai retrouvé un second souffle. Grâce à toi.

Et il déposa un baiser dans ses cheveux.

La peur et l'excitation se disputaient en Isla.

Oserait-elle dire à Alessi qu'elle n'avait jamais couché avec personne ? Qu'il serait celui qui l'initierait aux choses de l'amour ?

Non, elle ne s'en sentait pas le courage. Peut-être parviendrait-elle à le lui cacher.

Au cours d'une opération de l'appendicite pratiquée lorsqu'elle avait douze ans, les médecins lui avaient retiré un kyste bénin de l'ovaire, une intervention qui avait nécessité la rupture de l'hymen. Autrement dit, il n'y aurait pas de saignement révélateur de sa virginité au moment de la pénétration.

Le tout était de parvenir à donner le change. Mais serait-elle capable de cacher son inexpérience à l'expert en femmes qu'il était ?

Tant pis. Elle prendrait le risque. Pour la première fois de sa vie, elle désirait un homme, et ce désir la consumait. Elle voulait qu'il lui fasse l'amour pour enfin connaître le plaisir dans ses bras, mais aussi pour oublier ses complexes, en finir avec la comédie qu'elle jouait depuis des années, et passer à autre chose.

Bien entendu, elle connaissait la réputation de don juan d'Alessi, elle se doutait que leur histoire ne durerait pas. Sans doute n'irait-elle pas au-delà d'une nuit car il serait forcément déçu s'il se fiait à l'image que les magazines colportaient d'elle. En lieu et place de l'amante extravagante et délurée qu'il espérait, il découvrirait une novice. Le choc allait être rude pour lui, mais au moins elle aurait sauté le pas.

Elle le regarda. Le désir qui se lisait dans ses yeux noirs la conforta dans sa décision de ne rien lui dire.

L'aveu de sa virginité aurait risqué de l'arrêter car il la désirait, sans plus. S'il l'avait aimée, ç'aurait été différent.

Pour sortir de la prison où elle s'était enfermée durant toutes ces années, il lui fallait cette nuit avec Alessi. Lui seul pouvait la libérer.

— A quoi penses-tu ? demanda-t-il.

— Je n'ai aucune intention de te le dire.

C'était la vérité.

— Je ne vais pas m'éterniser ici, dit-il. Mais je ne ferai pas à ton père l'affront de partir avec toi. Dès que je serai dehors, je t'enverrai mon adresse.

— Tu n'as pas mon numéro.

— Bien sûr que si. Tu ne te souviens pas de la photo de classe que tu m'as envoyée sur mon portable le soir de notre rencontre ? J'avais noté ton numéro dans mes favoris avant que tu m'éconduises comme un malpropre…

Il lui faisait encore des reproches sur son comportement de cette fameuse nuit alors qu'elle brûlait de désir dans ses bras.

— J'attends d'ailleurs toujours tes excuses. Mais pour l'heure, dit-il en caressant son dos nu, je vais prendre congé de la distinguée compagnie.

Elle brûlait d'envie qu'il dégrafe la bride qui retenait sa robe à son cou, elle voulait être nue contre lui et l'embrasser tout son soûl.

Quand la musique s'arrêta, il s'éloigna non sans lui avoir adressé un dernier sourire plein de promesses.

Aux yeux des autres, il s'était simplement acquitté de son devoir d'invité d'honneur en dansant avec la fille du directeur, mais pour elle, cette danse avait été un plaisir, et le prélude à d'autres plaisirs plus charnels.

Dans l'attente de son texto, elle rejoignit son père qui s'entretenait avec deux des plus importants mécènes de l'hôpital, et essaya de se concentrer sur la conversation.

Son cœur bondit quand son portable se mit à vibrer. Elle jeta discrètement un coup d'œil à l'écran. Pour tout message, une simple adresse s'y inscrivait.

— Je crois que je vais rentrer, papa.

— Déjà ? C'est trop tôt, il n'est même pas 11 heures.

Elle le regarda. Toute sa vie, elle avait fait passer les désirs des autres avant les siens. Ceux de ses parents, de sa sœur, de Rupert, de son personnel, de ses patientes. Ce soir, elle donnerait enfin priorité aux siens.

Et ce ne serait pas trop tôt.

Il était grand temps qu'elle songe à elle.

Sans s'émouvoir du regard paternel désapprobateur, elle prit donc congé des invités.

7.

Rentré chez lui, Alessi troqua le cristal de son trophée contre celui de la carafe à cognac.

Puis il envoya le texto à Isla.

Viendrait-elle ?

Et si elle venait, qu'adviendrait-il ?

Voilà un an qu'il pensait à elle, qu'il la détestait et la désirait à la fois, qu'il se demandait ce qu'elle cachait derrière ses airs froids et sophistiqués.

Personne n'avait autant occupé ses pensées. Pourtant, et cela ne lui ressemblait pas, il s'interrogeait sur les conséquences de ce qui allait se passer ce soir. Allait-elle de nouveau le repousser ? Sans la connaître vraiment, il la savait capable de faire un pas en avant et deux en arrière. Après la promesse de la danse où elle avait semblé fondre dans ses bras, lui poserait-elle un lapin ?

A mesure que les minutes passaient, cela lui semblait de plus en plus probable.

Son portable restait muet. Elle n'avait pas répondu à son message. Il fouilla son téléphone jusqu'à la photo de groupe qu'elle lui avait envoyée, une photo où on la voyait sourire à l'objectif, aussi blonde et ravissante qu'aujourd'hui, avec toutefois une expression réservée, un peu méfiante, qu'il reconnaissait. Il zooma sur son visage afin d'éviter celui de Talia dont il ne voulait surtout pas exhumer le souvenir ce soir.

Il était en train de se demander ce qui se cachait derrière le visage si lisse et parfait d'Isla quand on frappa à la porte.

— Au temps pour moi, dit-il en ouvrant à Isla. Je croyais que tu ne viendrais pas.

— Pourquoi ?

— Parce que tu es imprévisible. Je ne sais jamais à quoi m'attendre avec toi.

— C'est mieux que d'être ennuyeuse, dit-elle en riant d'un air un peu crispé.

Isla prit le verre de cognac qu'il lui tendait. Elle n'aimait pas les alcools forts, mais elle avait besoin d'un remontant, car la peur commençait à prendre le pas sur l'excitation.

Sans sa veste et sa cravate, Alessi était incroyablement beau. En faisant abstraction du cadre, elle aurait pu se croire revenue en arrière. Cette fameuse nuit de la Saint-Valentin, il portait également un pantalon noir et une chemise blanche. La peau bronzée, le sourire ravageur, il dégageait la même sensualité, la même assurance.

Répétant les gestes de ce soir-là, il lui prit le verre vide des mains et posa les mains sur ses hanches. Mais il ne l'embrassa pas.

— Alors, dit-il, nous y voilà enfin.

Soudain, elle comprit ce qu'il attendait. Des excuses.

— A toi de faire le premier pas, dit-il comme pour le confirmer.

Ses lèvres se languissaient de son baiser, son corps réclamait plus que ses mains immobiles sur ses hanches.

— C'est toi l'expert, dit-elle, s'efforçant de réprimer le tremblement de sa voix.

— Alors, c'est à moi de te séduire ?

— Oui.

— Mais je l'ai déjà fait.

Au risque de paraître prétentieux, il avait raison.

— Tu vas y arriver, Isla.

Une pensée horrible lui traversa l'esprit. L'avait-il fait venir pour se venger d'elle ?

Contrairement à ses autres craintes, inavouables, celle-ci pouvait être formulée à voix haute.

— Pour que tu puisses me repousser à ton tour ?

— Bon sang, non ! Je te désirais comme un fou il y a un an et cela n'a pas changé.

La flamme qui brûlait dans ses yeux témoignait de sa sincérité.

— N'as-tu pas quelque chose à me dire au sujet de cette soirée de février ?

— Je n'ai pas l'intention de m'excuser.

Il haussa les épaules, retirant ses mains. Le message était clair. Pas d'excuses, pas de baiser.

Si elle voulait qu'il l'embrasse — et elle le voulait plus que tout —, il allait falloir qu'elle ravale sa fierté.

— Désolée ! dit-elle de son ton le plus hautain.

— Tu n'as pas l'air désolée du tout. Dis-le avec ta bouche sur la mienne.

— Alessi…

A quoi jouait-il ? Elle aurait voulu réclamer une pause pour consulter les règles du jeu, mais il était le seul à les connaître.

Elle aurait voulu lui avouer qu'elle n'avait jamais fait cela. A part un baiser avec lui, elle n'avait eu aucune intimité avec un homme.

Mais c'était un aveu impossible qui aurait anéanti tous ses espoirs.

Si elle voulait inaugurer sa vie de femme cette nuit, il ne lui restait qu'à se plier à la volonté d'Alessi, en espérant qu'il n'aurait pas d'autres exigences.

— Désolée, murmura-t-elle, effleurant sa bouche de la sienne.

— Je n'entends pas.

Sa bouche se déplaça vers son oreille, dont la douceur contrastait avec son menton hérissé de barbe.

— Désolée.

Oui, elle était désolée de l'avoir repoussé, même si ce n'était pas pour les raisons qu'il croyait. Désolée qu'il se soit senti humilié. Désolée de leur avoir fait perdre une année alors que c'était finalement si facile de prononcer ce mot.

Sa bouche posséda ses lèvres tandis qu'elle commençait à déboutonner sa chemise. Malgré son manque d'expérience, cela se faisait tout naturellement et elle caressa son torse musclé, se régalant de sentir enfin sa peau sous ses doigts. C'était tout simple, il lui suffisait de se laisser guider par son désir.

Impatiente d'être nue, ce fut elle qui défit l'attache de sa robe. Non sans satisfaction, elle vit les yeux d'Alessi s'assombrir encore en découvrant ses seins.

— Je suis à court d'excuses, dit-elle.

— Pas moi. Je suis désolé pour toutes les pensées vengeresses que j'ai nourries contre toi. Et même pour les autres, celles qui me permettaient de fantasmer sur toi, car elles ne te rendaient pas justice.

Cette fois, ce fut lui qui s'empara de sa bouche avec fougue, libérant toute la frustration qui s'était accumulée en lui. Quand il posa la main sur ses fesses, elle se cambra contre lui pour l'encourager.

Elle avait hâte de se débarrasser complètement de sa robe encore accrochée à ses hanches, hâte qu'il ôte son pantalon et le reste. Elle les voulait nus, peau contre peau, membres emmêlés.

Il se détacha d'elle.

— Allons sur le lit.

— Où est-il ?

Visiblement aussi désorienté qu'elle, il mit quelques secondes à retrouver le chemin de sa chambre.

Ils achevèrent de se déshabiller sur le seuil, avec la joie et l'impatience d'adolescents prêts à se jeter à l'eau par une chaude journée d'été. Ayant remisé sa nervosité à la porte avec ses vêtements, elle sauta sur le lit, buvant des yeux le corps d'Alessi et son membre en érection si sombre et si tentant.

Quand les doigts d'Alessi se glissèrent en elle, elle oublia complètement son inexpérience pour s'abandonner au plaisir du moment, sans plus se soucier de ce qu'elle ne savait pas ni de faire semblant de savoir. La bouche refermée sur l'aréole de son sein, il excita son mamelon du bout de la langue tout en la caressant, éveillant en elle des sensations de plus en plus impérieuses.

— Jouis, ordonna-t-il. Jouis, et je te prendrai alors.

Bien qu'elle n'eût jamais joui, elle sut, à la pression qui montait en elle et serrait ses chairs, que c'était imminent.

— Prends-moi maintenant.

Semblant lui-même à deux doigts de lâcher prise, il fit durer encore quelques secondes le plaisir en caressant son clitoris du bout de son sexe. A bout de désir, elle dut le saisir pour le faire entrer en elle.

— Le préservatif…

Il tendit la main vers la table de chevet, mais la manœuvre l'aurait obligé à la quitter. Elle posa la main sur la sienne pour l'en empêcher. Elle n'aurait pu supporter qu'il brise la magie du moment.

Quand il s'enfonça en elle, sa gorge se serra et elle comprit que cela allait faire mal.

La sentant sans doute se crisper, il se méprit sur sa réaction et saisit un sachet argenté. Pendant qu'il enfilait le préservatif, elle en profita pour reprendre son souffle.

La peau sombre et satinée du sexe d'Alessi était désormais gainée de rose, ce qu'elle regrettait un peu, mais elle n'eut pas le temps de s'appesantir car il accélérait déjà le rythme. La chaleur montait de plus en plus en elle, ses mamelons durcis se dressaient, la pression intime s'accentuait encore et elle était sur le point de connaître son premier orgasme quand, soudain, il s'immobilisa.

— Ne t'arrête pas, je t'en supplie.

Puis elle suivit son regard. Le préservatif s'était déchiré et le latex chiffonné pendait à la base du pénis. Son imprudent souhait avait été exaucé. Elle n'avait pas aimé la barrière du préservatif et celui-ci avait cédé.

La vue du sexe sombre et imposant d'Alessi ne fit qu'exacerber son désir. Prenant l'initiative, elle reprit sa danse sensuelle, ne lui laissant pas le choix.

Etourdie de plaisir, elle sentit l'orgasme éclater en elle et poussa un cri.

8.

Une fois l'excitation retombée, Isla sentit la panique l'envahir. Alessi croyait sans doute qu'elle prenait la pilule. Il la prenait pour une fille libérée qui n'en était pas à son premier amant ; et en plus, elle était sage-femme !

Les larmes perlèrent à ses paupières.

Qu'aurait-il dit si elle lui avait révélé qu'une heure encore auparavant, elle était vierge, et qu'elle n'avait jamais pris de contraceptif ?

Il s'était retiré juste avant le moment crucial, mais, de par son métier, elle était bien placée pour savoir que des spermatozoïdes s'échappaient du canal séminal bien avant l'éjaculation. Il y avait, certes, peu de risques de tomber enceinte au premier rapport, mais, comme les adolescentes enceintes de FJM, elle ferait peut-être partie du minuscule pourcentage de malchanceuses à qui cela arrivait.

— Je vais y aller, dit-elle, roulant sur le côté pour se redresser.

— Déjà ? Je pensais que nous aurions pu…

— Non. Désolée.

Il fallait qu'elle rentre pour réfléchir.

Elle venait de récupérer sa robe quand il la rejoignit, vêtu de sa chemise blanche et d'un jean.

— Je vais te raccompagner.

Les nuits de samedi à dimanche, surtout à minuit passé, les taxis libres étaient une denrée rare dans les rues de Melbourne. Si elle appelait une compagnie de taxis, on lui répondrait sûrement qu'il y avait un délai ; et elle n'avait aucune envie d'attendre chez Alessi, ni de faire le pied de grue dans la rue, en robe du soir.

Elle accepta donc.

Durant le trajet, le silence régna dans l'habitable.

— Je savais que tu me ferais cela, dit-il en s'arrêtant devant un café.

— Faire quoi ?

Un rire amer aux lèvres, il sortit sans répondre et elle le regarda passer commande au guichet extérieur. Sans doute de permanence, la pharmacie voisine était éclairée, cela tombait bien… Dès son retour chez elle, elle prendrait la pilule du lendemain, ce qui réglerait le problème.

Bien sûr que non, elle ne la prendrait pas, rectifia-t-elle en son for intérieur. Cette pilule était contraire à ses convictions car, à ses yeux, elle tenait plus de l'IVG que du contraceptif. Elle acceptait de la prescrire à ses patientes lorsque la demande se justifiait, mais cette solution n'était pas pour elle.

De toute façon, elle n'était sûrement pas enceinte, on ne tombait pas enceinte aussi facilement. Ce raisonnement, qu'elle se répétait en boucle, lui rappelait, hélas, celui de ses jeunes patientes de FJM.

Et elle n'avait même pas l'excuse de la jeunesse. Elle avait vingt-neuf ans !

Alessi revenait à la voiture avec deux grands gobelets en cellulose. Elle le maudit pour lui avoir fait perdre la tête.

— Tiens, dit-il en lui tendant un gobelet.

Elle prit une gorgée et fit la grimace.

— Je ne prends pas de sucre.

— Comment pourrais-je le savoir ? dit-il en mettant le contact. Encore faudrait-il que tu communiques, que tu me dises ce que tu aimes ou pas.

Presque malgré elle, elle se mit à rire.

— Tu l'as fait exprès ?

— Oui. En réalité, je sais que tu ne prends pas de sucre ; j'ai demandé à l'employé d'en mettre trois…

Partagée entre amusement et consternation, elle attendit qu'il s'explique.

— J'en ai assez que tu sois si secrète sur tout ce qui te concerne. Depuis un an, j'en suis réduit à t'épier pour découvrir tes goûts, tes aversions. Ce n'est vraiment pas mon genre. A force de t'observer, j'ai appris que tu ne prenais pas de sucre, que tu voulais faire du jogging dans le parc de l'hôpital sans jamais en trouver le temps. Tu ne te lies avec personne, tu gardes tout pour toi ; il n'y a qu'envers tes patientes que tu montres un peu de chaleur…

— Tu as fini ?

— Non, je ne fais que commencer ! Tu auras droit à la suite demain après-midi, ou plutôt cet après-midi puisqu'il est presque 1 heure.

— Comment cela ?

— Ne me dis pas que tu es de garde, j'ai vérifié sur ton planning. Je viendrai te chercher.

— J'ai d'autres projets.

— Annule-les. Je serai chez toi à 13 heures.

— Alessi, dit-elle, au supplice. Ce qui s'est passé entre nous…

— Non, je te défends de me dire que tu regrettes, ou que cela a été un moment d'égarement qui ne doit pas se reproduire. Mets-toi bien dans la tête qu'à partir d'aujourd'hui, nous sortons ensemble. Je n'ai pas l'intention d'attendre lundi pour savoir si tu vas m'adresser la parole ou m'éviter ; la distance entre nous, c'est terminé.

— Tu ne vas tout de même pas me forcer à sortir avec toi ?

— Je ne force personne. Pour je ne sais quelle raison, c'est toi qui refuses de reconnaître tes propres désirs.

— Parce que tu sais bien sûr mieux que moi ce que je veux ? demanda-t-elle, s'essayant à la dérision.

— Je sais une chose, c'est que tu as aimé faire l'amour avec moi, et je veux retrouver cette Isla-là. Mettons tout de suite les choses au clair : je ne te tromperai pas tant que nous serons ensemble, et j'espère que tu montreras la même loyauté envers moi...

Le sang afflua à ses joues. Pensait-il à la soirée au Rooftop où elle avait failli lui céder alors que Rupert était dans la salle ?

— J'ignore si ta relation avec Rupert était exclusive ou pas, mais, avec moi, il ne sera pas question d'aller voir ailleurs. Compris ?

Elle se surprit à hocher la tête.

Si seulement elle avait pu lui dire la vérité à son sujet, il aurait compris à quel point il se trompait.

— Nous allons avoir un compagnon de promenade, dit Alessi dès qu'Isla lui ouvrit la porte.

Il tenait un petit garçon dans ses bras.

— Tu connais Niko, le fils de ma sœur. Il a trois ans. Steve, le mari d'Allegra, travaille cet après-midi et elle m'a demandé de garder Niko, elle a besoin de se reposer. Comme elle me demande rarement un service...

— Aucun problème. Bonjour, Niko, dit-elle en souriant au bambin.

— Nous pourrions aller au zoo. Ça n'a pas l'air de t'enchanter ? dit-il en la voyant hésiter

— Ce n'est pas ça. Figure-toi que je ne suis jamais allée au zoo.

— Tes parents ne t'y ont jamais emmenée quand tu étais petite ?

— Jamais.

— Eh bien, nous allons réparer cette lacune. Moi, je connais par cœur le zoo de Melbourne : c'est l'endroit de promenade préféré de mon neveu.

— Alors, en route !

9.

Contre toute attente, Isla adora le zoo. Les animaux étaient dans des enclos spacieux, au milieu d'une végétation qui rappelait celle de leurs contrées d'origine. Tout était fait pour leur bien-être, avec des environnements « enrichis » afin de tromper l'ennui de la captivité.

Comme toujours, les singes attiraient les foules. Il y avait des chimpanzés, des gorilles, dans un vaste enclos rappelant les collines brumeuses de la Tanzanie. Mais ce furent les bébés orangs-outans dont elle tomba amoureuse.

— Ils ont un regard tellement humain, dit Alessi. Ils me rappellent mes patients prématurés.

Il lui désigna un minuscule bébé hirsute qui se serrait contre sa mère.

— Allegra et moi, nous n'étions pas plus gros que ce petit microbe à la naissance. La nuit où mon frère est mort, nous aurions pu y rester aussi sans la vigilance d'un médecin. Il a enchaîné les gardes pour nous monitorer sans relâche jusqu'à ce que nous soyons hors de danger. Mes parents disent souvent que, sans lui, ils seraient rentrés à la maison sans enfants.

— C'est pour cela que tu te mets tant de pression dans l'exercice de ton métier ? Pour ressembler à ce médecin qui vous a sauvé la vie ?

— C'est un peu simpliste, comme explication, dit-il, durcissant soudain le ton. D'ailleurs, je ne me mets pas la pression.

Elle leva les yeux au ciel.

— Bien sûr que non ! fit-elle, ironique. Tu veux tout faire toi-même. Je ne t'ai jamais vu déléguer de tâches importantes à tes assistants. Moi, mes sages-femmes me rappellent à l'ordre quand je veux être sur tous les fronts comme si j'étais indispensable. Et comme j'ai toute confiance en elles, cela ne me gêne absolument pas de leur confier des responsabilités.

Elle caressa la joue de Niko qui semblait lui aussi fasciné par les orangs-outans.

— J'espère en tout cas que tu as éteint ton portable, dit-elle à Alessi. Parce que c'est ma première visite au zoo et que je n'aimerais pas perdre mon guide. Surtout, Niko serait horriblement déçu si son oncle s'en allait.

Une demi-heure plus tard, elle eut sa réponse : le portable d'Alessi sonna.

— C'est Jed, dit-il, un sourire un peu penaud aux lèvres, en vérifiant le numéro d'appel.

Et il répondit.

— Merci de me tenir au courant… Non, il ne faut rien changer au protocole médicamenteux. D'accord, à plus tard, dit-il en mettant fin à la communication. Je n'éteins *jamais* mon portable, Isla, même quand je ne suis pas d'astreinte.

Elle rit.

— J'ai beau te faire la leçon, je ne vaux pas mieux !

Ils continuèrent à se promener dans les allées en mangeant des glaces et en poussant la poussette vide de Niko à tour de rôle.

Juché sur les épaules de son oncle, le garçonnet ne perdait pas une miette du spectacle.

— Il veut marcher comme « un grand garçon », mais il se fatigue vite. Il vaut mieux avoir la poussette avec soi le dimanche.

— Il était très faible à la naissance ?

— Pendant quelques jours, sa vie n'a tenu qu'à un fil. L'état d'Allegra n'était pas brillant non plus. Cela a été une époque terrible, surtout pour mes parents qui avaient déjà vécu cette épreuve avec Geo.

— Dieu merci, tout s'est finalement bien passé pour Allegra et Niko.

— Tu imagines la pression que mes parents m'auraient mise s'il était aussi arrivé quelque chose à Allegra à la naissance ?

— Comment cela ?

— Alessi, fais tes devoirs. Alessi, rapporte de bonnes notes à la mémoire de ton frère qui, lui, n'a pas eu l'occasion de faire des études. Alessi, quand vas-tu te marier ? Ton frère, lui, aurait aimé se marier…

Il leva les yeux au ciel.

— Heureusement, le mariage de Steve et Allegra et la naissance de Niko m'ont permis de souffler un peu. Ne te méprends pas, j'aime mes parents, je sais qu'ils n'ont que de bonnes intentions, mais j'espère leur faire comprendre un jour qu'ils ne parviendront jamais à me façonner à l'image du bon fils grec dont ils rêvent.

— Moi aussi, je fais des choix que mes parents considèrent comme indignes d'une Delamere.

— Quoi, par exemple ?

— La profession de sage-femme. Ils voulaient que je sois obstétricienne, comme ma sœur. Cela a donné lieu à beaucoup de disputes autrefois, et encore maintenant. Même quand j'ai obtenu le poste de coordinatrice, mon père a continué à me dire que je me fourvoyais. Aujourd'hui encore, il essaye de me faire renoncer à mon métier et me pousse à entreprendre des études de médecine.

— Ce n'est pas lui qui t'a obtenu cette promotion ?

— Certainement pas ! Les chefs de service de maternité se sont réunis pour décider de la personne la plus apte à exercer cette fonction, et ils m'ont choisie. Mon père a entériné leur décision de mauvaise grâce.

— Tu en veux à tes parents pour leur manque de compréhension ?

— A une époque, je leur en ai beaucoup voulu, d'autant qu'ils étaient souvent absents lorsque nous étions enfants. Je m'entends mieux avec eux depuis que je suis adulte. Désormais, je comprends pourquoi leurs activités caritatives leur prenaient tellement de temps. Les causes qu'ils défendaient étaient importantes…

— La famille l'est davantage.

— Je suis d'accord. Ils ne savaient pas trouver le juste équilibre entre travail et famille. Avec eux, c'était tout ou rien.

Ils s'arrêtèrent devant l'enclos des éléphants. Une foule de visiteurs s'y attroupait pour observer l'attraction phare du zoo : un éléphanteau âgé de quelques jours.

— Imagine mettre au monde un tel bébé ! dit-elle en riant.

— Tu ramènes tout à ton travail, n'est-ce pas ?

— C'est normal, il me passionne.

— As-tu toujours voulu être sage-femme ?

— Non, pas toujours…

Préférant ne pas développer de crainte d'être amenée à expliquer la naissance de sa vocation, elle s'absorba dans la contemplation de l'éléphanteau. Abrité sous le ventre de sa mère, il regardait timidement les visiteurs.

— J'admire les éléphants pour leur mémoire, dit Alessi. Ils n'oublient jamais rien.

— Parfois, il vaut mieux oublier.

— Tu penses à quelque chose de précis ?

Se tournant vers lui, elle haussa les épaules avec un vague sourire. Impossible de lui confier un secret qui n'était pas à elle, mais à sa sœur.

— Niko commence à fatiguer, dit Alessi en le descendant de ses épaules. On va l'emmener voir ses animaux préférés puis on rentre à la maison.

— Laisse-moi deviner… Les lions ?

— Non, les suricates !

Les mains agrippées à la barrière, Niko hurlait de rire chaque fois que les petits mammifères se dressaient sur leurs pattes postérieures pour se figer.

— Ils sont trop mignons, Lessi !

— Regarde celui-là, il fait le guet pendant que ses frères grattent la terre pour chercher de la nourriture.

— Mais pourquoi ? Le zoo leur donne pas à manger ?

— Si, mon grand. Mais c'est leur instinct qui veut ça.

— Leur *quoi* ?

— Disons qu'ils sont nés comme ça. Leurs parents grattaient la terre et leurs grands-parents aussi ; pour eux, c'est un geste naturel, comme pour nous, marcher ou respirer.

Elle rit des efforts laborieux d'Alessi pour rendre l'explication accessible à un enfant de trois ans.

Le reste de l'après-midi se passa à l'avenant. Cela faisait longtemps qu'elle ne s'était autant amusée. Enfin, elle avait l'impression d'avoir effectué sa mue et d'être devenue elle-même. Non plus l'Isla qui voulait plaire à tout le monde en s'oubliant, mais une nouvelle Isla, ouverte, franche — autant que son serment à Isabel le lui permettait.

A 18 heures, ils décidèrent de ramener Niko chez ses parents.

— Allegra ne sera pas surprise de me voir avec vous ? demanda Isla comme ils roulaient en direction de la maison d'Allegra et de Steve.

— Je ne vais pas te cacher dans le coffre pour lui faire croire que j'ai passé la journée seul avec Niko. De toute façon, il se chargera de lui dire que tu étais en notre compagnie.

Quand ils arrivèrent à destination, elle fut toutefois rattrapée par le trac et préféra rester dans la voiture. A son grand soulagement, Alessi n'insista pas.

— Je n'en ai pas pour longtemps, lui dit-il, soulevant un Niko endormi dans ses bras. Le temps d'aider sa maman à le mettre au lit.

— Est-ce Isla dans la voiture ? demanda Allegra en regardant par le carreau de la cuisine.

Alessi et elle venaient de coucher Niko.

— Oui.

— Vous sortez ensemble ?

A contrecœur, il acquiesça. Il n'avait pas eu l'intention d'annoncer la nouvelle ce soir car il savait déjà les réactions qu'elle allait entraîner.

— Cette fois, essaie de ne pas rompre tout de suite, dit Allegra de sa voix moralisatrice ; du moins pas avant que j'aie eu mon bébé. Je te rappelle qu'Isla est ma sage-femme, la situation risque d'être gênante pour tout le monde si tu te mets à papillonner ailleurs.

Il s'efforça de conserver son calme, ne fût-ce que parce que sa sœur approchait du terme. Il n'était pas question de la contrarier par une énième discussion sur « sa vie de bâton de chaise », dixit sa mère.

— Ne t'inquiète pas. Isla est une professionnelle, elle ne te mêlerait jamais à sa vie privée. Elle n'est certainement pas du genre à te faire payer, toi, pour *nos* problèmes de couple.

Zut. Le mot lui avait échappé, celui qu'il ne prononçait jamais. Couple.

— De toute façon, je n'ai pas l'intention de rompre avec elle.

— Ne t'avance pas trop. L'accouchement est prévu pour dans quatre semaines, Alessi.

Aucune de ses dernières liaisons n'avait dépassé le stade des quinze jours.

— Je sais.

Dans quatre semaines, où en seraient-ils avec Isla ? Sortiraient-ils toujours ensemble ?

Il se surprit à espérer que oui.

Une demi-heure plus tard, Isla et Alessi entraient Chez Geo, le restaurant grec des parents d'Alessi.

Intimidée à la perspective de les rencontrer, elle avait voulu rentrer chez elle, mais il avait insisté pour qu'elle l'accompagne.

— Je suis en short et tennis. Que va penser ta maman ?

— Que tu es une sportive, avait-il répondu, désinvolte.

Quand une femme brune d'une soixantaine d'années s'approcha de leur table pour embrasser Alessi, Isla aurait souhaité disparaître sous terre. Machinalement, elle tira sur son short comme s'il pouvait soudain rallonger par la seule force de sa volonté.

— Maman, je te présente Isla, une amie qui travaille avec moi. Nous venons de passer l'après-midi au zoo avec Niko. Isla, ma mère, Yolanda.

— Montez donc à l'appartement, dit Yolanda. Il faut qu'Isla fasse la connaissance de…

— Non, maman, nous allons manger en salle, la coupa Alessi d'un ton ferme.

Yolanda retourna derrière le comptoir de la réception. Il adressa un clin d'œil à Isla.

— Si nous étions montés à l'étage, j'aurais été obligé de t'épouser.

Elle rit, mais le cœur n'y était pas. Cette plaisanterie prouvait qu'il n'avait aucun sentiment sérieux pour elle alors que… il en allait tout autrement pour elle. Ce soir, elle venait d'en prendre pleinement conscience.

— Viens-tu souvent ici ? demanda-t-elle au cours du repas.

— J'essaie de passer une fois par semaine.

— Et as-tu déjà fait monter quelqu'un à l'étage ?

Le visage d'Alessi s'assombrit.

— Une personne. Tu te souviens de Talia ?

— Bien sûr.

Sans être amies, elles avaient été camarades de classe.

— Elle et moi, dit-il, nous sommes sortis ensemble autrefois lorsque nous faisions nos études de médecine.

— Cela a duré combien de temps entre vous ?

— Deux ans.

Elle ouvrit de grands yeux.

— C'est beaucoup…

« … pour toi », se garda-t-elle d'ajouter.

— Nous allions nous fiancer, dit-il, l'air grave. Ni ses parents ni les miens ne m'ont à ce jour pardonné d'avoir rompu.

— Vous étiez jeunes. Il valait sûrement mieux ne pas vous fiancer si vous ne vous sentiez pas prêts.

— J'étais prêt.

Sur le point de l'interroger davantage, elle se ravisa. Il ne lui disait pas tout, c'était évident. Mais elle aussi avait ses secrets — celui d'Isabel en partage. Et le sien.

— Et toi avec Rupert, c'était du sérieux, n'est-ce pas ? Aviez-vous songé au mariage ?

Un petit rire amer lui échappa.

— Non. Rupert et moi… nous n'avons jamais parlé mariage.

Résistant à la tentation de lui faire des confidences, elle s'absorba dans la carte des desserts.

10.

Le vendredi suivant, Isla était en train de faire sa ronde des lits en maternité lorsqu'elle reçut un appel de Darcie.

— Pourrais-tu venir tout de suite en consultation prénatale ? J'ai une patiente, Ruby, qui…

— Je connais Ruby. Elle assiste à mes réunions de FJM.

— Ce matin, je lui ai fait une échographie qui montrait une anomalie du tube neural fœtal. Des tests viennent de confirmer le diagnostic : le bébé est atteint de spina-bifida. Ruby est bouleversée depuis que je lui ai annoncé la nouvelle. Quand Heinz a abordé avec elle la question de l'avortement, elle a éclaté en sanglots…

Un soupir lui échappa. Heinz était un brillant neurologue en pédiatrie qui manquait toutefois cruellement de diplomatie et d'empathie dans ses relations avec les patients.

— J'arrive. Qui est la sage-femme de garde en prénatal ?

— Lucas. Je viens de le biper.

Selon une rumeur qui circulait dans les couloirs, Darcie et Lucas entretiendraient une liaison. Isla avait effectivement surpris des regards énamourés entre eux, mais, depuis quelques jours, l'entente cordiale avait semblait-il viré à la guerre froide.

— Tu l'as bipé seulement maintenant ? Ecoute, Darcie, je ne sais pas ce qui se passe entre vous, mais il n'est pas question que mes patientes en fassent les frais !

Furieuse, elle traversa l'étage pour se rendre dans la section prénatale. Sur le seuil de la salle réservée aux familles, elle prit une profonde inspiration pour retrouver son calme, et ouvrit la porte.

Lucas était assis en compagnie d'une Ruby en larmes qui paraissait encore plus jeune et vulnérable que d'habitude. A dix-sept ans, enceinte, elle n'avait ni mère, ni fiancé, ni même une amie à ses côtés pour la soutenir.

— Tout va s'arranger, Ruby…

La chose à ne pas dire. Ruby se leva d'un bond.

— Vous mentez ! On vient de me dire le contraire !

— Ruby, vous êtes sous le choc.

Il fallait l'emmener dans un endroit tranquille, loin de tous ces gens en blouse blanche.

— Si nous descendions à la cafétéria ? dit Isla.

— Je veux pas aller à la cafétéria avec vous. Gardez vos beaux discours, vous pouvez pas m'aider, personne peut m'aider !

Sur ce, Ruby s'enfuit dans le couloir. Isla la suivit, mais au bout de quelques mètres renonça à la rattraper. Il allait absolument falloir lui dire qu'il existait des solutions, même dans le cas d'un spina-bifida ouvert. Mais habitait-elle encore à l'adresse qui figurait dans son dossier ? Les jeunes patientes en situation précaire changeaient souvent de domicile, quand elles en avaient un.

A la fin de sa garde, Isla se rendit dans le bureau d'Alessi pour l'informer de l'état de santé d'Allegra qu'elle avait reçue en consultation prénatale dans l'après-midi. Il n'y avait pas rupture du secret médical puisque Allegra lui avait expressément demandé de tenir son frère au courant.

C'était la première fois qu'Isla entrait dans son bureau.

— Quel désordre ! dit-elle en promenant son regard à la ronde.

— J'y passe en coup de vent entre deux consultations. Pourquoi ranger des dossiers que je vais ressortir le lendemain ?

— L'argument de tous les paresseux.

— On m'a adressé bien des reproches, mais jamais encore on ne m'avait traité de paresseux.

Ces derniers temps, leur relation avait pris un tour plus détendu. Ils plaisantaient, se taquinaient et s'amusaient de plus en plus ensemble, y compris au lit. En quelques jours, Isla avait rattrapé son retard en matière sexuelle et accomplissait des prouesses de plus en plus hardies en compagnie d'Alessi.

— Il y a une première à tout. Bon, veux-tu entendre ce que j'ai à te dire ?

— D'après ton sourire, j'en déduis que c'est une bonne nouvelle ?

— Tout à fait. Allegra va bien, le bébé est parfaitement placé, tête en bas, et Darcie va désormais la recevoir une fois par semaine jusqu'à l'accouchement.

— Allegra veut toujours accoucher par la voie basse ?

— Toujours. Au début du travail, Darcie pratiquera une péridurale pour le cas où une césarienne serait nécessaire.

Elle se percha sur un coin du bureau.

— A quelle heure finis-tu ?

— J'en ai encore pour un moment. J'attends des résultats de labo.

— Tu ne peux pas laisser Jed les réceptionner ?

— Isla, s'il te plaît, dit-il, l'air un peu agacé. Tu sais que j'ai l'habitude de travailler sans compter mes heures. Si cela ne te convient pas…

— Serais-tu en train de me poser un ultimatum ? demanda-t-elle en riant. Si je m'inquiète de tes horaires, ce n'est pas pour éviter que le dîner soit brûlé ou parce que cela me chagrine de passer la soirée seule.

Elle se pencha vers lui pour l'embrasser à pleine bouche.

— Jamais je ne m'interposerai entre toi et tes patients prématurés. Cela ne me dérange pas que tu passes la nuit à l'hôpital pour eux. Je veux juste que tu ne te surmènes pas et que tu ne sois pas victime d'un *burn out* car… il se trouve que je tiens à toi. Si tu faisais partie de mon équipe, il y a longtemps que je t'aurais dit de rentrer chez toi. Et de prendre en prime la journée de demain.

— Je ne fais pas partie de ton équipe.

— Tant mieux pour toi. Ou tant pis, selon le point de vue.

Sa propre audace l'étonnait. Elle venait presque de lui avouer qu'elle l'aimait. Car c'était le cas. Ce qui devait n'être qu'une aventure censée lui mettre le pied à l'étrier s'était transformé en autre chose qui prenait désormais toute la place dans sa vie. Las, il ne lui avait pas retourné la pareille quand elle lui avait dit qu'elle tenait à lui. Les sentiments qu'elle éprouvait pour lui étaient à sens unique.

— Je vais rentrer. Si tu ne finis pas trop tard, passe à la maison.

— Darcie est de garde cette nuit ?

— Non, dit-elle en se dirigeant vers la porte. Mais cela m'étonnerait qu'elle soit choquée en te découvrant à la table du petit déjeuner. La moitié de l'hôpital semble être au courant que nous sommes ensemble.

Et elle lui adressa un sourire qu'elle espérait désinvolte avant de sortir.

A 22 heures, au lieu de rentrer chez lui s'écrouler sur son lit, Alessi prit la direction de la résidence d'Isla. Il était épuisé, mais il avait besoin d'elle, de sa présence, de son sourire, de sa force. Contrairement à ses parents et à sa sœur, elle l'acceptait comme il était, sans le juger ni essayer de le changer.

Ce soir, il n'avait pas l'intention de lui faire l'amour ; pour preuve, il n'avait pas de préservatifs sur lui.

Isla semblait sur la même longueur d'onde. Elle l'invita à s'asseoir sur le lit à côté d'elle et à lui raconter sa journée. Il se surprit à tout lui dire, ses contrariétés, sa frustration devant les mauvais résultats d'analyses sanguines d'un prématuré qui semblait pourtant avoir passé le cap le plus difficile, la fatigue, le stress…

Quand il eut terminé, elle attira sa tête sur son épaule, en silence, et il lui en sut gré. Sa chaleur, son parfum, sa douceur, le réconfortaient mieux que des mots.

Ils restèrent ainsi, enlacés en une chaste étreinte, pendant de longues minutes. Puis il releva la tête.

— J'ai été injuste envers toi, Isla. Je t'ai accusée d'être froide, de tout garder en toi, d'avoir des secrets, alors que tu es incroyablement généreuse. En fait, c'est moi qui te cache des choses.

Le regard bleu s'assombrit.

— Talia était enceinte. Quand elle me l'a appris, je lui ai demandé de m'épouser et nous sommes convenus d'annoncer sa grossesse à nos parents après le mariage.

Encore une fois, Isla ne lui posa pas de questions, ce qu'il apprécia.

— Le samedi, nous avons invité nos deux familles au restaurant : c'est la tradition chez les Grecs, avant même que l'homme fasse sa demande au père de la fille. A partir de ce moment-là, ils sont promis l'un à l'autre, les fiançailles ne sont plus qu'une formalité. Le mercredi suivant, Talia n'a pas assisté à des cours importants, elle qui ne séchait jamais. Je suis allé la voir dans sa chambre du campus. Elle n'allait pas bien et j'ai cru un instant qu'elle était en train de perdre le bébé. Quand je lui ai proposé de l'emmener à l'hôpital, elle m'a répondu que ce n'était pas la peine…

Isla fronça les sourcils.

— … elle s'était fait avorter le matin même.

— Sans rien te dire ?

— Rien. Elle pensait que j'essaierais de l'en dissuader. Ses études et sa future carrière étaient sa priorité et elle savait qu'elle ne pourrait les mener à bien en élevant un enfant à son âge. Je comprenais tout cela, je comprenais qu'elle dispose de son corps…

— Mais c'était également ton bébé.

Il hocha la tête, s'attendant à ce qu'elle poursuive, au lieu de quoi elle tendit le bras pour éteindre la lumière.

— Ferme les yeux et dors, dit-elle.

Décidément, elle l'étonnerait toujours. Il lui sourit dans l'obscurité.

— Jed et moi, nous avons permuté nos gardes. Je travaille ce week-end dit-il.

— En plus d'être d'astreinte deux fois la semaine prochaine ? demanda-t-elle d'une voix endormie.

— Je sais. Mais je pourrai ensuite me libérer le week-end suivant pour célébrer dignement avec toi la Saint-Valentin et l'anniversaire de notre rencontre.

— Qu'entends-tu par « dignement » ?

— J'ai des projets pour nous.

— Mais encore ?

— Je veux te faire la surprise.

En échangeant son planning avec celui de Jed, il avait en tête un programme qu'il voulait parfait pour Isla : un dîner romantique suivi d'une nuit dans une auberge de luxe.

Mais il découvrait qu'il nourrissait un autre projet, autrement plus ambitieux. Un projet qui l'engagerait pour toute la vie.

Un rire incrédule lui échappa.

— Pourvu que cette Saint-Valentin se termine mieux que la précédente.

11.

Le mercredi suivant, Isla alla trouver Darcie dans son bureau.

— Je peux te déranger ? demanda-t-elle en passant la tête à la porte.

— Entre.

Hésitante, Isla avança dans la pièce. Peut-être aurait-elle mieux fait d'aller voir son médecin généraliste ? Mais ses règles allaient bientôt arriver et elle devait commencer à prendre la pilule afin d'être protégée efficacement. Il fallait aussi qu'elle fasse vérifier sa pression artérielle, entre autres petites choses.

S'adresser à Darcie lui éviterait d'avoir à se déplacer jusqu'au cabinet de son généraliste.

— As-tu quelques minutes à m'accorder ?

— J'en ai très exactement six. Mais non, c'est une blague ! dit sa colocataire en se déridant. J'ai tout mon temps. Que puis-je pour toi ?

— J'aimerais que tu me fasses une ordonnance pour une pilule contraceptive.

— Bien sûr. Assieds-toi.

De nouveau saisie par le doute, Isla prit place en face de Darcie. N'était-elle pas en train de commettre une erreur ?

— Quelle pilule prends-tu d'habitude ? demanda Darcie en sortant le tensiomètre et le stéthoscope de leur trousse. Désolée, Isla, tu te doutes bien que je ne vais pas renouveler ton ordonnance sans vérifier ton pouls et ta tension.

Sans savoir exactement pourquoi, Isla regrettait de plus en plus son initiative.

— Tout va bien, dit Darcie, une fois les constantes prises. Mais j'attends toujours ta réponse sur le type de pilule que tu prends.

— Je ne prends rien.

— Quel genre de contraceptifs utilises-tu d'habitude ?

— Des préservatifs.

— D'accord, dit Darcie d'un ton dubitatif.

L'une comme l'autre savaient que ce n'était pas le mode de contraception le plus fiable.

— Ecoute, Darcie, laisse tomber. Je vais aller voir mon généraliste.

— Ne sois pas ridicule. Je suis sûre que tu comprends la nécessité de te poser quelques questions avant de te prescrire une pilule que tu n'as jamais prise.

A contrecœur, Isla en convint.

— As-tu des antécédents médicaux dont je devrais être au courant ?

— Non.

— Des problèmes de coagulation du sang, des migraines…

Elle égrena toute la liste des contre-indications.

— Rien de tout cela.

— Bien. De quand date ton dernier frottis ?

Isla n'avait jamais fait de frottis pour la bonne raison qu'elle n'avait jamais eu de vie sexuelle avant Alessi.

— Euh… ça fait un moment.

— Je te ferai grâce des reproches. Terminons-en avec cet interrogatoire. Tu attends bientôt tes règles ?

— Elles devraient arriver aujourd'hui ou demain.

— As-tu eu récemment des rapports non protégés ?

— Non. Ou plutôt si, rectifia-t-elle. Une fois. Mais… il s'est retiré.

Ses joues étaient en feu. A présent, elle comprenait pourquoi les patientes n'aimaient pas répondre à toutes ces questions.

— Vous l'avez fait debout ? dit Darcie en riant.

Isla appréciait moyennement le sens de l'humour de sa colocataire.

— Je ne suis pas enceinte.

Ses seins semblaient plus lourds, mais c'était à cause de l'imminence de ses règles.

— Tu imagines bien que je ne vais pas te croire sur parole. Rapporte-moi un échantillon d'urine, que je puisse l'analyser au plus vite, dit-elle en lui tendant un flacon. Un frottis et un bilan sanguin complet s'imposent également. Quand les résultats reviendront avec la case « rien à signaler » cochée, tu auras ta pilule et tu seras tranquille pour environ deux ans, jusqu'au prochain check-up.

Après la prise de sang, Isla se rendit aux toilettes et rapporta le flacon à Darcie qui le transmit directement au labo avec l'étiquette « urgent ».

Le résultat serait là dans une heure. Confiante que ce ne serait qu'une formalité, Isla retourna auprès de ses patientes.

Assise en face de Darcie, Isla avait les yeux fixés sur le rapport du labo. Sur une case en particulier qui comportait un seul mot. *Enceinte.*

— Peut-on laisser tomber le frottis pour l'heure ?

Les émotions se bousculaient en elle, mais elle essayait de n'en rien montrer à Darcie.

— Bien sûr. Tu es…

— On en discutera une autre fois, d'accord ? dit-elle en se levant.

Arrivée à la porte, elle se retourna.

— Je peux compter sur ta discrétion, n'est-ce pas ?

— Tu n'as pas besoin de me le demander. Mais si tu veux en parler, je suis là.

Isla marmonna un remerciement et regagna son bureau. Elle passa le reste de l'après-midi à travailler en pilotage automatique, et, pour la première fois de sa vie, elle partit pile quand 5 heures sonnèrent.

Allongée sur son lit, Isla fixait le plafond. Atterrée. La probabilité de tomber enceinte dès le premier rapport était de une pour un million ; et il avait fallu que cela lui arrive !

Quand son portable émit le bip familier qui signalait l'arrivée d'un texto, elle ne prit même pas la peine de le regarder. Sans doute était-ce Alessi qui l'appelait avant d'entamer sa garde. Une chance qu'il travaille de nuit, cela repoussait d'autant le moment de le revoir.

Pourrait-elle se résoudre à lui annoncer la nouvelle ? Seigneur, elle préférait ne pas imaginer sa réaction. Il se mettrait en colère, ou, pire, poussé par le sens du devoir, il lui proposerait de régulariser la situation. Ce qu'elle ne pourrait supporter.

Les confidences qu'il lui avait faites au sujet de Talia lui revinrent à la mémoire : il lui avait proposé de l'épouser dès qu'il l'avait sue enceinte.

Pour leur bien à tous les deux, il n'était pas question d'en arriver là.

Ils sortaient ensemble depuis à peine deux semaines, ce qui signifiait qu'ils arrivaient au bout de leur histoire, vu la durée habituelle des relations d'Alessi.

Une larme glissa sur sa tempe et elle ferma les yeux pour retenir les suivantes.

La porte d'entrée s'ouvrit. C'était Darcie qui rentrait de l'hôpital.

Bien qu'elles ne fussent pas réellement amies, Isla aurait voulu l'appeler pour lui parler, pleurer sur son épaule, mais elle craignait de se laisser aller. Car si elle lui confiait ses peurs, elle risquait aussi dans son désarroi de lui dévoiler le reste.

Des secrets qu'elle avait juré de ne jamais révéler.

12.

Au terme d'une longue journée de travail — après sa garde de nuit, Alessi avait enchaîné sur celle de jour pour remplacer un collègue malade, y ajoutant comme à l'accoutumée des heures supplémentaires —, il se languissait de retrouver Isla. Il rentra chez lui se changer et l'appela. Depuis la veille au soir, il avait laissé plusieurs messages sur sa boîte vocale, et elle lui en avait laissé un en retour où elle lui disait être très occupée.

Lui aussi était très occupé, et épuisé, ce qui ne l'empêchait pas de vouloir passer du temps avec elle.

Au bout de la quatrième sonnerie, elle décrocha enfin.

— Alessi.

— Est-ce trop tard pour passer ?

Il était 21 heures.

— Un peu. Je suis très fatiguée.

Et lui donc !

— Isla, j'ai réfléchi à notre week-end…

Il avait tout organisé.

— Je viendrai te chercher vendredi à 6 heures.

— Justement, je voulais t'en parler…

Sa voix était étrangement froide.

— Je vais avoir un empêchement.

— Tu ne pourras pas passer le week-end avec moi ?

— Non. J'ai oublié quelque chose que j'avais prévu avant que tu permutes tes gardes avec Jed.

— Quoi donc ?

Il crut entendre un sanglot au bout de la ligne.

— Alessi, dit-elle d'une voix étranglée, je ne pourrai pas me libérer ce week-end.

— Isla, tu n'as pas le droit de nous faire cela. Je vais venir chez toi, et tu vas m'expliquer ce qu'il se passe.

— Il ne se passe rien. Et je n'ai pas de comptes à te rendre.

— Tu sais quoi ? dit-il, à bout de fatigue. Tu as raison ! Je ne sais même pas pourquoi j'essaie de te parler, de te sortir de ta coquille ! Ces dernières semaines, je t'ai parlé de ma famille, je t'ai confié des choses que je n'avais jamais dites à personne, et qu'ai-je eu en retour ? Rien.

— Ce n'est pas vrai.

— Bien sûr que si ! Tu as daigné me lâcher quelques miettes le soir du bal, et depuis, plus rien. Tu es responsable de secrets d'Etat ou tu es simplement une égoïste introvertie ? Je n'en sais rien et je commence vraiment à me lasser de tes mystères !

Décidément, il ne la connaissait pas : au lieu de pleurer ou de s'indigner, elle se mit à rire, d'un rire amer un peu effrayant.

— Nous deux, c'est terminé, n'est-ce pas ? demanda-t-il. Ose au moins le dire.

— C'est terminé.

Et elle raccrocha.

La journée de la Saint-Valentin débuta de manière horrible pour Isla. Au réveil, elle trouva un texto d'Alessi qui s'excusait… de lui envoyer un bouquet de fleurs !

C'était trop tard pour annuler la livraison. Et ce n'est pas faute d'avoir essayé, Isla !

La note vengeresse du message lui serra le cœur.

Peu après, le livreur sonna à sa porte, porteur non pas

d'un, mais de deux bouquets. Celui d'Alessi, avec une carte disant qu'il avait hâte d'être à ce soir…

Et celui de Rupert qui avait certainement oublié d'annuler son abonnement sur un site spécialisé dans l'envoi de fleurs.

— J'aimerais bien être à ta place, dit Darcie. Si tu le permets, je vais faire comme si ces roses étaient pour moi…

Et elle s'empara du bouquet de Rupert.

Ce fut le seul moment amusant de la journée.

Et des jours qui suivirent.

Ecartelée entre son envie de parler à Alessi et la peur de sa réaction, Isla ne savait que faire. Bien sûr, il allait être en colère. Dans l'exercice de son métier, elle avait l'habitude des hommes contrariés par la grossesse de leur compagne. Elle savait aussi que des décisions lourdes de conséquences pouvaient être prises au cours des jours suivant l'annonce.

Mais elle ne pouvait même pas se prévaloir du titre de « compagne ». Sa relation avec Alessi était tout sauf solide, et c'était en partie sa faute.

Le mercredi, toutefois, comme elle s'apprêtait à tenir une réunion de FJM, elle prit conscience que ses problèmes n'étaient rien en comparaison de ceux de la fragile jeune femme qui passait timidement le seuil.

— Contente de vous voir, Ruby.

Dans son sillage, Alessi entra, poussant une couveuse vide qu'il avait apportée pour les besoins de son exposé. Il s'assit sans accorder un regard à Isla.

— Désolée pour les méchancetés que je vous ai dites la dernière fois, dit Ruby.

— C'est oublié, Ruby, dit-elle en souriant à la jeune fille. Voulez-vous manger quelque chose ?

Sans se faire prier, Ruby s'approcha de la table qui croulait sous le poids des cupcakes confectionnés par Emily.

Comme Isla promenait son regard sur le visage des futures mamans, elle sentit la tempête se calmer en elle pour la première fois depuis qu'elle se savait enceinte.

Dans leurs yeux se lisaient la peur, mais aussi le courage et la détermination.

Contrairement à certaines de ces jeunes filles, elle avait un toit, ô combien confortable, au-dessus de sa tête, une situation enviable et de bons revenus. Franchement, elle n'était pas à plaindre.

Et puis, quel que soit l'âge où l'on concevait un enfant, quinze, vingt, trente ou quarante ans, on éprouvait toujours un sentiment miraculeux à sentir la vie grandir en soi.

Son excitation grandit tandis qu'elle jetait un coup d'œil en direction d'Alessi. Même s'il continuait à l'ignorer superbement, elle était fière que cet homme soit le père de son enfant.

Elles firent un tour de table où chacune expliqua, avec plus ou moins de détails, où elle en était de sa grossesse et de sa situation en général. Seule Ruby ne voulut rien dire. Respectant son silence, Isla se tourna vers Alessi.

— La plupart d'entre vous ont fait la connaissance du Dr Manos à l'avant-dernière séance. Il est néonatologiste chez nous et s'occupe des prématurés. Certaines savent que leurs bébés finiront de grandir dans ces machines qu'on appelle incubateurs, dit-elle en désignant l'objet. Afin de vous rassurer et de vous montrer qu'un bébé peut parfaitement dormir et se nourrir dans cet environnement, il a décidé de vous expliquer comment cela marche. Ainsi, si votre bébé est un jour amené à faire un séjour dans la crèche des soins intensifs de néonatologie, vous aurez un interlocuteur que vous connaissez déjà, et qui est de surcroît un merveilleux médecin.

Sans répondre à son sourire, Alessi se leva pour commencer son exposé. Puis il répondit aux questions, se montrant très patient et à l'écoute.

— Qu'arrive-t-il si un bébé est handicapé ? demanda Ruby.

C'était la première fois qu'elle prenait la parole sans qu'on l'y pousse et Isla se sentit fière d'elle.

— La moitié des bébés dont j'ai la charge souffrent de handicaps, dit Alessi. Que voulez-vous savoir au juste ?

— Leur accordez-vous autant d'attention qu'aux autres ? Ou vous sentez-vous obligé de vous occuper d'eux en pensant qu'ils n'auraient jamais dû naître, que leurs mères auraient dû se débarrasser d'eux ?

Le matin même, Isla avait assisté à une réunion de sages-femmes où l'on avait discuté du cas du bébé de Ruby. Une opération *in utero* avait été envisagée afin de réparer la membrane recouvrant la moelle épinière, à condition de trouver un chirurgien spécialiste de ce genre d'opération. Bien entendu, Ruby ne le savait pas.

Alessi prit son temps pour répondre.

— Je suis médecin, et mon rôle est de soigner et de guérir mes patients, sans établir de distinction entre eux. Quand la maman arrive dans mon service avec son bébé handicapé, c'est après un long cheminement et des décisions mûrement réfléchies que je n'ai pas à discuter. Certains de mes petits patients requièrent plus d'attention que d'autres, mon devoir consiste à la leur donner afin qu'ils aient le maximum de chances de mener une vie normale.

La réponse était raisonnée, pragmatique, comme il seyait à un médecin. C'était justement son côté non sentimental qu'Isla appréciait, alors qu'il aurait facilement pu verser dans le pathos en s'écriant que la vie de tous les bébés qu'on lui confiait était sacrée…

En plus d'être un médecin hors pair, Alessi était un homme honnête.

Elle savait à présent qu'elle ne pourrait pas lui cacher sa grossesse. De toute façon, elle serait bien obligée de la lui révéler dès que son ventre s'arrondirait, alors autant lui dire dès maintenant et l'impliquer dans ses décisions. Il n'y avait qu'un seul point sur lequel elle ne lui demanderait pas son avis : garder le bébé. Il n'était pas question pour elle d'avorter. A la lumière de ce qu'il lui avait confié sur Talia, elle supposait qu'il serait d'accord.

Sa réaction ne serait pas aussi maîtrisée qu'avec Ruby. Il s'emporterait contre elle, lui reprocherait de ne pas avoir pris la pilule mais, le choc passé, ils seraient liés pour la vie par cet enfant, même s'ils décidaient de ne pas poursuivre leur route ensemble.

— Je vais maintenant vous laisser, mesdames…

La voix d'Alessi l'arracha à ses pensées.

— Mes parents fêtent leurs quarante ans de mariage ce soir et ils vont me taper sur les doigts car je suis déjà en retard.

Voyant qu'il était pressé, elle lui proposa de rapporter la couveuse. Il accepta, la remerciant sèchement avant de filer.

Une dizaine de minutes plus tard, la réunion prit fin et Isla poussa l'incubateur jusqu'à la crèche de l'unité spécialisée de néonatologie. Elle resta quelques minutes pour bavarder avec les infirmières, demander des nouvelles des mamans et des bébés, puis elle reprit le chemin de son bureau.

En poussant la porte, quelle ne fut sa surprise d'y trouver Alessi.

— Je croyais que tu devais aller chez tes parents.

— Je suis déjà en retard, alors, cinq minutes de plus ou de moins… Je veux comprendre pourquoi tout est terminé entre nous, Isla. Explique-moi.

La panique s'empara d'elle. Même si elle l'avait voulu, aucun son n'aurait pu sortir de sa gorge.

— J'attends, dit-il.

Le portable d'Alessi sonna.

— Allô ?… Oui, j'arrive ! hurla-t-il presque. Comment ?

Il se mit à parler en grec. Elle profita du répit pour affermir sa résolution.

Quand il mit fin à la communication pour se tourner vers elle, elle sut que le moment était venu.

— Je suis enceinte, Alessi.

La surprenant complètement, il sourit, d'un air toutefois un peu crispé.

— Incroyable, comme le destin vous joue des tours…

— Pardon ?

— Tu me dis que tu es enceinte, et Allegra — c'était elle au téléphone — va sans doute accoucher ce soir.

— Elle est chez tes parents ?

— Oui. Elle a perdu les eaux, mais elle ne veut rien dire pour ne pas gâcher la fête.

— Il faut absolument qu'elle vienne à l'hôpital.

— Steve a essayé de l'en convaincre, mais c'est une vraie tête de mule. Elle s'est repliée dans la salle de bains et les contractions s'enchaînent à une fréquence de plus en plus rapprochée.

— Alors, allons la chercher !

13.

Le trajet en voiture se déroula dans un silence pesant qui ressemblait fort au calme avant la tempête. Isla était tout de même soulagée de son aveu ; aucun cataclysme ne s'était produit, la Terre continuait de tourner. Mais elle aurait donné cher pour lire dans les pensées d'Alessi.

Etait-il en train de se demander si elle portait son bébé ou celui de Rupert ? A présent, elle regrettait de ne pas lui avoir révélé la vraie nature de sa relation avec son ami d'enfance, ce qui aurait dissipé tous les doutes. Il était trop tard pour y remédier.

C'était l'heure de pointe, les voitures avançaient à une allure d'escargot sur le boulevard conduisant Chez Geo.

— Au prochain feu rouge, je descends, dit-elle en se tournant vers Alessi. J'aurai plus vite fait d'arriver à pied.

— Reste là. Et profitons-en pour parler.

Inutile de préciser de quoi.

— Je suis désolée, Alessi. Je ne prenais pas la pilule…

Elle sentit son regard se poser sur elle, sévère.

— Je sais que je t'ai laissé croire le contraire et je m'en excuse. J'ai ensuite voulu prendre la pilule du lendemain, mais je n'ai pu m'y résoudre…

Les larmes montaient à ses yeux.

— Envisages-tu d'avorter ?

— Non.

— Alors, je ne veux plus t'entendre t'excuser d'être enceinte.

116

Pendant qu'il cherchait une place pour se garer, elle fit les derniers mètres à pied puis monta directement à l'étage où se trouvaient les appartements privés des Manos.

La fête des quarante ans de mariage battait son plein. Le père d'Alessi était en train de faire un discours et personne ne semblait conscient de ce qu'il se passait dans la salle de bains.

— Dieu nous a bénis en nous donnant trois enfants, disait-il. Geo, Alessandro et Allegra, et toute la famille est réunie ce soir dans cet endroit qui porte le nom de mon fils…

Alessi avait sans doute dû laisser la voiture en double file car il surgit derrière elle et l'entraîna en direction de la salle de bains.

— Empêche quiconque d'entrer, lui dit-elle à la porte.

Elle avait déjà aidé une femme à accoucher sur le sol d'une salle de bains, une femme qu'elle aimait tendrement. Allegra serait la seconde.

Agenouillé à côté de sa femme, Steve poussa un soupir de soulagement en la voyant.

— Vous arrivez pile à temps.

— Je vois cela, dit-elle en soulevant la robe d'Allegra. Le bébé montre déjà la tête. Placez-vous derrière votre épouse, Steve, et aidez-la à replier les jambes.

— Où est Alessi ? demanda la future maman.

— En train de ronger son frein à faire le guet dans le couloir. Il voulait entrer, mais je le lui ai défendu.

— Vous avez bien fait. Je ne voulais pas de mon frère pour m'accoucher.

— J'avais compris.

— S'il a cédé, cela prouve la confiance qu'il a en vous.

Une confiance qui se limitait, hélas, au domaine professionnel.

— Bon, au moins, on ne va pas manquer de serviettes ni d'eau chaude, dit-elle, s'efforçant de prendre un ton enjoué en se tournant vers Steve. Nous avons appelé des renforts, mais en attendant qu'ils arrivent, trouvez-moi de l'alcool à désinfecter dans l'armoire à pharmacie, et une paire de ciseaux.

Alessi n'en pouvait plus de ne pas savoir ce qui se passait derrière la porte. Aucun bruit ne filtrait, c'était tout de même étrange. La dernière fois, Allegra avait failli mourir en mettant Niko au monde.

Mais ce serait différent ce soir car Isla était là. Isla qui était enceinte…

De là où il était, il pouvait apercevoir ses parents. Son père avait terminé son discours et attendait que ses enfants prennent le relais. Il devait également se demander ce qui attirait ses invités du côté de la salle de bains.

Intrigués par le manège d'Alessi qui faisait le piquet dans le couloir, certains avaient en effet commencé à s'attrouper autour de lui.

L'arrivée de l'auxiliaire médical ne fit que confirmer leurs soupçons.

Quand sa mère vint vers lui en courant, il ne put lui cacher la vérité.

— Allegra est en train d'accoucher.

— Pourquoi n'es-tu pas auprès d'elle ?

— Parce que Isla s'occupe de tout. Si elle a besoin d'aide, elle m'appellera.

Portait-elle son enfant ou celui de Rupert ? D'une certaine manière, il était content que les événements de ce soir l'aient empêché de poser la question. Dans le doute, il pouvait encore espérer… Et peu importait l'identité du père, il serait là pour Isla.

Il le savait, mais pas elle.

— Est-ce normal qu'elle ait mal comme ça ? demanda Steve, le visage tordu d'angoisse.

— Oui, dit Isla. Tout progresse normalement.

Allegra forçait son admiration. Sans doute désireuse de ne pas « gâcher » la fête de ses parents, elle n'avait pas poussé un seul cri alors que les contractions ne lui laissaient plus de répit.

Comme elle s'appuyait contre son mari, Isla l'encouragea.

— Vous vous débrouillez très bien, Allegra. Encore un effort, et le bébé sera là.

— Fais ce qu'Isla te dit, ajouta Steve.

Placé derrière sa femme, il lui souleva les cuisses pour l'aider à mettre leur enfant au monde.

La porte s'ouvrit à cet instant sur Aiden Harrison, un auxiliaire médical urgentiste qui se déplaçait à moto.

— Allongez les bras, Allegra, dit Isla ; et touchez votre bébé, il sort.

Ensemble, elles le mirent au monde.

C'était une magnifique fillette avec de bonnes joues et des bras et des jambes potelés, ce qui était rare chez un nouveau-né. A son entrée dans le monde, elle poussa un cri de stentor qui témoignait de sa parfaite santé.

Pleurant de bonheur, Allegra et Steve la serrèrent dans leurs bras.

Quand Steve coupa le cordon, Isla se laissa aller à verser aussi quelques larmes.

— Je crois que la fête s'est arrêtée. On n'entend plus la musique.

— Steve, dit Allegra, en levant les yeux de son bébé, on pourrait peut-être annoncer à mes parents que tout s'est bien passé, ils doivent être morts d'inquiétude. Et laissez entrer Alessi, le pauvre.

Le visage d'habitude si hâlé de ce dernier paraissait blanc comme un linge. Mais il se détendit à la vue de sa nièce et des sourires qui l'accueillirent.

*
* *

Alessi tremblait de soulagement.

La scène qui s'offrait à lui n'avait rien à voir avec celle de la fois précédente, cette salle à l'équipement stérile où aucun cri de bébé n'avait retenti...

Ici, tout n'était qu'émotion et joie. Quand l'ambulance arriva, ce fut lui qui tint sa nièce pendant qu'on allongeait Allegra sur le brancard. Contrairement aux prématurés dont il s'occupait, cette petite fille brune était solide, énergique, débordante de vie, et déjà dotée d'un sacré caractère, à en juger par ses cris impérieux.

Il plongea le regard dans ses yeux bleu marine qui, dans quelques semaines, deviendraient noirs comme les siens.

Elle respirait, tétait, criait, sans nécessiter aucune aide médicale. Tout ce dont elle avait besoin, c'était d'amour.

Et elle avait le sien, sans partage.

Tout comme Isla.

Il aimait Isla. Et l'enfant qu'elle portait. Il en avait désormais l'absolue certitude.

14.

Une procession de voitures suivit l'ambulance à l'hôpital, où la fête reprit de plus belle.

Non seulement le bébé d'Allegra était en bonne santé, mais il était né le jour du quarantième anniversaire de mariage de ses grands-parents. Yolanda, Yannis et leurs invités avaient visiblement l'intention de fêter cela dignement.

Inquiète pour Allegra qui avait besoin de repos après avoir accouché sur le carrelage de la salle de bains familiale, Isla songeait à demander à la compagnie de baisser d'un ton quand Alessi régla le problème en proposant de continuer la fête chez lui.

Après moult embrassades avec les jeunes parents et le bébé, tout le monde se transporta chez lui, non sans s'arrêter en chemin pour acheter du champagne.

Les bouchons sautèrent et Isla fit mine de tremper les lèvres dans son verre pour ne pas avoir à expliquer pourquoi elle ne buvait pas d'alcool.

— Ça va ? lui demanda Alessi.

— Je me sens un peu fatiguée.

Un doux euphémisme. Elle était épuisée. Maintenant que l'adrénaline se retirait, elle commençait à prendre la pleine mesure des conséquences de son aveu.

— Va t'allonger.

— Je ne peux tout de même pas aller me coucher au milieu de la fête. Mon père me tuerait si je faisais cela en plein milieu d'une de ses réceptions.

— Ton père n'est pas là et nos invités te sont éperdument reconnaissants pour ce que tu as fait. Pour eux, tu es une héroïne. Personne ne t'en voudra d'aller prendre un repos bien mérité.

L'entraînant par la main, il la conduisit dans la chambre et baissa les stores pendant qu'elle se déshabillait. Gardant ses sous-vêtements, elle se glissa sous la couverture.

— Merci de t'être si bien occupée d'Allegra et de son bébé, dit-il en venant s'asseoir au bord du lit.

Pourvu qu'il n'ait pas l'intention d'aborder l'autre sujet. Elle n'avait qu'une envie, fermer les yeux et se laisser happer par le sommeil.

— Je n'ai pas fait grand-chose. Ta sœur a été admirable de courage, et ta nièce ne s'est pas fait prier pour montrer le bout du nez. J'ai rarement vu un aussi beau bébé.

— Bientôt, ce sera ton tour. Quand as-tu su que tu étais enceinte ? Attends, laisse-moi deviner… Le mercredi précédant la Saint-Valentin, dit-il en répondant à sa propre question.

— Comment le sais-tu ?

— Parce que c'est ce jour-là que tu n'as plus répondu au téléphone. Mais ne parlons pas de cela maintenant.

— Tu n'es pas fâché ?

— Pourquoi le serais-je ?

Parce qu'elle l'obligeait à être père alors qu'il ne le voulait sans doute pas.

— Il n'y a qu'une chose qui me met en colère, Isla, c'est quand tu me rejettes sans me donner de raison. Maintenant, repose-toi.

Réconfortée par sa réponse, elle ferma les yeux. Les lèvres d'Alessi effleurèrent les siennes.

« Dors bien, mon amour », crut-elle l'entendre murmurer.

Le lendemain, ils auraient la conversation qu'elle redoutait tant. Mais pour l'heure… pour l'heure, son cœur se gonflait telle une voile au vent. Ses oreilles ne lui avaient pas joué de tour. Il l'avait bel et bien appelée mon amour.

Elle avait hâte de lui avouer qu'elle l'aimait, elle aussi. Pour la première fois depuis longtemps, elle s'endormit sans angoisse ni crainte du lendemain.

Alessi passa la nuit dans la chambre d'amis pour laisser Isla dormir tranquillement. S'il avait partagé son lit, il ne savait que trop ce qui se serait passé. La proximité de son corps ravissant, sa chaleur, son parfum, auraient eu raison de ses résolutions et il lui aurait fait l'amour. Or, ils devaient d'abord avoir cette conversation.

Bien qu'il fût de repos, il se leva à 6 heures car il avait faim ! Ni Isla ni lui n'avaient dîné la veille. Sans doute avait-elle aussi faim que lui.

A moins qu'elle ne souffrît de nausées matinales.

Un sourire aux lèvres, il se rendit dans la cuisine et alluma la cafetière. Puis il cassa des œufs dans une poêle et mit le bacon à frire.

Tout en préparant le petit déjeuner, il jeta par habitude un coup d'œil à ses e-mails et revint sur la page d'accueil de son navigateur où s'étalaient les informations. Dans la rubrique « people », un titre lui sauta aux yeux. Incrédule, il lut l'article, le relut, puis sourit aux anges.

Décidément, Isla l'étonnerait toujours.

— Bonjour, Isla.

Quel plaisir d'être réveillée par l'odeur du café et le sourire d'Alessi !

Elle se redressa et le regarda caler le plateau sur le lit.

— Viens là, dit-elle comme il allait se redresser.

Elle l'attira à elle pour déposer un doux baiser sur ses lèvres.

— Juste avant de m'endormir, j'ai rêvé que quelqu'un me disait qu'il m'aimait...

— Tiens, tiens, je me demande bien qui ça peut être.

A la manière dont il lui rendit son baiser, elle sut qu'elle n'avait pas rêvé.

— Moi aussi, je t'aime.

— J'avais deviné, dit-il en s'asseyant près d'elle.

— Prétentieux !

Elle fit mine de lui taper sur les doigts.

A les entendre, tout allait pour le mieux dans le meilleur des mondes. Mais elle n'oubliait pas qu'elle l'avait mis devant le fait accompli. Peut-être Alessi essayait-il simplement de faire contre mauvaise fortune bon cœur.

Dans ce cas, il donnait bien le change, car il ne lui avait jamais paru aussi serein. Il semblait presque jubiler comme s'il avait reçu une excellente nouvelle.

— Comme c'est gentil de me servir au lit !

D'une main un peu tremblante, elle souleva la tasse de café.

— Tu n'as pas quelque chose à me dire ? demanda Alessi.

— Ce que je t'ai dit hier ne t'a pas suffi ? Cela a dû te causer un choc, je sais que c'est trop tôt...

— Je ne suis pas de cet avis. Nous ne sommes plus des adolescents, Isla.

— Ce n'est pas ce que je voulais dire. Nous ne sommes qu'au tout début d'une relation que nous voulions l'un et l'autre sans attaches, et voilà que je t'annonce que je suis enceinte !

— Je t'avoue que, sur le moment, cela m'a fait un choc. Mais à présent, je le prends plutôt comme une agréable surprise. Et toi, que ressens-tu ?

La conversation lui semblait un peu irréelle. Au lieu des reproches ou des récriminations auxquels elle s'attendait, il semblait parfaitement accepter la situation et s'inquiétait de surcroît de ses états d'âme.

— Je me sens nerveuse. Au début, j'étais terrifiée, mais à présent... Moi aussi, je commence à m'y habituer.

Pourtant, il y a une chose qui m'inquiète, c'est la pression que nos familles respectives vont faire peser sur nos épaules.

— Pour nous obliger à nous marier ?

Elle hocha la tête.

— Tu as quelque chose contre le mariage ? J'espère que non, Isla, dit-il sans lui laisser le temps de répondre, car la dernière femme à qui j'ai demandé de m'épouser a préféré avorter. Je ne veux te mettre aucune pression. Avec le recul, j'ai compris que Talia et moi étions trop jeunes, et que nous ne nous aimions pas vraiment. Nous nous serions mariés à la va-vite, et nous aurions passé toute notre vie à le regretter.

— Je n'aimerais pas que cela nous arrive.

— N'aie aucune crainte. Nous n'aurons pas de regrets. Il nous suffira d'être toujours francs l'un envers l'autre.

— J'ai l'impression de te forcer la main…

— Isla, j'avais l'intention de te demander en mariage le soir de la Saint-Valentin. J'avais tout organisé, y compris, si tu avais accepté, notre visite le lendemain au restaurant de mes parents, à l'étage cette fois, pour leur annoncer la nouvelle.

Elle l'écoutait, avec l'impression de rêver. En tout cas, si c'était un rêve, elle n'avait aucune envie de se réveiller.

— Je peux te le prouver.

Il se leva pour aller ouvrir un tiroir de la commode et en sortir une petite boîte en velours noir.

— Regarde, dit-il en la lui rapportant et en ouvrant le couvercle. Tu me crois, maintenant ?

Son regard alla d'Alessi à la bague en or blanc ornée d'un lumineux saphir.

— Il s'assortit à la couleur de tes yeux, enfin presque. Au départ, je voulais un diamant, mais quand j'ai vu cette bague, j'ai su que c'était celle-là et pas une autre. Alors, tu n'as vraiment rien à me dire ?

C'était la seconde fois qu'il lui posait cette question.

— Non, je ne vois pas…

— Bon, je vais cesser les devinettes. Ce matin, sur ma page d'accès à internet, j'ai lu une nouvelle étonnante. Elle risque de te causer un choc. Ton ex-petit ami vient de faire son *coming out*.

Les yeux d'Isla s'emplirent de larmes.

— Je suis désolé. Tu n'étais pas au courant ? dit-il, se méprenant sur sa réaction.

— Je l'ai toujours su. Rupert et moi étions les meilleurs amis du monde, mais il n'y a jamais rien eu entre nous.

— Alors, tu le couvrais ?

— Oui. Et il me protégeait en retour…

Elle s'apprêtait à faire l'aveu le plus difficile de sa vie.

— Comment cela ?

— Je n'ai jamais eu de relation sexuelle, avant toi.

L'air incrédule, il secoua la tête.

— Jamais je n'aurais pu me douter que tu étais vierge. Tu semblais tellement à l'aise, passionnée, lors de notre première nuit, alors que tu devais être morte de peur…

— Non. Autrefois, j'avais très peur chaque fois qu'un garçon me tournait autour. Mais avec toi, cela s'est fait naturellement.

— De quoi avais-tu peur au juste, Isla ?

— De tomber enceinte, admit-elle. Et c'est exactement ce qu'il m'est arrivé, sauf que je n'ai plus peur. Quelque chose s'est produit lorsque j'avais douze ans… Mais je ne peux pas t'en parler.

— Souviens-toi de ce que nous avons décidé : nous ne devons plus rien nous cacher.

— Le secret ne m'appartient pas, Alessi. C'est celui de quelqu'un d'autre.

— Mais cela t'a affectée au point que tu ne veuilles rien avoir à faire avec les hommes. Si l'une de tes patientes se trouvait dans cette situation, que lui conseillerais-tu ?

— D'en parler à quelqu'un.

— Eh bien, parle-m'en.

126

— Il s'agit de… ma sœur. Je te supplie de ne jamais le répéter à quiconque.

— Tu as ma parole.

— Quand j'avais douze ans, Isabel a accouché d'un bébé mort-né dans le plus grand des secrets. Je crois qu'il avait dix-huit semaines. C'est moi qui l'ai mis au monde et, malgré les protestations de ma sœur, j'ai mis Evie, notre gouvernante, dans la confidence afin qu'elle nous aide. Elle nous a emmenées dans un hôpital où tout s'est réglé dans la plus grande discrétion, nos parents n'en ont jamais rien su. J'avais promis à Isabel de ne jamais rien dire, je me sens tellement coupable…

— Le secret d'Isabel ne m'intéresse pas. Si je t'ai obligée à rompre ta promesse, c'est pour comprendre pourquoi cet événement t'avait traumatisée au point de t'empêcher de vivre ta vie de femme. Explique-moi.

Et, sanglotant tout au long de son récit, elle se délivra enfin du poids du fardeau qu'elle avait porté durant tant d'années.

Il la tint dans ses bras tandis qu'elle lui confiait ce qu'elle avait dû endurer, par sa propre faute, en jouant la comédie de la fiancée de Rupert.

Durant toutes ces années, elle s'était enfermée dans un piège, sans pouvoir se confier à quiconque.

Mais désormais, elle n'était plus seule.

— Promets-moi de ne plus jamais avoir de secrets pour moi, Isla.

— Je te le promets.

— Tu aurais dû m'en parler. Au lieu de cela, tu as fait le grand saut dans l'inconnu, sans savoir si tu pouvais me faire confiance.

— Oh ! mais je te faisais confiance, sinon, je n'aurais pas couché avec toi. Qu'y a-t-il de si amusant ? demanda-t-elle en le voyant rire.

— Ce n'est pas amusant. Je prends simplement

conscience que, puisque Rupert est disqualifié, il ne reste plus que moi pour revendiquer la paternité de ton enfant.

— Bien sûr que oui ! Je n'ai pas d'autre amant dans mes placards, dit-elle pour l'entendre de nouveau rire.

Elle avait été privée si longtemps de son rire et de son sourire qu'elle ne s'en lasserait jamais. L'idée lui avait traversé l'esprit qu'il soupçonnerait Rupert d'être le père du bébé ; et malgré cela, la veille au soir, il lui avait dit qu'il l'aimait.

— Tu m'aimais sans être sûr d'être le père de mon enfant.

— Je t'aime, Isla. J'aurais aimé ton enfant, qu'il fût de Pierre, Paul ou Jacques. Nous aurions de toute façon formé une famille.

Une famille à elle. Son rêve qui devenait enfin réalité.

— Alors, tu veux bien m'épouser ? demanda-t-il.

— Essaie de m'en empêcher ! s'écria-t-elle, aux anges. En revanche, j'aimerais qu'on ne parle pas encore du bébé à nos familles, afin de le garder encore un peu pour nous.

— Ce sera notre secret à tous les deux.

— Et cela préservera aussi les convenances.

— Tu te soucies des convenances, maintenant ?

— Bien sûr, dit-elle, malicieuse. Cela ne fait que quelques semaines que nous sortons ensemble.

— Mais moi, je suis amoureux de toi depuis un an, dit-il en la reprenant dans ses bras. Depuis ce premier soir où je t'ai vue au Rooftop Garden. Je ne m'étais pas trompé ce soir-là, tu me désirais vraiment.

— Oui, dit-elle, rougissant à ce souvenir. Et ce que tu as pris pour du mépris était de la peur. Mon Dieu, je nous ai fait perdre tellement de temps.

— *Ki 'taxa vathia 'mes sta ma 'tia sou ke i 'da to me 'llon mas.*

— Ce qui signifie ?

— Que j'ai regardé au fond de tes yeux et vu mon avenir. C'est ce qui s'est passé le jour de notre rencontre.

Je savais que nous finirions par nous retrouver. Tu es mon avenir, Isla.

— Et tu es le mien.

Le passé était oublié. L'avenir leur souriait, radieux. Elle avait hâte de goûter au bonheur de vivre au côté de l'homme qu'elle aimait et de fonder sa famille. *Leur* famille.

MARION LENNOX

Le meilleur des papas

Blanche

HARLEQUIN

Cet ouvrage a été publié en langue anglaise
sous le titre :
MEANT-TO-BE FAMILY

Traduction française de
ANNE DUGUET

1.

Un juron échappa à Emmy alors qu'elle insérait son passe dans le lecteur à l'entrée du parc de stationnement. Elle était encore en retard. C'était la troisième fois, cette semaine. Sa patronne allait piquer une crise.

Non qu'Isla soit actuellement dans un état d'esprit propice à la colère. Depuis ses fiançailles, la sage-femme en chef de la maternité du Victoria Hospital de Melbourne semblait flotter sur un nuage rose — un bonheur évident qui ne manquait pas de faire tressaillir Emmy lorsqu'elle la rencontrait dans les couloirs.

Sa place de parking se situait au cinquième étage. En raison de ses retards à répétition, elle aurait dû en solliciter une à un niveau moins élevé, mais son break familial était trop volumineux pour se loger dans un emplacement normal. Par chance, Harry, un des obstétriciens du Victoria Hospital, utilisait une moto et cela ne le gênait pas de garer sa Harley sur le côté afin qu'elle puisse caser son véhicule. Un arrangement qui aurait été parfait si ces places n'avaient pas aussi haut perchées…

Comme par hasard, la voiture devant elle, une Buick, mettait un temps infini pour monter la rampe du parking.

— Allez, avance, espèce de tortue, marmonna-t-elle, agacée.

Elle aurait dû arriver dans le service depuis au moins une quinzaine de minutes. Mais Gretta avait une fois de plus vomi. Elle devait absolument reconduire la fillette chez le cardiologue, mais la dernière fois qu'elle l'y avait amenée, celui-ci lui avait dit…

« Non. N'y repense pas. » Pas question de se rappeler… l'inconcevable. Elle glissa les doigts dans ses boucles indisciplinées en s'efforçant de se concentrer sur autre chose. Avant de prendre sa garde, il lui faudrait attacher ses cheveux. Avait-elle emporté ses épingles, au moins ?

Mais rien à faire, cela ne marchait pas. Son esprit refusait de se laisser distraire, et la mise en garde du cardiologue résonnait toujours à ses oreilles.

« Emily, je suis désolé, mais il ne lui reste que très peu de temps. »

L'état du cœur de Gretta empirait-il ou souffrait-elle juste d'une gastro ? La fillette s'était serrée très fort contre elle avant qu'elle parte, et c'était avec un pincement de cœur qu'elle avait dû l'abandonner. Si sa mère n'avait pas été là… Mais, heureusement, Adrianna adorait son rôle de mamie et elle l'avait pratiquement fichue à la porte.

Toutefois, il y *avait* un problème, et Emmy savait lequel. Le cardiologue ne lui avait pas caché la vérité, et son diagnostic était gravé dans sa mémoire.

C'était déjà suffisamment dur à entendre, mais le constater de visu… Ce week-end, elle avait emmené les deux enfants à leur endroit favori, le terrain de jeux du jardin botanique. Il s'y trouvait un ruisselet dont Gretta raffolait. Sitôt qu'elle avait su ramper, elle s'était traînée jusqu'au bord, puis elle y avait fait ses premiers pas. Six mois auparavant, elle riait encore d'un air ravi lorsque l'eau lui éclaboussait les orteils. Ce week-end, elle n'avait même pas été capable de se déplacer en rampant. Emmy s'était alors assise sur le bord avec elle pour tenter de lui rendre son sourire, mais la fillette s'était mise à sangloter.

« Non ! N'y pense pas ! Passe à autre chose. Va de l'avant… »

Dieu merci, la Buick finit par sortir pesamment au niveau quatre. Avec un soupir de soulagement, Emmy monta la dernière rampe en trombe puis braqua à gauche, comme elle l'avait fait des centaines de fois par le passé pour se garer, et… Oups ! Pila. A la place de la Harley de Harry, se trouvait une voiture. Une voiture de sport ancienne, bordeaux, rutilante et briquée avec soin. Plus large qu'une moto.

A cet instant, au lieu de se glisser en douceur et en silence dans son emplacement réservé, elle entendit un crissement métallique effroyable.

Son break possédait un pare-buffle à l'avant, conçu pour repousser le bétail égaré. De ce fait, il était particulièrement robuste et pouvait encaisser sans broncher n'importe quel choc frontal — à part, bien sûr, celui d'un de ces énormes camions à plusieurs remorques. Mais le véhicule qu'elle avait embouti n'était pas aussi solide que le sien…

Oliver Evans, obstétricien et spécialiste en chirurgie *in utero*, saisit son porte-documents et sa veste de costume sur le siège passager. Il devait aujourd'hui rencontrer les gros bonnets de l'hôpital, aussi s'était-il habillé en conséquence. Comme il était en avance, il prit le temps de consulter ses notes pour se rafraîchir la mémoire sur ses futurs interlocuteurs.

Il entendit vaguement le bruit d'une voiture qui sortait de la rampe du parking derrière lui…

Puis, soudain, la portière du côté passager et l'aile avant de sa Morgan furent proprement arrachées.

Grâce à son sang-froid à toute épreuve acquis au fil des années, Emmy réussit à ne pas crier. Ni à fondre en larmes.

Elle se contenta de regarder droit devant elle. « Compte jusqu'à dix. » Comme cela ne marchait pas, elle essaya jusqu'à vingt. Non, elle ne rêvait pas tout éveillée. Ce cauchemar était bien réel.

D'habitude, elle pouvait se garer facilement parce que son break occupait deux emplacements avec la Harley de Harry. Seulement, entre-temps, Harry avait quitté son poste à l'hôpital. Elle aurait dû s'en souvenir, bien sûr, puisqu'elle était passée en coup de vent lui souhaiter bonne chance lors de sa fête d'adieux, vendredi soir.

La voiture d'époque devait donc appartenir au médecin qui l'avait remplacé, et elle n'avait rien trouvé de mieux pour l'accueillir que de la saccager.

— J'ai une assurance. J'ai une assurance. J'ai une assurance.

C'était censé être son mantra. Dire les choses trois fois aidait. Mais cela ne la réconforta pas le moins du monde. Comme elle posait sa tête sur le volant, elle fut terrassée par un épuisement si intense qu'elle eut l'impression d'être près de craquer.

Après s'être extrait de son siège, Oliver fixa sa Morgan bien-aimée avec incrédulité. Elle était surbaissée, superbe… et fragile. C'était pour cette raison qu'il l'avait garée bien au milieu de la place de parking afin d'éviter les dangers — comme les éraflures dues à l'inattention de ceux qui ouvrent leur portière en pensant à autre chose.

Mais le break incriminé possédait un pare-buffle qui ne s'était pas contenté de rayer la carrosserie.

Il adorait cette petite merveille, un jouet qu'il s'était offert à la fin de son mariage, cinq ans plus tôt, pour se consoler des misères du monde. Il l'avait chérie, il avait dépensé une petite fortune pour l'entretenir puis avait loué très cher un box où l'entreposer pendant qu'il était à l'étranger.

Sa joie de retrouver sa Morgan avait tempéré ses inquiétudes quant à son retour en Australie. Mais, à présent, un idiot avec un pare-buffle…

— Bon sang…

Ne pouvant pas encore voir le conducteur, il déchargea sa bile sur la voiture. Enfin… si on pouvait appeler voiture un engin pareil. Qui, de plus, n'avait même pas souffert du choc. Oh ! bien sûr, il aurait certainement quelques éraflures supplémentaires, mais une de plus, une de moins… C'était un vrai char d'assaut, cabossé et en mauvais état, et son propriétaire pourrait continuer à défoncer tout ce qui se trouvait sur son chemin en toute sécurité…

La carcasse semblait le narguer, et il eut envie de lui flanquer un coup de pied quand soudain un détail le troubla. Pourquoi le chauffard n'avait-il pas bougé ?

Aussitôt son instinct de médecin se réveilla, prenant le pas sur sa fureur. Et si le conducteur avait eu une crise cardiaque ? Ou s'était évanoui ? Peut-être cette catastrophe était-elle due à un problème médical ? La portière du conducteur étant coincée contre le flanc béant de sa Morgan, il dut contourner les véhicules.

Alors qu'il s'approchait de celle du passager, le moteur du break s'arrêta. Quelqu'un était donc vivant à l'intérieur. Ouf ! C'était déjà ça. Enfin… Si on pouvait dire.

Sa colère revint en force.

— Vous avez intérêt à avoir *vraiment* une bonne excuse pour avoir défoncé ma voiture avec votre tas de ferraille ! Sortez de là !

Non !

Le cauchemar empirait. Cette voix… Elle la connaissait. Elle semblait surgir de son passé. Impossible… Son imagination devait lui jouer des tours. Toutefois Emmy refusa d'ouvrir les yeux. Si c'était vraiment…

Non, c'était inenvisageable. Elle était exténuée, elle se faisait un sang d'encre pour Gretta, elle était en retard et elle venait d'emboutir un véhicule à l'arrêt. Comment s'étonner qu'elle ait des hallucinations auditives ?

— Courage, Emmy, marmonna-t-elle. Il faut affronter la réalité. Tu n'as pas le choix.

Le silence devant sa portière ne présageait rien de bon. Peut-être la voix disparaîtrait-elle si elle restait sans…

— Hé ! Ça va ?

La voix grave, furieuse au départ, se faisait à présent inquiète. Néanmoins, c'était toujours la même voix et ce n'était pas un effet de son imagination. Elle était affreusement réelle.

Mais il arrivait que des gens aient des voix identiques, tenta-t-elle de se rassurer. Elle se sentait au bord de l'hystérie. Inutile de se presser pour relever la tête. Elle avait besoin de recouvrer ses esprits…

Soudain, la portière du côté passager s'ouvrit et quelqu'un se glissa à l'intérieur. Grand. Viril.

Lui ?

Il posa sa main sur la sienne toujours cramponnée au volant.

— Mademoiselle ? Vous êtes blessée ? Je peux vous aider ?

Devant sa sollicitude sincère, Emmy eut sans l'ombre d'un doute la confirmation de ses craintes.

Oliver… L'homme qu'elle avait aimé de toute son âme. L'homme qui l'avait quittée, cinq ans auparavant, pour lui donner une chance de s'inventer la vie qu'elle souhaitait.

Des émotions conflictuelles l'assaillirent — colère, perplexité, chagrin… Elle avait eu cinq années pour passer à autre chose, pourtant, même si cela paraissait complètement fou, elle avait l'impression que cet homme faisait toujours partie d'elle.

Elle avait percuté sa voiture. Et il était là, sur le siège juste à côté d'elle. Rien ni personne ne pouvait l'aider. Prenant une profonde inspiration, elle rassembla ses forces, leva la tête et se tourna pour faire face à son mari.

*
* *

Emily.

Oliver la dévisagea, mais son cerveau semblait incapable d'accorder une réalité à ce que percevaient ses yeux. Emily !

L'espace de quelques instants, il crut s'être trompé. La femme devant lui était différente. Elle avait quelques années de plus, ses traits étaient tirés. Une fatigue passagère ? En outre, elle portait un jean délavé et un sweat-shirt taché. Et ses cheveux bouclés étaient en bataille.

Mais c'était toujours Emily.

Sa femme ? Oui, elle l'était encore, songea-t-il stupidement. *Son* Emmy.

Non, elle n'était plus son Emmy. Il était parti, cinq ans auparavant ; il l'avait laissée à sa nouvelle vie, et elle n'avait plus aucun lien avec lui. Pourtant, elle se trouvait ici, et son regard reflétait sa propre incrédulité. Choqué, il se figea.

Elle avait détruit sa Morgan bien-aimée. Il aurait dû lui en vouloir... Eh bien, non. Même pas.

Devrait-il ressentir du chagrin ? De la culpabilité ?

Il n'éprouvait ni l'un ni l'autre. Il se sentait juste hébété.

Emmy fixa Oliver. Au moins, elle, contrairement à lui, avait eu une minute pour se préparer.

— Emmy ?

Il semblait encore plus abasourdi qu'elle. Qu'était-on supposé dire à un mari qu'on n'avait pas vu et auquel on n'avait pas parlé depuis cinq ans ? Aucun bréviaire n'existait sur la question.

— Sa... Salut, dit-elle dans un souffle.

— Tu viens d'emboutir ma voiture.

— Tu étais censé être une moto...

Emmy s'interrompit. Elle tenait des propos aussi absurdes qu'Oliver, et cette conversation décousue ne menait nulle part. Ils avaient juste réussi à établir... quoi ? Qu'il n'était pas... une Harley ? Ridicule...

Il était son mari — et il se trouvait juste à côté d'elle, l'air complètement ahuri.

— Tu as une tache de lait sur l'épaule.

Rien d'étonnant à ce que ce soit la première chose qu'il remarque, songea-t-elle. Elle gardait toujours des vêtements peu fragiles pour se rendre à l'hôpital car elle savait que, juste avant de partir de chez elle, à la dernière minute, sa tenue risquait d'être salie. Ce qui n'avait pas manqué ce matin ; Gretta avait bu un verre de lait avant de vomir, et Emmy l'avait prise dans ses bras pour la réconforter.

Etrangement, cette tache lui donnait l'impression d'être vulnérable. Elle ne voulait surtout pas qu'Oliver perce à jour... ses émotions.

— Tu as deux sièges auto dans ton break ? ajouta-t-il sur un ton manifestement déconcerté comme s'il avait du mal à s'habituer à la femme qu'elle était devenue.

Lui, en revanche, était toujours le même. Grand, mince, superbe. Des yeux caramel qui se plissaient lorsqu'il souriait — et Dieu sait qu'Oliver souriait beaucoup. Une bouche large et des traits énergiques. Des cheveux bruns ondulés, coupés court pour éviter qu'ils ne bouclent, mais sans succès. Ils étaient si épais. Elle se rappela ce qu'elle avait éprouvé lorsqu'elle y glissait les doigts...

Agacée, elle chassa cette pensée inopportune. Même si, au regard de la loi, ils étaient toujours mariés, elle avait tourné la page.

— Tu t'es garé sur l'emplacement de Harry, dit-elle en pointant un doigt accusateur vers la voiture de sport.

Celle-ci était magnifique. Du moins ce qu'il en restait. C'était une décapotable de collection, et les pièces détachées devaient être très difficiles à obtenir.

Oliver avait toujours eu un faible pour les bolides. Elle se souvenait du jour où ils avaient vendu son dernier cabriolet grand sport... Son dernier ? Non. Qui sait combien il en avait eu depuis ? En tout cas, elle se rappelait très bien le jour où ils avaient échangé le roadster racé qu'ils avaient tous les deux adoré contre un break familial, plus petit que celui qu'elle possédait à présent, mais tout aussi pratique. Ensuite, ils s'étaient directement rendus dans un magasin de puériculture pour acheter un siège auto.

Elle était alors enceinte de six mois, et ils étaient rentrés chez eux, un sourire béat aux lèvres. A l'époque, ils voulaient fonder une famille. Du moins, elle avait cru qu'Oliver le désirait autant qu'elle. Ce qui s'était produit ensuite lui avait prouvé son erreur…

Elle dut s'obliger à revenir au présent en se rendant compte qu'Oliver lui parlait.

— On m'a attribué cette place de parking, Emmy. Niveau cinq, emplacement 11.

— Tu es de passage ?

— Je travaille ici à partir d'aujourd'hui.

— Tu ne peux pas.

Sans répondre, il sortit du break, enfonça les mains dans ses poches puis, après avoir jeté un bref coup d'œil sur son bolide endommagé, la dévisagea de nouveau.

— Pourquoi est-ce que je ne pourrais pas, Emmy ?

Soudain, la collision passa au second plan.

— Parce que j'exerce ici.

— Le Victoria possède le service de natalité le plus pointu de Melbourne. Et tu sais que c'est mon domaine.

— Tu étais parti aux Etats-Unis.

Elle avait l'impression que son esprit était engourdi et que son habituel sang-froid l'avait abandonnée. Jusqu'ici, elle était persuadée que son ex-mari se trouvait à l'autre bout de la Terre, et elle ne voulait pas de lui ici. Adossé à un des piliers en béton, il la dévisageait, et elle sentit ses mains se crisper sur le volant.

— Oui, et là-bas, je me suis spécialisé en chirurgie *in utero*. Mais j'ai eu envie de rentrer en Australie et j'ai accepté un poste ici. Et non, j'ignorais que tu travaillais au Victoria. Je croyais que tu étais toujours au Hemingway Private. Bien sûr, en revenant ici, je me doutais bien que je risquais de tomber sur toi un jour, mais Melbourne est une grande ville. Crois-moi, je n'ai aucune intention de te harceler.

— Je n'ai jamais laissé entendre que tu…

— Non ?

— Non, dit-elle. Et je suis désolée d'avoir abîmé ta voiture.

La conversation commençait enfin à devenir normale. Sa fréquence cardiaque, aussi. Au moment de la collision, son pouls avait battu des records et, instinctivement, elle avait eu recours aux techniques de respiration profonde qu'elle utilisait lorsqu'elle berçait Gretta en s'inquiétant pour l'avenir. Ces techniques venaient tout naturellement à son aide lorsqu'elle était effrayée, ou troublée, et à présent, il lui était impossible de nier qu'elle était déstabilisée. *La harceler ?* Oliver pensait qu'elle pouvait avoir peur de lui ? Ce serait une première. Jamais elle ne l'avait craint.

— On échange nos coordonnées ? reprit-elle en essayant à tout prix de paraître détendue.

De loin, ils devaient avoir l'air de vieilles connaissances qui se rencontrent par hasard.

— Oliver, j'ai été ravie de te revoir…

Vraiment ? Hum… Non, mais cela semblait la formule la plus appropriée.

— … mais il faut vraiment que j'y aille. J'étais déjà en retard et…

— C'est pour ça que tu as eu un accident.

— D'accord, c'est ma faute, rétorqua-t-elle avec brusquerie. Mais, crois-le ou non, j'ai des circonstances atténuantes — qui ne te regardent pas.

Après s'être extirpée du break, elle fouilla dans son fourre-tout pour chercher son permis de conduire. Elle sortit d'abord un paquet de lingettes pour bébé et deux couches jetables, mais elle était si nerveuse qu'elle les lâcha en voulant saisir son portefeuille. Sans un mot, Oliver les ramassa et les lui rendit. Le rouge aux joues, elle lui tendit son permis.

— Tu t'appelles toujours Emily Evans ? demanda-t-il après l'avoir examiné.

— Si ma mémoire est bonne, nous n'avons pas divorcé. Bon, ça y est ? Tu as pris mon adresse ?

— Tu habites chez ta mère ?

— Oui, répondit-elle en lui reprenant son permis des mains. Tu as fini ?

— Tu ne notes pas la mienne ?

— Tu peux me poursuivre en justice, moi pas. Tu sais aussi bien que moi que je suis responsable de cet accident. Puisque tu travailles ici, je t'enverrai les références de mon assurance via le réseau interservices. Je ne les ai pas sur moi.

De nouveau, il regarda la banquette arrière du break envahi par le fouillis et l'attirail des enfants.

— Pourtant, tu sembles transporter beaucoup de choses.

— Oui, c'est vrai, dit-elle, se forçant à plaisanter. Maintenant, Oliver, il faut vraiment que je te laisse. Je suis horriblement en retard.

— Tu n'es jamais en retard, d'habitude.

Il avait raison. Elle avait toujours estimé que la ponctualité était une marque de politesse.

— Je ne suis plus l'Emily que tu as connue, rétorqua-t-elle, caustique. J'ai beaucoup changé, mais ce n'est ni le moment ni le lieu d'en discuter.

Comme elle lançait un nouveau coup d'œil sur la décapotable, elle tressaillit. Elle n'avait pas fait les choses à moitié.

— Tu veux que j'appelle une dépanneuse ?

— Inutile, je me charge de ma voiture, et la tienne est à peine cabossée. En revanche, j'ai bien peur que la serrure de ta portière ne marche plus. Une fois qu'on aura dégagé la Morgan…

— Les serrures de mon break sont le cadet de mes soucis, dit-elle en balançant son fourre-tout sur son épaule.

Il fallait vraiment qu'elle prenne congé. Isla manquait de personnel, ce matin, et l'équipe de nuit devait attendre avec impatience le moment de partir.

— Quel vaurien sain d'esprit voudrait voler mon tas de ferraille ? ajouta-t-elle. De toute façon, je n'ai pas le temps de m'occuper de ça maintenant. Désolée de te laisser régler le problème du dépannage, Oliver, mais je dois me sauver. Bienvenue au Victoria. A plus tard.

2.

Ruby Dowell, la première patiente dont s'occupa Oliver, était une jeune fille de dix-sept ans enceinte de vingt-deux semaines et terrifiée par ce qui lui arrivait. C'était d'ailleurs pour lui venir en aide qu'il avait commencé aussi vite à exercer au Victoria Hospital. Il avait été recruté pour remplacer Harry Eichmann, un obstétricien qui s'intéressait aux procédures *in utero*. Pour lui, en revanche, la chirurgie fœtale représentait plus qu'un simple passe-temps. Pendant les cinq dernières années, il avait été basé aux Etats-Unis, mais avait voyagé à travers le monde pour s'initier aux techniques les plus récentes et à la pointe dans ce domaine.

Charles Delamere, le directeur du Victoria, s'était montré persuasif au téléphone, c'était le moins qu'on puisse dire.

— Harry suit sa petite amie en Europe. Or personne ici ne possède ton expertise, et il est temps que tu rentres au bercail, Oliver. A l'heure actuelle, nous avons une gamine avec un fœtus de vingt et une semaines dont les échographies montrent un spina-bifida. Heinz Zigler, notre neurologue pédiatrique, estime qu'il faut l'opérer dès que possible pour empêcher un avortement spontané. De plus en plus de cas requièrent des interventions *in utero*. Si tu arrives ici rapidement, peut-être pourra-t-on éviter à ce bébé un shunt dans le cerveau pour drainer l'excès de liquide céphalo-rachidien, d'éventuelles lésions cérébrales et une paralysie à partir de la taille. En priorité, j'aimerais que tu fasses appel à toutes tes compétences pour le tirer d'affaire.

Par la suite, nous serons ravis de financer tes recherches. L'hôpital prendra aussi en charge n'importe quelle formation supplémentaire que tu souhaiteras suivre et tout le personnel qu'il te faudra. Nous voulons le meilleur, Oliver, et nous sommes prêts à débourser ce qu'il faut pour ça, mais nous avons besoin de toi tout de suite.

Malgré le caractère exceptionnel de cette proposition, il avait hésité, car il était encore réticent à l'idée de revenir à Melbourne. Après avoir rompu son mariage, il avait jugé qu'il valait mieux partir à l'étranger. Emmy méritait de recommencer sa vie avec quelqu'un qui partagerait ses rêves, et sa décision semblait avoir été justifiée. Lorsqu'il l'avait rencontrée ce matin, Emmy était au volant d'un break familial et ressemblait à une jeune maman épuisée qui travaille, et il avait pensé…

En fait, il avait été incapable de penser ; il avait été si ébranlé de la revoir que son cerveau avait été comme court-circuité. D'ailleurs il était toujours sous le choc et avait besoin de se concentrer sur autre chose que sur leur relation passée… En l'occurrence, sur sa jeune patiente.

— A vingt-deux semaines, il n'y a pas de temps à perdre, lui avait dit Charles avant de lui confier Ruby. On a un créneau très court pour intervenir.

Ruby était allongée sur la table d'examens d'un des box du service de consultation prénatale. Avant de la rejoindre, il avait parcouru son dossier. Elle était suivie dans le cadre du programme de soutien aux adolescentes enceintes mis en place par le Victoria. Lorsque le spina-bifida avait été détecté sur les échographies, on lui avait proposé une interruption de grossesse, mais elle avait refusé, bien qu'elle ait choisi dès le début de faire adopter l'enfant après la naissance.

Oliver l'observa du couloir. Elle portait un T-shirt trop grand et un short ; son ventre légèrement bombé mis à part, elle était frêle, et ses cheveux châtains mi-longs auraient eu besoin d'un shampoing et d'une bonne coupe. Avec ses yeux bordés de rouge et écarquillés par la peur, elle ressemblait à une créature sauvage prise au piège.

Il sentit son cœur se serrer. Pourquoi se retrouvait-elle seule à ce rendez-vous ? D'après son dossier, elle n'avait pas de petit ami attitré, mais quelqu'un — sa mère, sa sœur ou au moins une amie — aurait dû l'accompagner. Il était impensable qu'une adolescente confrontée à une situation aussi difficile ne soit pas soutenue.

Charles lui avait dit que sa fille Isla, par ailleurs sage-femme en chef au Victoria, était responsable du programme de soutien aux adolescentes enceintes. Pourquoi ne s'était-elle pas arrangée pour être présente ou pour envoyer une autre sage-femme à sa place ? Toutefois, il renonça à se rendre au bureau des infirmières pour s'indigner de cette négligence. Le moment ne s'y prêtait pas. Ruby devait d'abord être rassurée.

Aussi entra-t-il dans le box en se gardant de refermer les rideaux derrière lui. Dans l'immédiat, il n'était pas nécessaire de pratiquer un examen clinique.

— Bonjour, je suis Oliver Evans, l'obstétricien et le chirurgien pédiatrique. J'ai reçu une formation spéciale pour opérer les bébés qui doivent encore rester dans le ventre de leur mère. Et toi, tu es Ruby Dowell ?

Il tira une chaise pour s'installer au chevet de la jeune fille.

— Je suis ici pour apprendre à te connaître, c'est tout, Ruby. Il ne se passera rien pour l'instant. Je veux juste parler.

Mais ces mots de réconfort n'eurent pas l'effet escompté. Ruby, toujours terrifiée, parut se recroqueviller sur le lit.

— Je… J'ai peur des opérations, bégaya-t-elle. Je veux m'en aller d'ici.

Soudain, une femme en tunique et pantalon amples attacha les rideaux afin que Ruby puisse voir le poste des infirmières au bout du couloir. Emily…

— Moi aussi, j'ai peur des opérations, et c'est sans doute le cas de tout le monde, dit-elle avec naturel, comme si elle avait participé à la conversation depuis le début. Mais, crois-moi, le Dr Evans est le meilleur chirurgien au monde dans sa spécialité. Si c'était mon bébé, je ne le confierais à personne d'autre. Il est gentil, compétent, et grâce à lui, ta fille aura les meilleures chances de survie possibles.

— Mais je vous l'ai dit, déjà : je veux pas d'elle, répliqua Ruby avant de se mettre à pleurer. Ma mère pense que j'aurais dû avorter. Je sais pas pourquoi je l'ai pas fait. Et maintenant vous parlez d'opérer ce bébé dont je ne veux même pas. Je veux juste qu'on me fiche la paix.

Dans le meilleur des cas, la chirurgie *in utero* était déjà stressante car elle présentait de multiples dangers potentiels à la fois pour la mère et pour le bébé. Alors opérer une adolescente qui refusait cette grossesse…

Oliver ne savait par où commencer, mais il n'eut pas à se poser la question plus longtemps car Emmy s'avança pour serrer Ruby dans ses bras. Celle-ci se raidit.

— Ça va aller, Ruby, murmura-t-elle en lui caressant les cheveux. On sait tous à quel point c'est dur pour toi. Une grossesse, ce n'est pas drôle. On se sent toujours si seule, et toi, tu l'es particulièrement. Tu as choisi de ne pas avorter, d'aller à l'encontre de ce que souhaitait ta famille. Tu t'es montrée très courageuse, ce qui n'était pas évident. C'est pour ça qu'Isla t'a soutenue et que je suis ici avec toi. Je suis *ta* sage-femme, Ruby, et je t'accompagnerai au cours de chaque étape. Mais c'est à toi que reviendront les décisions. Et si là, tout de suite, tu veux que le Dr Evans s'en aille et revienne plus tard, tu n'as qu'un mot à dire et il le fera.

Oliver croisa son regard par-dessus l'épaule de Ruby ; le message était on ne peut plus clair : « Confirme mes propos. »

Emmy, la sage-femme de l'adolescente ? Alors pourquoi n'avait-elle pas assisté à cet entretien depuis le début ?

— On a eu un problème à la naissance d'un préma, et j'ai dû donner un coup de main, expliqua-t-elle comme s'il avait formulé sa question à voix haute. C'est pour ça que je suis en retard, Ruby. Je suis désolée ; je voulais t'accueillir à ton arrivée. Mais maintenant je suis là, et si tu décides d'accepter cette opération, alors tu es ma priorité numéro un. Tu veux des Kleenex ? ajouta-t-elle alors que Ruby sanglotait de plus belle. Oliver, passe-moi la boîte de mouchoirs, s'il te plaît.

— Tu as aidé un préma à naître ?

— Oui. J'ai dû intervenir à peine arrivée. De plus, j'ai eu un accident avec mon break ce matin. Et tu sais, Ruby, à qui appartient la splendide décapotable que j'ai emboutie ? Au Dr Evans ! Alors que c'est son premier jour au Victoria… C'est un miracle qu'il ne m'ait pas déjà jetée dehors.

Les sanglots de Ruby s'espacèrent puis s'interrompirent sur un dernier hoquet. Lentement, elle s'écarta d'Emmy pour la dévisager avant de se tourner vers lui.

— Elle est rentrée dans votre décapotable ?

— Eh oui…, soupira-t-il. Pas de chance, hein ?

D'habitude il ne communiquait jamais d'informations personnelles à une patiente, mais devinant qu'Emmy essayait de mettre Ruby en confiance, il joua le jeu.

— J'ai une voiture de sport Morgan Plus 4 de 1964, poursuivit-il sur un ton aussi lugubre que si la fin du monde était proche. Elle est bicolore, carrosserie bordeaux et ailes fuchsia, avec deux sièges baquet en cuir noir, et est équipée des options Supersport, en l'occurrence d'un double carburateur de la marque déposée Weber, d'un collecteur d'échappement Derrington et d'une prise d'air sous le capot. Elle a aussi des roues à rayons chromées, une paire de phares antibrouillard Lucas, et un couvre-tonneau. Bien sûr, la transmission a été modernisée avec une boîte de vitesses *overdrive*… Et, à présent, elle a tout le flanc du côté passager arraché, un petit cadeau de ta sage-femme.

— Mince ! s'exclama Emmy sans paraître le moins du monde contrite. Un double carburateur Weber et un collecteur d'échappement Derrington, rien que ça ? Je les ai aussi bousillés ?

— Si tu savais le temps qu'il faut pour avoir ces feux antibrouillard…

— Oups ! Désolée. Mais, toi, tu as éraflé mon break.

Elle s'adressait plus à Ruby qu'à lui, comme pour établir une connivence avec elle.

— Eraflé…, marmonna-t-il, ce qui la fit sourire.

— Ce n'est pas grave. Je te pardonne. Et puis il ne s'agit que de dégâts matériels et c'est à ça que servent les assurances. Alors que les bébés ne sont pas des objets. Ta petite fille, Ruby, est une personne, et non une chose, et, en cela, elle est bien plus précieuse. Tu as choisi de la garder et de ne pas avorter même lorsque tu as appris qu'elle souffrait d'un spina-bifida. Mais tu m'as dit plusieurs fois que tu pensais la faire adopter à la naissance…

— Je peux pas… m'en occuper.

— Rien ne t'y oblige, dit Emmy. De nombreux couples sont prêts à tout donner pour avoir un bébé comme le tien. N'est-ce pas, Oliver ?

Il eut l'impression de recevoir un coup dans l'estomac.

— Je… Oui.

Il se rappelait ce fameux soir, lorsqu'il avait essayé encore une fois de lui faire comprendre sa position.

— Emmy, je ne peux pas, avait-il dit. Je sais que l'adoption est notre ultime recours, mais je suis incapable de m'y résoudre. Je ne peux pas garantir que j'aimerai un enfant qui n'est pas le nôtre.

— Il sera le nôtre.

— Emmy, non.

Ils n'avaient plus jamais abordé le sujet, mais il s'était ensuite détourné de la seule femme qu'il ait jamais aimée, et en avait eu le cœur presque brisé… Il se ressaisit. Le moment ne se prêtait pas aux souvenirs. A présent, il lui fallait convaincre l'adolescente du bien-fondé de l'intervention.

— Tu as créé cette petite fille, Ruby. Tu peux la faire adopter à la naissance, mais jusque-là, tu dois prendre soin d'elle. Ce qui signifie l'opérer dès maintenant.

— Mais pourquoi ? demanda-t-elle, soudain agressive. Pourquoi on peut pas l'opérer une fois qu'elle sera née ?

Oliver perçut l'angoisse derrière sa question. Au cours des nombreux entretiens qu'il avait dans le cadre de la procédure *in utero*, le plus difficile était souvent de faire comprendre à la future mère que le minuscule bébé à l'intérieur d'elle était déjà un être autonome. Qu'il pouvait être déplacé afin que son dos affleure la paroi de la matrice et supporter, même à vingt-deux semaines, une intervention chirurgicale complexe avant d'être réinstallé dans l'utérus parce que, aussi incroyable que soit la technologie, celui-ci était toujours, pour lui, l'endroit le plus sûr pour achever son développement.

Il regarda Emmy assise sur le lit, un bras autour de l'adolescente. Spontanément, elle lui apportait son soutien, comme à toutes les femmes enceintes dont elle s'occupait. Emmy avait toujours été douée dans sa profession. Efficace, douce, compétente et dotée d'empathie. Autant de qualités qu'il avait appréciées autrefois pendant leur collaboration.

Néanmoins, même si c'était déconcertant de travailler de nouveau avec elle, il devait se concentrer sur Ruby.

— Comme tu le sais, Ruby, on a découvert le spina-bifida à l'échographie. On te l'a montré sur les clichés ?

— J'ai rien vu. Les images étaient trop floues.

D'après Charles, Heinz était un neurologue génial, mais la communication n'était pas son fort. C'était donc à lui que revenait le soin d'éclairer Ruby sur cette malformation.

— C'est souvent le cas, dit-il. Même moi, j'ai parfois du mal à les interpréter. Il faut être un spécialiste pour repérer des détails subtils, surtout sur un fœtus, mais les radiologues ici sont exceptionnels. Maintenant je vais t'expliquer en gros ce qu'est le spina-bifida. En fait, les vertèbres de ta fille ne se sont pas formées correctement pour protéger la moelle épinière. Or c'est à elle que sont reliés les nerfs qui commandent les mouvements, et si elle est endommagée, ton bébé risque de ne jamais pouvoir marcher.

Ruby se remit à pleurer, mais cette fois, de toute évidence, son besoin de savoir avait pris le pas sur sa détresse.

— Et alors ? murmura-t-elle.

— Alors, en fait, beaucoup des problèmes occasionnés par le spina-bifida ne sont pas directement provoqués par la malformation elle-même. Des neurologues comme Heinz, qui est un champion dans son domaine de recherche, ont découvert que c'est le liquide amniotique qui détruit progressivement les nerfs spinaux exposés durant la grossesse. Si nous opérons très tôt pour protéger la moelle épinière, nous éviterons la plupart des complications, et ta fille aura de bien meilleures chances d'avoir une vie heureuse et normale.

— Mais sans moi, murmura Ruby.

La gorge nouée, il réprima un soupir. L'adoption était une autre paire de manches... Ruby était si jeune.

— Pour l'adoption, tu as le temps de voir venir, intervint Emmy en resserrant son étreinte autour de Ruby. Mais quoi que tu décides de faire à la naissance, pour l'instant, elle est encore ta fille et tu as le choix d'améliorer son existence.

— Vous êtes sûrs que... qu'elle doit subir cette opération ? Je veux dire... *vraiment* sûrs ?

Il fut soudain reconnaissant à Emmy. Sans sa présence, il n'aurait sans doute pas réussi à apaiser la peur de Ruby.

— Oui. Mais tu dois savoir que cette intervention comporte des risques, pour elle et pour toi. A mon avis, dans ton cas, des risques mineurs, mais réels.

— Mais... elle aura une vie meilleure ?

— D'après Heinz, les vertèbres concernées se trouvent dans la région lombaire, ce qui signifie que si on ne l'opère pas, ta fille passera sa vie dans un fauteuil roulant, expliqua-t-il sans ménagement. Etant donné l'étendue de la malformation, du liquide céphalo-rachidien s'accumulera dans son cerveau et elle aura besoin d'avoir en permanence un tube pour en drainer l'excès et soulager la pression. Sans parler des possibles lésions cérébrales.

— C'est pour cette raison que le Dr Evans est arrivé

au Victoria aussi vite, ajouta Emmy. Nous avions besoin d'un spécialiste en chirurgie *in utero*, et il est le meilleur au monde. A présent, c'est à toi de décider, Ruby.

Oliver saisit la main de l'adolescente.

— Pour cela, après t'avoir endormie, je pratiquerai une incision sur ton ventre, la plus petite possible pour que la cicatrice soit minime, et ne t'inquiète pas, je suis très soigneux.

Sa fausse modestie fut récompensée par un sourire tremblant.

— Ensuite, nous tournerons ta fille pour avoir accès à son dos. Heinz réparera par une suture l'enveloppe qui recouvre normalement la moelle épinière extériorisée puis nous fermerons l'ouverture et te recoudrons avec ton bébé bien au chaud dans ton ventre. Tu devras rester à l'hôpital au moins une semaine, le temps de s'assurer que l'intervention n'a pas déclenché un accouchement prématuré.

— Et elle ne sera pas obligée de vivre dans un fauteuil roulant ? demanda Ruby d'une voix à peine audible.

— Je ne peux rien te promettre. Cette opération a en général d'excellents résultats, mais il y a des exceptions, je ne te le cache pas. Il y a des risques d'infection, aussi bien pour toi que pour ton bébé. Nous ferons tout notre possible pour que ce ne soit pas le cas…

— Mais sans garantie.

— Sans garantie… Alors c'est à toi de choisir, Ruby.

— Je suis trop jeune pour avoir un enfant.

— C'est là que j'interviens, dit Emmy avec douceur. Si tu veux des conseils, j'en ai plein en réserve. Si tu as besoin d'être réconfortée, je suis là aussi pour ça.

— Vous pouvez pas rester avec moi en permanence.

— C'est vrai, car je dois m'occuper de mon fils et de ma fille, mais je suis là tous les jours de la semaine, et s'il le faut, je peux venir en dehors de ma garde. Je ne le propose pas à toutes mes patientes, mais pour toi, je ferai une exception.

— Pourquoi ? demanda Ruby d'un air méfiant.

— Parce que tu es une battante, et ta fille aussi, n'est-ce pas, Oliver ?

Il réussit à marmonner son assentiment, même s'il avait l'impression que son cerveau allait exploser. Emmy avait deux enfants ? Quelque part, au tréfonds de lui-même, il avait espéré — supposé ? — qu'elle était restée la même que cinq ans auparavant. Ce n'était pas le cas. Elle était passée à autre chose…

— Alors, Ruby ? s'enquit-elle gentiment. Tu acceptes cette opération ? Tu as besoin de temps pour y réfléchir ?

— Je n'ai pas le choix, murmura l'adolescente en posant une main protectrice sur son ventre renflé. Mon bébé… C'est la meilleure solution.

Ce geste maternel aussi vieux que le monde reporta Oliver à la grossesse d'Emmy. Ils s'étaient rencontrés dix ans auparavant alors qu'il était un jeune médecin tout juste diplômé et elle encore une élève infirmière. Leur attirance avait été immédiate, et leur mariage inévitable.

Seuls les bébés, ou plutôt l'absence de bébés, étaient parvenus à les séparer. La nuit où Emmy avait accouché de leur fils mort-né avait été la pire de son existence. Il avait vu le visage d'Emmy se tordre sous l'effet d'une douleur qu'il avait ressentie d'autant plus profondément qu'il avait été incapable de l'aider, de l'atteindre. Ensuite, le fossé qui s'était creusé entre eux n'avait cessé de s'élargir…

Comme Ruby se tournait vers lui, il lui sourit pour l'encourager puis fixa avec elle la date de l'intervention au surlendemain. Ils venaient à peine d'en finir avec les détails quand une assistante sociale les rejoignit. Apparemment, Ruby avait été mise à la porte par ses parents et avait donc besoin d'un logement. Pour l'instant, elle habitait chez des amis près de l'hôpital, mais elle ne pourrait pas y rester une fois que sa fille serait née.

Jugeant qu'il était de trop, Oliver les abandonna pour se rendre auprès de sa patiente suivante. Il remonta le couloir, encore déboussolé. Emmy avait maintenant deux enfants ? Il s'en était plus ou moins douté en voyant les sièges auto à l'arrière de son break, mais avait refusé sur le moment de s'appesantir sur le sujet. L'entendre elle-même le confirmer lui avait porté un coup terrible. Les avait-elle adoptés ?

Il l'avait quittée cinq ans auparavant pour qu'elle soit libre de décider. Alors, pourquoi souffrait-il autant qu'elle ait fait ce choix ?

3.

A la fin de sa garde, Emmy alla se changer dans le vestiaire. Elle adorait son métier, même si, de temps à autre, elle culpabilisait de travailler alors que sa mère restait à la maison pour s'occuper des enfants. Mais elles avaient besoin de son salaire pour entretenir ce petit monde. C'était d'ailleurs d'un commun accord qu'elles avaient pris la décision de servir de famille d'accueil, et elles chérissaient Gretta et Toby autant l'une que l'autre.

Parfois, lorsqu'elle rentrait, sa mère lui semblait si fatiguée qu'elle s'alarmait, mais Adrianna prenait aussitôt les devants avec sa franchise coutumière.

— Alors, on rend lequel des deux ? Cesse de te faire du mouron, Emmy. On s'en sort très bien tous les quatre…

C'était vrai, songea-t-elle alors qu'elle enfilait son jean. Avant de les retrouver dans leur grande maison ancienne, elle devait passer au supermarché et à la pharmacie pour renouveler le traitement de Gretta. Lorsqu'elle l'avait appelée à l'heure du déjeuner, Adrianna l'avait rassurée sur l'état de la fillette, mais il n'était pas question pour autant d'être à court de médicaments.

Sophia Toulson, une sage-femme récemment embauchée dans l'équipe, la rejoignit dans le vestiaire et, à en juger par la jolie robe rangée dans son casier, il était clair qu'elle avait prévu de sortir ce soir. Elle-même avait dû renoncer au cinéma et au restaurant depuis des années. Cela ne lui manquait pas trop. Encore qu'à certains moments…

— Rude journée, hein ? lança Sophia.

— Oui, répondit-elle en réprimant un soupir.

Après trois nuits blanches passées à veiller sur Gretta, elle rêvait de pouvoir dormir huit heures d'affilée.

— Tu as rencontré le nouvel obstétricien, je suppose, puisque c'est lui qui doit opérer Ruby ? Il est craquant, non ? En plus, il n'a pas d'alliance. Ce qui ne veut rien dire pour un chirurgien, évidemment ; aucun n'en porte à cause du risque d'infections. Mais si on se base sur la rapidité avec laquelle il a accepté de venir des Etats-Unis, on peut en déduire qu'il est célibataire... Emmy, tu vas travailler avec lui, alors pourquoi ne pas tenter ta chance ?

Faire des avances à Oliver ? Si Sophia savait... Emmy réussit néanmoins à sourire. Après tout, cette conversation était banale ; le personnel féminin, c'était notoire, s'intéressait de près à la vie amoureuse de leurs collègues.

Elle se tourna pour se regarder dans le miroir en pied au bout du vestiaire et sa tenue négligée la fit grimacer. Un jean délavé déchiré au genou, des tennis aux lacets dépareillés et un sweat avec une tache de lait sur l'épaule. Pourquoi n'y avait-elle pas prêté attention en partant de chez elle ? Oliver avait dû le remarquer, lui qui l'avait connue plutôt coquette.

— Tu imagines Oliver Evans avec quelqu'un comme moi ? Reviens sur terre, Sophia.

Sa collègue se plaça derrière elle pour fixer le reflet dans le miroir.

— Pourquoi pas ? Tu es très jolie, Emmy. Si tu t'en donnais la peine...

— Je préfère consacrer mon temps à Gretta et à Toby.

— Tu te rends compte que tu es en train de t'enterrer ?

— Je veux leur donner une chance, répliqua Emmy avant de consulter sa montre. Aïe ! Il faut que j'y aille. Amuse-toi bien.

— J'aimerais pouvoir t'en dire autant. Rester à la maison avec ta mère et deux enfants...

Lorsque Sophia s'interrompit pour se mordre la lèvre,

une tristesse poignante transparaissant sous sa gaieté, Emmy devina à quoi elle pensait : Sophia avait le même problème qu'elle. Toutes les femmes qui ne pouvaient pas avoir d'enfants ressentaient-elles ce manque ? Sans doute, mais la solution qu'elle-même avait choisie horrifiait Sophia.

— Justement, je n'ai pas le temps de m'ennuyer…, ironisa-t-elle avec une pointe de défi. Où vas-tu ?

— Au Rooftop avec une partie de l'équipe. Peut-être que le Dr Evans nous retrouvera là-bas, qui sait ? Et s'il ne t'intéresse pas…

— Je te le laisse. Bonne chance. Le supermarché m'attend.

— Emmy, je souhaiterais…

— Laisse tomber, la coupa Emmy plus abruptement qu'elle n'en avait l'intention. Chacun choisit sa vie comme il l'entend, et la mienne me rend parfaitement heureuse.

Oliver ravala un soupir. Il n'avait pas prévu que sa première journée au Victoria serait aussi mouvementée. En tant que nouveau venu, il avait cru qu'il aurait au moins le temps de faire connaissance avec le personnel du service d'obstétrique et du bloc opératoire, mais il avait dû plonger dans le bain avant même de prendre possession de son bureau. Harry était, semblait-il, parti précipitamment et sans préavis, aussi le travail s'était-il accumulé ; en outre, il n'était pas, comme lui, spécialisé en chirurgie *in utero*.

Apparemment, la nouvelle de son arrivée s'était répandue dans tout Melbourne à la seconde même où il avait accepté le poste. Il avait déjà eu trois consultations cet après-midi, et plus encore étaient programmées pour le lendemain.

Le cas de Ruby était le plus complexe en raison surtout de l'étendue de la malformation de sa fille. De plus, elle était seule, contrairement à Lucy, une autre de ses patientes, qui était venue accompagnée d'une équipe de soutien de six personnes : mari, parents, frère et sœurs. Son petit garçon, âgé de vingt-quatre semaines, souffrait d'une défaillance cardiaque congénitale et avait besoin d'une valvuloplastie aortique — réparation de la valve aortique pour permettre au sang de circuler. C'était l'opération *in utero* la plus courante et avec laquelle il se sentait le plus à l'aise à partir du moment où il intervenait en étroite collaboration avec un bon chirurgien cardiaque néonatal.

Celui du Victoria, Tristan Hamilton, était très qualifié ; en outre, il le connaissait puisqu'ils avaient été à l'université ensemble. Tristan avait d'ailleurs appuyé la proposition de Charles et son insistance avait fini par balayer ses dernières hésitations. A eux deux, ils formeraient une excellente équipe, et tout devrait bien se passer pour Lucy et son bébé, d'autant que la jeune femme était épaulée d'une nombreuse famille.

Ruby, en revanche, ce qui paraissait injuste en comparaison, n'avait personne. Si ce n'était Emmy, dont l'aide serait précieuse si… si elle respectait la promesse qu'elle avait faite à l'adolescente. Elle était arrivée en retard ce matin, et semblait épuisée comme si elle était dépassée par ses tâches multiples. Puis, quand elle les avait rejoints, Ruby et lui, après le début de la consultation, elle avait juste évoqué des problèmes à la naissance d'un prématuré. Etait-ce vrai ? Ou avait-elle passé tout ce temps à téléphoner à sa compagnie d'assurances ?

Il haussa les épaules. Après tout, cela ne le regardait pas. Même s'il ne pouvait s'empêcher de se tracasser pour elle.

Isla Delamere, la sage-femme en chef, était non seulement la fille du directeur du Victoria Hospital, mais aussi la fiancée du spécialiste en soins intensifs néonatals. Une femme de caractère, avait-il aussitôt pensé lorsque Charles la lui avait présentée, même si elle lui avait tout de suite suggéré de se tutoyer pour faciliter leurs rapports quotidiens. Il s'apprêtait à partir lorsqu'il la rencontra dans le couloir.

— Tu as combien de procédures *in utero* prévues pour moi ? demanda-t-il, plaisantant à moitié. Ton père et toi êtes d'avis de me mettre tout de suite dans le bain, c'est ça ?

Elle lui sourit.

— Tu te charges juste des consultations et des opérations. Mes sages-femmes veillent au grain afin que tout fonctionne sans anicroches. J'ai la meilleure équipe…

— Ce matin, la sage-femme était en retard…

Aussitôt, il se mordit la langue. Il ne voulait surtout pas attirer des ennuis à Emmy, mais Isla ne parut pas ennuyée.

— J'en suis désolée. Nous avons eu trois accouchements en l'espace de trente minutes juste au moment où Emmy commençait sa garde. Je sais qu'elle aurait dû s'occuper de Ruby en priorité, mais un des bébés était un préma, et la mère était dans tous ses états. Comme personne n'arrive à la cheville d'Emmy quand il s'agit de calmer une parturiente affolée, je m'arrange pour l'appeler juste un quart d'heure avant l'expulsion ; sa présence permet à l'enfant de naître en douceur… Tu as réussi à te débrouiller jusqu'à son arrivée ?

Son ton moqueur le fit tressaillir. Il avait la réponse à la question qui l'avait turlupiné, mais, à présent, Isla devait penser qu'il était incapable de se sortir sans assistance d'une consultation avec une patiente.

— Une partie de l'équipe va prendre un verre au Rooftop après le travail, enchaîna-t-elle comme si de rien n'était. Si tu veux te joindre à nous, tu es le bienvenu.

— Merci, mais j'ai un problème à régler.

— Ta voiture ? Emmy compte avertir son assurance.

— Ce n'est pas une histoire d'assurance… Elle sera aussi au Rooftop ?

— Emmy ? Dieu du ciel, non ! Elle a deux enfants qui l'attendent à la maison.

— Deux ? répéta-t-il comme s'il n'était pas au courant.

— Gretta a quatre ans et Toby deux. Ce sont des mômes adorables, mais… très accaparants.

— Je suppose, oui…

Y aurait-il eu un miracle ? Gretta avait *quatre* ans ? Emmy devait alors être passée très vite à autre chose. Elle ne s'était pas remariée puisqu'ils n'avaient pas divorcé, mais… elle avait certainement quelqu'un dans sa vie.

— Son compagnon, c'est un médecin ? demanda-t-il malgré lui.

Le visage d'Isla se ferma.

— Demande-le-lui, dit-elle sèchement. Elle ne parle pas de sa vie privée. Tu as besoin d'autre chose ?

Oui, d'informations supplémentaires. Il était prêt à parier qu'Isla en savait plus qu'elle ne le laissait entendre, mais il ne pouvait pas insister sans éveiller ses soupçons. Evans était un nom courant, et il était clair qu'Emmy n'avait rien dit sur leur lien passé.

— Non, ça ira, merci.

— A demain… Et si tu peux, préviens Emmy quand tu sauras à combien s'élève le coût des réparations. Elle s'en veut terriblement. C'est une sage-femme formidable, et je n'aime pas que les membres de mon équipe soient stressés. J'apprécierais beaucoup que tu règles le problème rapidement.

— J'essaierai, répondit-il, mais Isla s'éloignait déjà.

Il se rendit dans le parc de stationnement. Emmy était partie car la place à côté de la sienne était vide. Sans le break, il pouvait mieux se rendre compte des dégâts sur la Morgan. Il se pencha pour examiner la roue avant ; la jante était tordue. Impossible donc de remorquer la voiture. La dépanneuse allait devoir la charger sur son plateau. Ensuite, il pourrait chercher les pièces à remplacer sur internet. Il aimait bien naviguer sur la Toile pour dénicher les accessoires d'époque. C'était le passe-temps idéal à 3 heures du matin lorsqu'il ne parvenait pas à dormir. Ce qui lui arrivait souvent.

Il contournait le véhicule lorsqu'il vit que quelqu'un avait laissé un mot sur le pare-brise. Emmy ?

« Oliver, je suis vraiment désolée pour ta Morgan. J'ai demandé à ma compagnie d'assurances de payer sans discuter. Je t'ai photocopié mon permis de conduire et les références de mon contrat ; tu les trouveras sur le tableau de bord. Une des filles de l'équipe connaît un excellent garage spécialisé dans les voitures anciennes ; je t'ai mis les renseignements au dos. On se revoit au prochain rendez-vous de Ruby.

« Emmy »

Il fut déçu. Il n'y avait là rien de personnel. Mais à quoi s'était-il attendu ? A un *mea-culpa* accompagné d'une invitation à dîner en compensation ? C'était déjà généreux de la part d'Emmy d'assumer tous les torts. Elle allait devoir prendre en charge la franchise de quelques centaines de dollars et, en plus, perdre son bonus. Lui-même pouvait se le permettre, mais elle ?

En examinant les photocopies, il se rappela un détail qu'il avait remarqué lorsqu'elle lui avait tendu son permis de conduire après l'accident, mais que, entre-temps, il avait oublié : Emmy vivait chez sa mère. Elle aurait adopté des enfants alors qu'elle était célibataire ? Etait-ce possible ?

Il avait toujours bien aimé Adrianna. Il pourrait passer la voir... Mais sous quel prétexte ?

— Parce qu'Emmy ne devrait pas accepter d'endosser l'entière responsabilité de l'accident, dit-il à voix haute. Si elle subvient aux besoins de deux enfants...

Peut-être réussirait-il à obtenir les torts partagés auprès de sa propre assurance, même si Emmy avait déjà pris ses dispositions auprès de la sienne. Mais indépendante comme il la connaissait, elle risquait de l'envoyer sur les roses.

Ah oui ? Il repensa à la femme anéantie qui, cinq ans auparavant, envisageait l'avenir avec un découragement qui le torturait.

— Si tu ne veux pas faire les démarches avec moi, je m'en occuperai toute seule. Je n'ai pas l'intention de reprendre notre existence d'avant, Oliver. J'en ai assez des boîtes de nuit. Je ne supporte plus de vivre seulement pour moi.

— Il n'y a même pas de place pour un « nous » dans tout ça ?

— Je le croyais, mais je pensais que nous voulions

fonder une famille. Je n'avais pas compris que tu y mettais des conditions.

— Emmy, c'est au-dessus de mes forces.

— Alors, tu t'en vas ?

— Tu ne me laisses pas le choix.

— Non, je suppose. Je suis désolée, Oliver.

Cinq ans… Leur mariage avait beau être rompu, il ne pouvait s'empêcher de s'inquiéter pour elle. Il lui incombait de l'aider. De toute façon, il avait prévu de rendre visite à Adrianna lorsqu'il arriverait à Melbourne pour prendre de ses nouvelles. Et lui parler d'Emmy ?… Sans doute, même s'il avait tourné la page.

Saisissant son portable, il appela un dépanneur puis loua une voiture. Une demi-heure plus tard, il prenait l'autoroute en direction du faubourg où vivait son ex-belle-mère.

Adrianna fronça les sourcils.

— Répète-moi ça… *Qui* as-tu percuté ?

— Oliver, répondit Emmy, penchée vers Toby.

Les repas du petit garçon se transformaient toujours en joyeux bazar. Adrianna lui avait préparé ses pâtes aux légumes favorites, et il était partagé entre le désir d'inspecter chaque animal dans sa cuillère et celui d'engloutir son assiette comme s'il craignait qu'on la lui enlève avant qu'il ait fini.

Assise près du vieux poêle à combustion lente, Adrianna câlinait Gretta dont la respiration était encore plus laborieuse que d'habitude. Bientôt… Non. Emmy refusa d'y penser. C'était trop douloureux. Mieux valait concentrer son attention sur un sujet moins pénible.

— Il exerce au Victoria ? s'étonna Adrianna.

— Oui, il a commencé aujourd'hui.

— Oh ! Emmy… Tu vas pouvoir rester là-bas ?

— Je ne peux pas partir. Nous n'avons pas les moyens de nous passer de ce salaire. De plus, c'est le meilleur poste de sage-femme à Melbourne, et j'adore travailler avec Isla et son équipe.

— Alors, dis-lui de s'en aller. Tu étais là la première.

— Oliver n'est pas le genre d'homme qu'on peut obliger à démissionner, d'autant que l'hôpital a besoin de lui. J'ai lu son CV sur internet pendant ma pause déjeuner. Ses qualifications sont impressionnantes. C'est lui qui va opérer le bébé de Ruby, et aucun chirurgien *in utero* ne lui arrive à la cheville.

— Ruby ? Comment va-t-elle ?

Emmy savait qu'elle n'était pas censée parler de ses patientes en dehors de l'hôpital, mais sa mère passait ses journées à veiller sur les enfants pour qu'elle puisse travailler, et elle estimait qu'il était normal de partager avec elle certains détails de sa vie professionnelle. Sans Adrianna, jamais elle n'aurait pu affronter… tout ce qu'elle devait affronter.

Le chaos. Les pâtes en forme d'animaux projetées sur le sol de la cuisine. Fuzzy, mélange de caniche et d'une race indéfinissable, dissimulé sous la chaise haute de Toby pour guetter la girafe ou l'éléphant qui, par miracle, atterrirait dans sa gueule.

Mike apparut à la porte donnant sur la buanderie et brandit sa clé à boulon d'un air triomphal.

— Ça y est, c'est fini ! Je défie une seule goutte de fuir quelque part maintenant. Y a-t-il autre chose que je puisse faire pour vous, mesdames ?

— Oh ! Mike, tu es génial ! Mais ça me gêne vraiment que tu ne veuilles pas que je te paye…

— Pour toi, c'est plomberie gratuite à vie, Emmy, d'accord ?

Mike était leur voisin. Grand, baraqué, les cheveux roux coupés ras, vêtu d'un sempiternel jean qui lui tombait sur les hanches et de T-shirts dont il coupait systématiquement les manches — pour ne pas se sentir entravé, d'après lui —, il faisait de la musculation pendant son temps libre. Il n'était pas rare que ceux qui le croisaient par une nuit obscure fassent demi-tour en courant.

Emmy l'avait justement rencontré lors d'une soirée sans lune. Il avait débarqué dans leur cuisine après avoir tambouriné si fort sur la porte de derrière qu'il l'avait fracturée. Sa femme, Katy, venait de mettre au monde leur troisième garçon ; l'accouchement avait été si rapide et violent qu'elle n'avait pas eu le temps d'avertir qui que ce soit. En rentrant chez eux, Mike l'avait découverte, allongée sur le sol de leur salle de bains, se vidant de son sang, le nouveau-né en sécurité sur son ventre. Katy avait cessé de respirer à deux reprises avant que l'ambulance arrive, mais Emmy avait chaque fois réussi à la réanimer.

Depuis, Mike lui était totalement dévoué. Il les avait prises, elle et sa maisonnée, sous son aile. Il y avait en général plusieurs grosses cylindrées garées devant chez lui, mais, même si ses copains motards étaient là, même s'il avait des problèmes au boulot, il se débrouillait pour passer chaque soir — juste pour vérifier que tout allait bien.

Lorsque Toby termina son assiette, Mike le souleva hors de sa chaise haute pour le faire tournoyer dans les airs avant de l'étreindre dans ses bras puissants. Emmy se demanda avec inquiétude si les pâtes aux légumes allaient rester sagement dans l'estomac du garçonnet, mais fut rassurée devant les cris de joie de Toby.

— Je peux l'emmener chez nous ? demanda Mike. On a acheté une nouvelle balançoire à deux places. Je suis sûr que Toby sera ravi de l'essayer avec Henry. Ça vous permettra d'être un peu tranquilles avec Gretta, ajouta-t-il en lançant un coup d'œil à la fillette.

Il n'en dit pas plus ; c'était inutile. Gretta avait besoin de plus en plus souvent du masque à oxygène pour respirer, néanmoins ce traitement ne suffisait plus.

— Ce serait super, Mike, merci, dit Emmy. Je passerai le chercher dans une heure.

— Amène Gretta. Elle pourra faire un tour sur la balançoire, elle aussi. Si elle est assez en forme.

Mais elle ne l'était pas. Tous en avaient conscience, et l'ombre familière revint planer sur la maison…

4.

Comme il remontait l'allée, Oliver se souvint de sa dernière visite à sa belle-mère. Il venait de quitter Emmy, persuadé que leur amour serait le plus fort et que, une fois remise, elle abandonnerait ce projet d'adoption, mais, à son profond désarroi, elle n'avait ni cherché à le joindre ni répondu à ses appels. Adrianna lui avait alors conseillé d'être patient.

Il s'apprêtait à sonner quand la porte d'entrée s'ouvrit brusquement. Avec son mètre quatre-vingt-dix, il avait l'habitude de dominer les gens par la taille. Cette fois, ce fut l'inverse. L'homme sur le seuil — jean, T-shirt déchiré et bottes de sécurité — non seulement le dépassait d'une bonne demi-tête, mais en imposait avec sa carrure de catcheur et ses tatouages.

Il tenait dans ses bras un petit garçon d'environ deux ans. Africain, peut-être Somalien, avec une peau très foncée et tout un côté du visage affreusement balafré. Néanmoins, il fixa sur Oliver ses grands yeux brillant de curiosité.

Un autre gamin remonta l'allée à toute allure. Un garçon lui aussi, mais plus âgé et roux.

— Papa, papa, c'est mon tour de balançoire ! cria-t-il. Viens leur dire, ils veulent pas me laisser y aller.

Le colosse le cueillit au vol, puis, un enfant sur chaque bras, examina Oliver de la tête aux pieds tel un pitbull prêt à attaquer.

— Assurance-vie ? Pompes funèbres ? Ça m'intéresse pas, vieux.

— Je viens voir Emily.

— Ça l'intéresse pas non plus.

Oliver se hérissa. Il portait toujours son costume. Aurait-il dû se changer ? Fallait-il désormais arborer des tatouages pour pénétrer dans la maison de sa belle-mère ?

— Je suis un ami de l'hôpital. Pouvez-vous dire à Emmy que je suis là, s'il vous plaît ?

— Elle est sur les rotules, elle a pas besoin de visiteurs, rétorqua le malabar, visiblement bien décidé à lui bloquer le passage.

— Pouvez-vous la prévenir ?

— Elle a à peine une heure avec Gretta avant que la môme aille dormir. Et tu *veux* la déranger ?

Qui était ce garde-chiourme ?

— Mike ? appela Emmy de l'intérieur. Qui est-ce ?

Le Mike en question ne le quitta pas des yeux lorsqu'il répondit.

— Un type qui prétend être un ami à toi de l'hôpital. Il ressemble plutôt à un croque-mort, si tu veux mon avis.

— Ce doit être Oliver.

— Oliver ?

— L'homme avec qui j'ai été mariée.

— Ton ex est *croque-mort* ? Mince alors…

— Il n'est pas croque-mort, mais chirurgien.

— Bah, c'est la dernière étape avant le croque-mort.

— Mike ?

— Ouais ?

— Laisse-le entrer.

Oliver commençait à perdre patience. Pourquoi Emmy ne venait-elle pas à la porte ? Toutefois, Mike, après l'avoir dévisagé encore un instant, s'effaça.

— O.K., Emmy, je serai près des balançoires. Un seul cri et j'arrive à la seconde, dit-il avant de se tourner de nouveau vers lui. T'as intérêt à faire gaffe, vieux. T'embêtes

Emmy, c'est moi que t'embêtes, et tu risques de le regretter, crois-moi, ajouta-t-il avant de le bousculer pour descendre les marches de la véranda.

Oliver connaissait bien la maison. Il y était souvent venu avec Emmy, et y était même resté durant des semaines juste après leur mariage quand on avait diagnostiqué un cancer du poumon inopérable au père d'Emmy. Kev avait eu la mort qu'il souhaitait, sans souffrance et entouré de sa famille.

Il s'apprêtait à entrer dans la cuisine quand il se figea sur le seuil. Installée dans un rocking-chair devant le fourneau, Emmy berçait une fillette. Une fillette très malade à en juger par le concentrateur d'oxygène portable qui bourdonnait sur le sol devant elles. Même si son visage était enfoui dans l'épaule d'Emmy, Oliver pouvait voir la fine tubulure connectée à la sonde nasale. Son cœur se serra.

Cela n'avait rien d'une scène domestique ordinaire, et il s'en voulut de faire ainsi intrusion dans la vie d'Emmy. Puis il remarqua son expression. Emmy avait l'air si épuisée, si vulnérable, qu'il éprouva soudain l'envie de la prendre dans ses bras pour l'emporter loin de toute cette souffrance.

Et l'empêcher d'aimer cette gamine qui n'était pas la sienne ? Encore que… Qu'en savait-il, après tout ? Peut-être une nouvelle tentative de fécondation *in vitro* avait-elle réussi ? Dans ce cas… Saisi, il commençait à envisager les implications de cette hypothèse lorsque Emmy leva la tête.

— Ollie…, dit-elle avec un pâle sourire.

Elle était la seule à l'appeler ainsi. Troublé, il s'approcha d'elle et ne put s'empêcher de lui caresser les cheveux. Ce qui fut une erreur parce que ce geste créa aussitôt une intimité entre eux. Pourtant, il n'avait aucune place dans cette famille qu'elle avait créée sans lui.

— Gretta, nous avons un visiteur, murmura-t-elle en se déplaçant légèrement afin que la fillette puisse le regarder si elle le désirait.

Ce qu'elle fit. Lorsqu'elle se tourna vers lui, il sentit sa gorge se nouer. D'après Isla, Gretta avait quatre ans, mais elle était vraiment petite pour son âge, et il venait d'en comprendre la raison en découvrant son visage : elle était atteinte du syndrome de Down — ou trisomie 21 —, et souffrait d'une cardiopathie due à cette anomalie génétique. D'où les lèvres bleues ; l'oxygène se révélait insuffisant.

Tirant une chaise, il s'assit à côté d'Emmy et prit la main de la fillette dans la sienne.

— Je suis ravi de te rencontrer, Gretta, dit-il en lui souriant. Je suis Oliver, un ami de ta…

Il s'interrompit, incapable de continuer, mais Emmy vint à sa rescousse :

— C'est Ollie, l'ami de maman. Tu sais, l'homme qui se trouve sur la photo entre mamie et papi ?

— Ollie…, répéta Gretta dans un souffle.

Par ce simple mot, il était clair qu'elle l'acceptait comme un membre de la maisonnée.

Soudain, il y eut une sorte de plainte sous la table, un bruit de griffes sur le sol, puis une tête brune et hirsute, vissée sur un corps proportionnellement minuscule, se posa sur sa cuisse. Le chien émit un nouvel aboiement, et sa queue se mit à battre tel un drapeau dans le vent.

— Et voici Fuzzy, dit Emmy d'un air amusé. C'est Mike qui nous l'a donné comme chien de garde. Il surveille de son mieux, même s'il a toujours un peu de retard à l'allumage…

— Oliver ! Que fais-tu ici ?

Il se tourna vers Adrianna ; elle se tenait dans l'embrasure de la porte donnant sur le salon, et, ainsi qu'il s'y attendait, son regard n'avait rien de chaleureux.

— Maman…, dit Emmy sur un ton d'avertissement.

Mais Adrianna n'était pas du genre à se laisser intimider.

— Tu as percuté le break d'Emmy.

— Maman, je t'ai dit que c'était moi qui avais embouti sa voiture.

— Alors, c'est qu'il aurait dû se garer ailleurs pour éviter cet accident, rétorqua Adrianna avec une logique imparable. Que viens-tu faire ici, Oliver ?

— Proposer de payer les dégâts, répondit-il calmement.

— Vraiment ?

— Oui.

— Mais j'étais totalement en tort ! protesta Emmy.

Adrianna secoua la tête.

— Oliver peut se permettre de perdre son bonus, pas toi. Et puis, il te doit bien ça… Oliver, tu as brisé le cœur de ma fille, je ne te permettrai pas de raviver de vieilles blessures.

— Ce n'est pas le cas, maman, intervint Emmy. C'est un ami et un confrère, et il est le bienvenu ici. Il n'empêche, Oliver, que c'est à moi de régler les réparations.

— Hors de question, dit-il avec fermeté.

Aussitôt, Adrianna parut se radoucir. Elle leur servit deux tasses de thé qu'elle posa sur la table.

— Bon, mon feuilleton favori ne va pas tarder à commencer. Ravie de t'avoir revu, Oliver, mais ne t'avise surtout pas de perturber Emmy.

Sur cette menace à peine voilée, elle coinça Fuzzy sous son bras, regagna le salon et referma la porte derrière elle, le laissant seul avec Emmy et Gretta. Il observa l'immense cuisine ; il avait toujours aimé cette vieille demeure où Emmy avait eu une enfance heureuse avec ses quatre frères.

Il repensa alors à leur propre maison qu'ils avaient fait bâtir près de l'hôpital où ils travaillaient tous les deux à l'époque ; ils y avaient prévu trois chambres d'enfants. Mais leur espoir de fonder une famille ne s'était jamais concrétisé. Après plusieurs échecs consécutifs de FIV qui les avaient minés, la mort de Josh avait sonné le glas de leur mariage.

— Tu ne vis pas dans notre maison ?

Il l'avait mise au nom d'Emmy avant de partir aux aux Etats-Unis.

— Les enfants sont heureux ici, dit-elle sans détour. Mes frères sont tous installés à l'étranger ou dans un autre Etat, mais je peux compter sur maman, et aussi sur Mike et Katy. Tu m'avais dit que je pouvais faire ce que je voulais de notre maison, alors je l'ai louée. J'utilise la moitié du loyer pour régler une partie de mes dépenses, et le reste, je le place sur un compte rémunéré à ton nom. Je t'avais envoyé un e-mail pour t'informer, mais tu ne m'as pas répondu.

Non. L'idée que des inconnus y habitent lui avait paru trop insoutenable…

Comme Emmy jonglait entre la sonde nasale, Gretta et sa tasse de thé, il faillit lui offrir son aide, mais y renonça, devinant qu'elle le rembarrerait. Désormais, elle s'était construit une nouvelle vie et se débrouillait sans lui.

Gretta l'étudiait attentivement. Le jaugeait-elle ? Difficile à dire. Le QI des enfants souffrant de trisomie 21 était extrêmement variable. Il effleura la tubulure.

— Pourquoi as-tu besoin de ça, Gretta ?

— Pour… respirer, chuchota-t-elle.

Mais manifestement prononcer ces mots lui avait demandé un trop grand effort car elle s'effondra contre Emmy, les yeux à moitié fermés.

— Gretta a un défaut septal auriculo-ventriculaire, expliqua Emmy sur un ton neutre comme si c'était parfaitement normal qu'une fillette ait cette malformation.

Un défaut septal auriculo-ventriculaire, plus couramment appelé « trou dans le cœur ». C'était l'anomalie cardiaque congénitale la plus commune chez les bébés atteints du syndrome de Down, il le savait. Toutefois, le fait que Gretta reste chez elle et soit obligée d'avoir une sonde nasale pour respirer indiquait qu'il n'y avait pas qu'un seul trou entre les oreillettes et les ventricules ; la communication était totale et sans doute inopérable.

— C'est ta fille, Emmy ? demanda-t-il.

A peine eut-il posé la question qu'il le regretta. Les traits d'Emmy se durcirent.

— Bien sûr, murmura-t-elle sur un ton qui n'avait plus rien d'amical. Tu devrais t'en aller à présent, Oliver.

— Je voulais dire…

— Est-elle adoptée ? Non. Je suis sa mère nourricière. Ce qui signifie que je peux l'aimer autant que je veux, et c'est ce que je fais. Gretta est ma fille, Oliver, dans tous les sens du terme.

— Et tu as… un garçon aussi ?

— Oui, Toby. Tu l'as rencontré quand il est sorti d'ici avec Mike. Il a une cyphoscoliose thoracique. C'est un gosse courageux. Je suis très fière de mes deux poussins.

Voilà, maintenant il savait ce qu'il en était. Il se rappela alors avec amertume que lui aussi avait été confié à une famille d'accueil. Où il avait servi de souffre-douleur. En théorie, ce système permettait d'entourer d'affection des enfants maltraités ou abandonnés, mais en pratique, cela ne marchait pas toujours, loin de là. Néanmoins ce que faisait Emmy ne le concernait plus depuis longtemps…

— Qui est Mike ?

Les mots lui avaient échappé avant même qu'il ne se formule la pensée qui le rongeait.

— Mon amant, évidemment ! lança-t-elle sur un ton ironique. Non, Mike est notre voisin et ami. Katy et lui ont trois garçons qui s'entendent à merveille avec Toby et Gretta. Tu aimes bien aller chez Katy, hein, Gretta ?

Il vit la fillette hocher légèrement la tête en souriant. Or si elle réagissait à cet instant, malade comme elle l'était, son QI devait être presque aussi élevé que celui d'un enfant dit « normal ».

Emmy resserra son étreinte autour de Gretta. Il était clair qu'elle la chérissait. Il n'avait jamais douté de son aptitude à l'adoption. Lui n'aurait jamais pu… A cause de ses réticences, de sa peur.

— Il y a quelque chose que je peux faire pour t'aider, maintenant que je suis ici ?

Elle bougea un peu pour s'installer plus confortablement.

— Mais tu n'as aucune envie d'être ici, lui fit-elle remarquer. Tu es passé à autre chose. Du moins, je l'espère. Je m'attendais d'ailleurs que tu demandes le divorce pour te remarier et avoir des enfants. Tu as toujours souhaité fonder une famille. Qu'est-ce qui t'en a empêché ?

— Je n'ai sans doute pas trouvé la bonne personne, répondit-il avec une certaine désinvolture pour dissimuler sa profonde tristesse.

Soudain, il entendit des bruits de pas dans l'escalier de la véranda, puis deux garçonnets entrèrent en trombe, suivis de Mike qui portait les plus petits. L'aîné d'environ six ans tenait un bouquet de pattes de kangourou, une vivace australienne ; les fleurs corail étaient un peu fripées, mais un ruban jaune vif liait leurs tiges.

— C'est pour mamie Adrianna, expliqua-t-il avec fierté.

Le garçon dut se rendre compte qu'elle n'était pas là car il se dirigea vers la porte du salon.

— Mamie ? Mamie Adrianna, on t'a apporté un cadeau. Maman a dit que c'est ton anniversaire ; elle peut pas venir parce qu'elle a attrapé un rhume.

Oliver vit alors Emmy blêmir…

5.

Tous les regards, d'abord focalisés sur le garçonnet, se tournèrent vers Adrianna lorsqu'elle apparut à la porte et se pencha pour l'embrasser. Seul Oliver se rendit compte de la consternation d'Emmy. Il était clair qu'elle avait oublié l'anniversaire de sa mère. Ce qui n'avait rien de surprenant. Même si elle s'en était souvenue ce matin, entre-temps elle avait eu un accident avec son break, une journée particulièrement chargée à l'hôpital, et avait dû ensuite, en rentrant, s'occuper de Gretta.

« Réfléchis, se dit-il. Tu as vécu à Melbourne. Le quartier St Kilda. Rue Acland, le paradis de la pâtisserie. Ce n'est pas loin, et les commerces y ferment très tard. »

— Vous restez pour le gâteau ? demanda-t-il comme si tout était déjà organisé. Emmy m'a chargé de le commander et il devrait être livré d'ici… une vingtaine de minutes, ajouta-t-il après avoir consulté sa montre. Adrianna, ça ne t'ennuie pas si je prends part à la fête ? Emmy m'a invité, mais si tu préfères, je peux vous laisser… Mike, pouvez-vous, toi et les garçons, me montrer cette balançoire en attendant ?

Adrianna le dévisagea d'un air manifestement perplexe.

— Emmy t'a chargé de commander un gâteau ?

— Après l'accident, elle a couru toute la journée, alors je lui ai proposé de l'aider, naturellement.

Comme Emmy s'apprêtait à protester, il leva la main pour l'empêcher de parler et expliqua en souriant à sa belle-mère :

— Ta fille est aussi têtue qu'une mule, Adrianna ; elle veut absolument payer, comme pour la voiture. On s'était pourtant arrangé tous les deux. Emmy offre les ballons et moi le gâteau. Tu es toujours d'accord, Emmy ?

— Oui, dit-elle faiblement.

— Parfait. Alors, un tour de balançoire en attendant le gâteau d'anniversaire ?

Avec des cris enthousiastes, les garçons l'entraînèrent dehors et Mike les suivit avec les plus jeunes. Pendant que les deux aînés prévenaient leur mère, Oliver en profita pour commander une charlotte glacée aux framboises et au caramel dans une pâtisserie qu'il connaissait ; par chance, la boutique voisine vendait des ballons, et, en y mettant le prix, il put convaincre l'employée de faire livrer le tout en taxi.

Apparemment, Mike n'avait pas perdu un seul mot de la conversation, et il lui lança un long regard scrutateur alors qu'il venait l'aider à pousser la balançoire double.

— Tu es un rapide, toi, commenta-t-il sur un ton désinvolte. Suis-je censé m'inquiéter ? Si Emmy doit en souffrir, je serai peut-être bien tenté de faire un massacre.

Ainsi Emmy avait un protecteur. Une bonne chose. Sauf que ce protecteur menaçait de le saisir par la peau du cou pour le flanquer dehors. Oliver se passa une main dans les cheveux en soupirant. Que répondre ?

— Ecoute, vieux, je n'ai rien d'un rapide, dit-il enfin. Pendant cinq ans, je ne me suis pas manifesté. Je ne suis même pas certain de comprendre ce qui se passe, mais une chose est sûre, je n'ai pas l'intention de blesser Emmy.

— Oh ! Emmy, tu y as pensé ! s'exclama Adrianna dès qu'elles se retrouvèrent seules. Toute la journée, j'ai cru que tout le monde avait oublié et c'est idiot, mais…

Comme elle les étreignait fougueusement, elle et Gretta, Emmy faillit lui avouer la vérité, mais un seul regard au visage de sa mère l'en dissuada. Même si une telle confession soulagerait sa conscience, il serait cruel de sa part de gâcher la joie d'Adrianna, et elle fut reconnaissante à Oliver d'être venu à sa rescousse. Néanmoins, elle décida de se montrer sincère… jusqu'à un certain point.

— Maman, je me suis rappelé ton anniversaire ce matin en me réveillant, mais Gretta a vomi, et du coup, j'ai oublié de te le souhaiter avant de partir. Ensuite, à l'hôpital, je n'ai pas eu une seconde à moi. Et lorsque j'ai rencontré Oliver…

— Tu l'as invité à venir ?

— C'est lui qui a commandé le gâteau, dit-elle, dans ses petits souliers. Il t'a toujours appréciée.

Cela, au moins, c'était vrai.

— Oh ! Emmy…

— Je t'ai acheté un chèque-cadeau d'un après-midi dans un spa…

Bien sûr, elle mentait, mais il lui suffirait de se rendre sur le site internet ce soir et d'imprimer le bon.

— Et si c'est possible, je t'y accompagnerai, ajouta-t-elle, sachant que rien ne pourrait faire plus plaisir à sa mère.

Les traits tirés d'Adrianna la confortèrent dans son intention. Toutefois, il restait un point à résoudre : quand pourraient-elles se libérer toutes les deux ? Il leur faudrait attendre que Gretta aille mieux. Si ce jour devait jamais arriver…

— Mais, Emmy… Et Gretta ?

— Nous ne pouvons pas tout centrer sur Gretta, lui répondit-elle gentiment.

Et cela aussi, c'était vrai. Même si l'état de Gretta nécessitait une attention de tous les instants, d'autres personnes avaient aussi besoin d'elle, et sa mère méritait qu'elle lui consacre une de ses précieuses journées de libre.

Amusée, Emmy sourit devant l'air ébahi des enfants lorsque le chauffeur de taxi leur livra la charlotte glacée aux framboises et au caramel avec des gestes cérémonieux dignes d'un maître d'hôtel avant de les envoyer récupérer dans son véhicule les ballons dont il avait accroché les ficelles aux portières. Surexcités, les gamins les apportèrent dans la cuisine, ce qui créa aussitôt une ambiance festive.

Katy les rejoignit alors, mais resta sur le seuil de la porte de derrière pour éviter que Gretta attrape son rhume. Les larmes aux yeux, Adrianna souffla les bougies puis découpa des tranches dans l'énorme gâteau.

— Merci à vous tous pour ce merveilleux anniversaire, murmura-t-elle lorsqu'elle eut servi chacun.

Emmy observa Oliver, installé de l'autre côté de la table avec Toby sur les genoux. Croisant son regard, elle essaya de sourire, mais elle était trop troublée pour y parvenir. Cette scène familiale lui rappelait douloureusement ce qu'elle avait tant rêvé de partager avec lui.

Après la mort de Josh, elle l'avait harcelé pour qu'ils adoptent des enfants, mais, selon lui, cette solution n'aurait été qu'un pis-aller. Sa réaction avait bouleversé Emmy. Après des années de tentatives infructueuses de FIV, la tension qui s'était accumulée avait atteint son paroxysme, et cela avait été la goutte qui fait déborder le vase ; elle avait refusé de transiger… Et perdu Oliver…

— Emmy m'a offert un après-midi au spa, annonça alors joyeusement Adrianna, ce qui la sortit de ses pensées.

— C'est génial ! s'exclama Katy. Mais, Emmy, tu n'as toujours pas utilisé le bon d'une coupe/coloration que Mike et moi t'avons donné à Noël ; ce serait l'occasion idéale. Dès que j'en aurai terminé avec ce rhume, je me charge de Gretta et de Toby pour que vous puissiez toutes les deux profiter de vos cadeaux. Pourquoi pas ce week-end ?

Comme s'il était possible que tout s'arrange… Emmy la remercia néanmoins d'un sourire. D'abord, Katy risquait de ne pas être guérie d'ici là, ensuite, il y avait de grandes chances que ses fils attrapent son rhume à leur tour, mais, surtout, Gretta était trop faible pour qu'elle la lui confie en ce moment. Elle n'aurait pas l'occasion d'aller chez le coiffeur ou au spa jusqu'à… jusqu'à… Etreignant la fillette, elle refusa d'envisager l'inconcevable.

— Que dirais-tu de samedi prochain ? intervint Oliver. Je serai libre…

Emmy cilla. Aurait-elle mal entendu ?

— Vous ? lança Katy d'un air perplexe.

— Vous avez un sacré rhume, c'est évident, lui répondit-il. Même si vous n'êtes plus contagieuse, ce week-end, vous serez épuisée, et vous avez déjà trois petits dont vous devez vous occuper. Pour l'instant, mon emploi du temps n'est pas trop chargé. Rien ne m'empêche donc de veiller sur deux enfants pendant quelques heures.

Il enfourna une cuillerée de charlotte dans la bouche ouverte de Toby.

— Nous allons bien nous amuser, d'accord, Toby ? dit-il avant de fixer son attention sur Gretta. Qu'en penses-tu, Gretta ? Tu veux bien que je prenne soin de toi et de Toby ?

Emmy baissa les yeux sur la fillette qui, même si elle ne semblait pas comprendre ce qui se passait, tenta de rendre son sourire à Oliver.

— Ce serait formidable, murmura Adrianna. Emmy s'inquiète pour la respiration de Gretta, mais tu es médecin…

— Il est médecin ? répéta Katy sur un ton stupéfait.

— C'est l'ex d'Emmy, marmonna Mike en lançant un coup d'œil clairement soupçonneux vers Oliver.

— Mais on compte encore sur moi, j'espère, dit Oliver.

Ce qui fit rire Katy.

— Moi aussi, j'ai fréquenté de drôles de zigotos à une époque. Ils n'étaient pas à la hauteur de ce que je cherchais, mais ce n'étaient pas des nuls pour autant. D'ailleurs, deux d'entre eux sont devenus tes copains, Mike. Alors, Emmy ? Tu es prête à confier tes enfants à ton ex qui est médecin ? A ta place, je n'hésiterais pas.

Emmy se figea lorsque tous les regards convergèrent vers elle. D'abord, elle avait eu l'impression qu'on lui forçait la main et qu'Oliver menaçait de s'immiscer de nouveau dans sa vie, avant de comprendre qu'il lui proposait juste de l'aider. Bien qu'elle l'ait perdu de vue depuis cinq ans, elle savait qu'elle pouvait se fier à lui. Et puis qui mieux qu'un chirurgien obstétricien pourrait veiller sur Gretta ?

Après leurs nombreux séjours à l'hôpital, Toby et la fillette étaient habitués à ce que des inconnus prennent soin d'eux. En outre, Toby paraissait avoir d'emblée adopté Oliver. Encore hésitante, elle jeta un coup d'œil à Adrianna et, devant la lueur d'espoir qu'elle surprit dans son regard, elle se sentit fléchir. Si elle acceptait, elle pourrait l'accompagner au spa.

— Merci, dit-elle simplement. Ça nous arrange, maman et moi. 14 heures samedi, ça te va ? Nous serons de retour à 17 heures.

— Pas de problème ; j'arriverai à 13 heures.

Une heure plus tard, elle le raccompagna jusqu'à sa voiture. Il avait tenu à l'aider à mettre au lit les enfants pour qu'ils se familiarisent avec lui. Comme de juste, ils avaient été sensibles à sa gentillesse, à ses taquineries et à son sourire, et elle-même avait eu beaucoup de mal à y résister.

Mais comment aurait-elle pu ne pas réagir à sa présence ? Elle s'était éprise de lui, dix ans auparavant, et il était normal que des traces de cet amour subsistent. La vie les avait maltraités, séparés ; il n'était plus son mari, il fallait qu'elle s'y fasse et le considère désormais comme un ami.

Cinq ans auparavant, quand elle avait dû choisir entre Oliver et des enfants, elle avait opté pour l'adoption, même si, ce faisant, elle avait eu l'impression de s'arracher une partie d'elle-même. Encore maintenant… Lorsqu'elle avait tranché dans le vif, elle était sous le choc de la naissance d'un garçon mort-né. Si c'était à refaire à présent…

Elle prendrait la même décision, se dit-elle en songeant à Gretta et à Toby. Sans elle, ils seraient dans une institution ou Dieu sait où.

— Parle-moi des enfants, dit Oliver.

Comme il s'appuyait contre la portière de sa voiture de location, elle repensa à la splendide décapotable qu'elle avait emboutie.

— Je suis désolée pour ta Morgan.

Il esquissa un geste d'agacement comme si ce n'était pas important. Pourtant, à en juger par l'expression de son visage lorsqu'il avait examiné les dégâts, c'était le cas.

— Parle-moi des enfants, répéta-t-il.

— Pendant l'année qui a suivi ton départ, je n'étais pas… très heureuse. J'ai beau adorer mon métier, il ne me suffisait pas. C'est alors qu'une de mes mamans a mis Gretta au monde.

— Une de tes mamans ?

— Oui, je sais, ce n'est pas très professionnel de s'investir autant personnellement. Mais Gretta était le troisième enfant de Miriam, une femme célibataire qui ne s'était pas donné la peine de venir aux consultations prénatales ; elle n'avait donc pas eu d'échographie pendant sa grossesse, et quand les médecins lui ont annoncé que Gretta souffrait du syndrome de Down, elle l'a rejetée. Généralement, les services sociaux parviennent à trouver des parents adoptifs pour un nouveau-né, même s'il est trisomique, mais Miriam est partie de l'hôpital sans prévenir et a disparu. Nous pensons qu'elle vit en Australie-Occidentale avec un nouveau compagnon.

— Donc tu as pris son bébé…

— Je n'ai pas *pris* son bébé, rétorqua-t-elle sèchement.

Soudain, elle venait de se rappeler la façon dont il avait réagi lorsqu'elle avait évoqué l'adoption. Il n'aurait pas paru plus choqué si elle avait proféré une grossièreté.

— Je ne t'accusais de rien.

— Non, bien sûr, marmonna-t-elle en fixant ses pieds.

Un excellent dérivatif, se dit-elle en remarquant le trou qui commençait à apparaître dans une de ses tennis au niveau du gros orteil gauche. Elle aurait besoin de nouvelles chaussures…

— Que sais-tu à propos de Miriam ? demanda Oliver.

A contrecœur, elle reporta son attention sur lui.

— On n'a jamais eu de nouvelles d'elle, et ce n'est pas faute d'avoir essayé. Ses deux aînés ont été placés dans une ferme près de Kyneton ; ce sont des enfants formidables, et Harold et Eve de merveilleux parents nourriciers, mais Gretta ne pouvait pas y aller avec eux. Ses problèmes cardiaques nécessitaient une hospitalisation permanente. Dès le départ, on savait que son existence serait courte et qu'il faudrait se battre pour la garder en vie. On se trouvait donc face à un choix : soit elle restait hospitalisée et totalement dépendante jusqu'à ce qu'elle meure, soit je la prenais à la maison. Au bout de deux mois, je n'ai plus supporté de la voir dans cet univers hypermédicalisé ; maman et moi avons réorganisé nos vies pour l'accueillir chez nous.

— Mais elle va quand même mourir.

Il avait parlé gentiment comme pour s'assurer qu'elle ne se voilait pas la face, et elle sentit ses joues s'empourprer.

— Tu crois que nous n'en sommes pas conscientes ? Mais tu as vu comme elle était heureuse, ce soir ?

— C'est vrai, mais…

— Ne t'avise surtout pas de me ressortir ton argument comme quoi je ne peux pas l'aimer autant qu'un enfant de ma propre chair, l'interrompit-elle, amère.

— Je n'ai jamais dit que tu ne pouvais pas aimer un enfant adopté.

— Si, tu l'as dit, rappelle-toi.

— J'ai juste dit que c'était différent, et j'en suis toujours convaincu. Rien ne peut remplacer l'amour des parents biologiques.

— Celui de Miriam ?

Son sarcasme le fit clairement tressaillir, et il leva les mains en signe d'apaisement.

— Et Toby ?

Prononcer le nom de son fils était le meilleur moyen d'apaiser sa colère. Elle sourit.

— C'est Adrianna qui a trouvé Toby. Ou plus exactement, c'est elle qui a aidé Toby à nous trouver.

— Parle-moi un peu de lui, tu veux bien ?

Elle aurait préféré s'en tenir là. Leur conversation faisait resurgir des souvenirs perturbants, mais il avait offert de s'occuper des enfants samedi, et elle avait besoin d'aide. Ces derniers mois, avec la détérioration de la santé de Gretta, le moral et les forces d'Adrianna avaient été sérieusement entamés. Quelques heures de liberté leur permettraient de respirer à toutes les deux.

— Comme tu l'as sans doute deviné, Toby est africain. A la naissance, sa colonne vertébrale était si déformée par la cyphoscoliose que ses parents l'ont abandonné, et une des familles les plus pauvres du village l'a recueilli. Sa pseudo-maman a fait tout ce qu'elle a pu pour lui, mais elle ne pouvait pas le nourrir correctement et il était déjà atteint d'un noma, cette gangrène du visage due à une infection bactérienne. Alors, elle n'a pas hésité : elle a marché trois jours pour se rendre au plus proche hôpital afin de lui obtenir de l'aide. Bien sûr, elle est retournée ensuite auprès de sa propre famille, mais elle s'était d'abord dévouée pour le sauver. L'organisation humanitaire qui l'a pris sous son aile l'a amené en Australie pour qu'il bénéficie d'une reconstruction faciale. Jusqu'ici, il a subi six opérations. Il s'en sort bien, mais...

— Mais tu ne peux pas le garder.

Elle se raidit.

— Pourquoi pas ? L'assistante sociale responsable de son cas à l'hôpital savait que maman et moi avions déjà accueilli Gretta, et elle nous a demandé si nous accepterions de nous charger de lui. Adrianna a rempli toute la paperasse. En théorie, il est censé rentrer chez lui dès qu'il aura été soigné ; on est toujours en contact avec sa mère adoptive africaine, mais elle est si pauvre qu'elle préférerait qu'il reste avec nous. Alors, nous nous battons pour le garder.

— Emmy, pour l'amour du ciel ! s'exclama-t-il d'un air consterné. Tu ne peux pas t'occuper de tous les enfants abandonnés. Ils sont trop nombreux.

— Non, mais je peux m'occuper des deux que j'aime, rétorqua-t-elle avec défi.

Il se passa une main dans les cheveux — un geste qu'elle connaissait si bien.

— Mais pourquoi prendre des enfants comme Gretta et Toby ? L'une va mourir et tu risques de perdre l'autre. Ils vont te briser le cœur.

— Je croyais que tu étais persuadé que je ne pouvais pas les aimer ? Il faudrait savoir.

— C'était ce genre d'adoption que tu me proposais ?

— Je n'attendais rien de toi, répondit-elle avec un calme dont elle fut fière. A la fin de notre mariage, j'étais uniquement obnubilée par mon désir d'enfants. Ça paraît égoïste, je sais, mais en dépit de mon amour pour toi, je ne parvenais pas à ignorer ce manque. Si j'ai choisi le métier de sage-femme, c'est parce que la venue au monde d'un bébé est un cadeau du ciel. J'avais rêvé que nous ayons notre propre famille…

— Et quand tu as compris que ce serait impossible, tu es partie.

— Si je me rappelle bien, c'est *toi* qui es parti.

— Il me semblait injuste de vouloir adopter. Ces enfants ont besoin de leurs parents biologiques.

— Mais ils ne sont parents que de nom ! Une seconde chance est donc pire, selon toi, que rien du tout ?

— Justement, ils sauront toujours qu'ils ne sont que… des pis-aller.

— Oliver, ce n'est pas parce que ça t'est arrivé…

Elle s'interrompit pour l'observer. Même s'il n'avait jamais voulu en parler, elle avait deviné en partie ce qu'il avait vécu. A la seule pensée de la belle-famille d'Oliver, elle sentit la colère l'envahir de nouveau. Elle ne connaissait que les grandes lignes de cette histoire assez classique : le couple ayant des difficultés à procréer, ils avaient adopté Oliver, mais, cinq ans plus tard, la femme avait fini par tomber enceinte et ils avaient eu un fils.

La première fois qu'elle l'avait rencontré, Brett était un sale gamin gâté ; à présent, c'était un jeune homme odieux et suffisant qui croyait que tout lui était dû. Les parents n'avaient cessé de comparer les deux frères, critiquant systématiquement Oliver et mettant Brett sur un piédestal.

Même à leur mariage… Elle se souvenait encore des propos fielleux qu'elle avait surpris.

« Il s'est bien débrouillé quand on sait d'où il vient, avait dit sa belle-mère à une tante. Il a réussi à obtenir le diplôme de médecin, mais… sa mère était une moins-que-rien, vous savez, et nous n'avons jamais pu l'oublier. Dieu merci, nous avons Brett…

Il aurait été dommage de gâcher la noce ; Emmy avait donc dû prendre sur elle pour ne pas se retourner et la gifler. Ensuite, elle avait gommé l'incident de sa mémoire. C'était seulement après la mort de Josh que les vieux démons d'Oliver avaient resurgi. Et comme il avait refusé de les évoquer, elle avait été impuissante à lutter contre eux.

A présent, c'étaient encore eux qui s'exprimaient, et non lui, elle en avait conscience.

— Maman et moi adorons Gretta et Toby, et nous faisons tout notre possible…

— Cela ne suffira pas.

— Peut-être que cela ne suffira pas à leur rendre la santé, mais nous n'aurons aucun remords parce que au moins nous aurons essayé, répliqua-t-elle avec une soudaine lassitude. Tandis que toi… Tu as manqué de courage au point de ne même pas envisager une seule seconde l'adoption… Je connais ton histoire, et je sais comme il a été dur pour toi de grandir avec Brett, mais tes parents étaient stupides et cruels. Heureusement, tout le monde n'est pas comme ça.

— Et si un jour tu es enceinte ?

— Selon toi, je ne devrais pas chérir autant Gretta ou Toby parce que je pourrais encore avoir un enfant biologique ?

— Ce n'est pas ce que je veux dire…

Il se passa de nouveau une main dans les cheveux — un geste familier qui l'avait toujours émue —, et, soudain, elle éprouva l'envie de lui caresser le visage pour chasser sa douleur. Une douleur presque palpable tant il était déchiré.

Si seulement elle avait pu lui apporter de l'aide. Mais pour cela, encore aurait-il fallu qu'il admette en avoir besoin. Qu'il renonce à s'enfermer sur lui-même et à la repousser. Elle avait réussi à tourner la page, contrairement à lui qui souffrait toujours, et elle n'y pouvait rien.

— Rentre chez toi, dit-elle avec douceur. Je suis désolée, Oliver, je n'avais pas le droit de raviver le passé, mais toi, tu n'avais pas celui de contester ce que je fais. Notre mariage est fini, nous ne devons pas l'oublier, et il est temps pour nous de divorcer… En attendant, merci pour l'anniversaire de maman. Je te suis reconnaissante, mais si tu préfères ne pas garder les enfants samedi, je comprendrai.

— Je viendrai comme prévu.

— Tu n'es pas obligé…

— Je viendrai comme prévu, répéta-t-il sur un ton irrité.

Prise de court par son soudain accès de colère, elle recula d'un pas.

— D'accord. Comme tu veux. A samedi, alors…

— On se voit demain à l'hôpital, lui rappela-t-il. Avec Ruby.

Aussitôt, l'accablement s'empara d'elle. Elle avait complètement oublié qu'elle aurait souvent l'occasion de le voir. Qu'elle travaillait désormais avec lui.

Elle allait devoir ignorer la douleur qu'elle lisait toujours dans son regard, se répéter qu'elle n'en était pas responsable. Le problème, c'était que son empathie naturelle l'empêchait de détourner les yeux devant la souffrance des autres.

Mais il ne supporterait pas qu'elle s'immisce dans son histoire. Il ne l'avait jamais supporté.

Il ne voulait pas d'elle, s'avoua-t-elle avec tristesse. Mieux valait laisser tomber.

Néanmoins, elle ne put s'empêcher de poser une main sur sa joue et de se hausser sur la pointe des pieds pour effleurer ses lèvres des siennes — un baiser léger comme une plume.

— Bonne nuit, Oliver. Désolée pour tes vieux démons, mais ce ne sont pas les miens. Quand je donne mon cœur, c'est pour toujours, et ce n'est pas négociable — que ce soit dans le cadre de l'adoption, de l'accueil d'enfants placés, du mariage… Ollie, je ne peux pas plus changer que me transformer en oiseau. Je regrette juste que tu ne puisses pas partager…

Soudain, elle se retrouva incapable de prononcer un mot de plus ; au bord des larmes, elle s'écarta d'Oliver et trébucha. Il la rattrapa par le poignet, mais dès qu'elle eut recouvré son équilibre, elle le repoussa… Un geste un peu plus brutal qu'elle n'en avait eu l'intention tant elle se sentait désemparée.

— Merci, et bonne nuit, murmura-t-elle avant de tourner les talons pour se réfugier chez elle en courant.

Oliver resta un long moment à fixer les lumières à l'intérieur de la maison. Il avait beau savoir qu'il aurait dû partir, il avait l'impression que les semelles de ses chaussures étaient collées au trottoir. Une phrase tournait en boucle dans son esprit :

« Quand je donne mon cœur, c'est pour toujours… »

Bien sûr, elle parlait des enfants, mais elle avait aussi évoqué le mariage, et c'était bien ce qui le torturait…

6.

Contrairement à ses craintes, Emmy vit à peine Oliver le jour suivant. Quand sa présence n'était pas nécessaire en salle d'accouchement, elle s'occupait de Ruby et remplissait les formulaires en vue de l'opération du lendemain. Entre les divers examens de dernière minute, la consultation de l'anesthésiste et les échographies, elle vérifia plusieurs fois que son bébé n'avait pas changé de position.

A la fin de l'après-midi, l'adolescente n'en pouvait plus. Elle était si seule que c'en était effrayant. La seule visite qu'elle avait reçue avait été celle d'Isla. Elle aurait eu besoin qu'un de ses proches vienne la soutenir durant cette épreuve.

— Tu es sûre que je ne peux pas appeler quelqu'un pour toi ? demanda Emmy.

L'adolescente se figea.

— Plus personne ne veut me voir. Maman m'a dit que si je n'avortais pas, elle s'en lavait les mains ; elle veut pas se retrouver avec le bébé sur les bras. Elle a même conseillé à mes sœurs de pas s'en mêler.

— Et le père de ta fille ?

— Il a disparu de la circulation dès que je lui ai dit, mais ça fait rien, dit-elle d'un ton bravache qui sonnait faux. Quand la gamine sera adoptée, je chercherai une place dans une boutique. J'en ai marre. Vivement que tout soit fini.

— C'est ce que nous souhaitons tous…

C'était encore Oliver. Il avait la sale manie de rôder dans

le service tel un gros chat, songea Emmy, agacée. Il devrait porter une clochette autour du cou…

— Je dérange ? demanda-t-il, sans doute surpris par son air peu aimable.

— Tu pourrais frapper.

— Désolé. Si je gêne, je peux ressortir.

— Pas la peine, marmonna Ruby. Et pendant que vous êtes là, dites-moi pourquoi je dois rester clouée au lit…

— Pour éviter que ta petite fille se retourne, répondit-il. Pour l'instant, elle a la position idéale pour qu'on puisse opérer sa colonne vertébrale. Et non, Ruby, il n'y a rien dans cette housse qui puisse pousser, pincer ou piquer, ajouta-t-il devant le regard suspicieux de l'adolescente sur le sac qu'il tenait sous son bras. Mais j'aimerais examiner ton bébé.

Avec un soupir théâtral, Ruby releva sa chemise de nuit.

— Allez-y. Tout le monde aujourd'hui semble vouloir s'assurer qu'il est toujours là !

— Elle a bougé ?

— Non. Je m'en serais aperçue.

Il s'assit sur le bord du lit, et Emmy remarqua, émue, la douceur avec laquelle il palpait le ventre bombé de Ruby, comme s'il tenait déjà le bébé entre ses mains.

— Elle est parfaite, Ruby, déclara-t-il lorsqu'il eut fini.

— C'est pas vrai, sinon je serais pas ici.

— Elle l'est presque. Ça t'intéresserait de voir une vidéo de ce que nous allons faire ?

Il sourit devant l'air horrifié de l'adolescente.

— Ne t'inquiète pas, il y a très peu de passages « gore », et je pourrai les passer en avance rapide si tu préfères.

— Je fermerai les yeux, dit Ruby, sur la défensive.

Mais il avait éveillé son intérêt, c'était évident, songea Emmy. D'ailleurs, à la main qu'elle posa sans même en avoir vraiment conscience sur son ventre, il était clair qu'elle était en osmose avec son enfant. Quoi qu'elle en dise…

— Il s'appelle Rufus, il a aujourd'hui six mois et c'est un petit garçon en pleine santé, expliqua Oliver en ouvrant son ordinateur portable. Mais, dans ce film, il a vingt-deux semaines et vit encore dans le ventre de sa mère.

La séquence s'ouvrit sur un bloc opératoire ; le visage de la patiente avait été flouté, mais Emmy reconnut la voix d'Oliver lorsqu'il donna des instructions. Admirative, elle regarda le scalpel franchir avec précaution les différentes couches qui protégeaient le fœtus. Cette intervention était particulièrement délicate parce qu'il fallait en même temps exposer le moins possible le bébé au monde extérieur pour éviter les infections tout en permettant au chirurgien d'avoir assez d'espace pour opérer.

— Je le vois, murmura Ruby, à présent complètement captivée. Ce sera pareil pour mon bébé ?

— C'est toujours différent, répondit Oliver. Ta fille présente son dos sous un meilleur angle.

Sur l'écran, Rufus était en effet légèrement penché sur le côté. Très délicatement, Oliver le tourna à l'intérieur de l'utérus, et bientôt le renflement révélateur apparut.

— Il avait le même problème que ma fille ? murmura Ruby.

— Oui. Même s'il se situait un peu plus bas. C'est à ce moment que je cède la place au neurochirurgien. Le Dr Zigler est le plus compétent dans ce domaine. Tu seras entre les meilleures mains qui soient, Ruby.

Emmy observa Oliver à la dérobée. Il avait dû voir cette opération de nombreuses fois, et y avait même participé, pourtant il la suivait comme s'il assistait à un miracle. Et c'en était un. La moelle épinière était si minuscule, si fragile ; ils devaient intervenir sur la protusion des méninges afin de les remettre en place puis refermer pour protéger la moelle épinière et les nerfs périphériques du liquide amniotique jusqu'à la naissance.

— Ça lui fait mal ? demanda Ruby à voix basse alors que la première incision était pratiquée dans le dos du fœtus.

— Mal ? Non. Rufus est anesthésié, tout comme sa mère. Tu as de la chance, le Victoria a des anesthésistes parmi les meilleurs au monde. C'est Vera Harty qui s'occupera de ta fille. Et je serais prêt à lui confier mon bébé sans la moindre hésitation.

Visiblement tranquillisée, Ruby fixa de nouveau l'écran, Emmy aussi, mais le commentaire d'Oliver continuait à résonner en elle. « Je serais prêt à lui confier mon bébé sans la moindre hésitation. »

Elle ferma les yeux une seconde alors que le chagrin l'étreignait. Oliver n'avait pas pu avoir d'enfant à lui — à cause d'elle. C'était elle qui avait des problèmes de fertilité, pas lui. Et pour qu'il puisse fonder une famille, elle avait renoncé à lui. Pourquoi n'avait-il pas saisi l'occasion ? A moins qu'il ait quelqu'un ? Non. Elle le saurait ; elle le connaissait trop bien. Et elle n'avait pu ignorer la pointe de tristesse dans sa voix.

Consciente que cela ne la concernait plus, elle se força à s'intéresser à la suite de l'intervention — et à Ruby. Sa tâche était de s'assurer que sa patiente serait aussi calme que possible pour son opération. A mesure que l'adolescente regardait la vidéo, ses craintes disparaissaient de toute évidence et sa confiance en Oliver ne cessait de croître.

Sur l'écran, le neurochirurgien achevait de refermer la plaie tandis qu'Oliver contrôlait le niveau du liquide amniotique. Il prit ensuite le relais de son confrère pour suturer l'utérus de la mère.

— Rufus est né par césarienne à trente-trois semaines, et il en a passé quatre à l'hôpital en tant que prématuré, expliqua-t-il. Tu veux voir comment il est maintenant ?

— Oh ! oui ! répondit Ruby.

— Ses parents nous autorisent à le montrer à d'autres parents qui doivent faire face à la même intervention.

Il pianota sur le clavier et, soudain, ils se retrouvèrent dans un jardin de banlieue sur la pelouse duquel un bébé d'environ six mois gigotait sur une couverture, visiblement ravi de jouer avec ses orteils et riant quand le chien de la maison s'approcha pour lui lécher le pied.

— Il a l'air… complètement guéri, remarqua Ruby.

— Il a encore quelques problèmes. Il lui faudra des séances de physiothérapie pour l'aider à marcher, et sans doute aussi une assistance professionnelle pour apprendre à contrôler sa vessie et ses intestins, mais sinon, tout porte à croire qu'il mènera une vie normale.

Emmy la vit poser instinctivement la main sur son ventre.

— Et ma petite fille… elle pourra être parfaite, elle aussi ?

— Je crois qu'elle l'est déjà, répondit-il en lui souriant. Elle a une mère qui prendra grand soin d'elle et qui aura le soutien de la meilleure sage-femme qui soit.

— Oui, Emmy s'occupera de moi et de mon bébé si elle peut, dit Ruby. Mais j'ai pas bien compris pourquoi il faudra qu'on me fasse une césarienne…

Emmy le vit refermer son ordinateur portable et s'installer dans le fauteuil réservé aux visiteurs, comme s'il pouvait consacrer tout son temps à Ruby. Pourtant, il avait de nombreuses patientes à voir.

Il était… merveilleux. Ce n'était pas une surprise, elle l'avait toujours su, mais, brusquement, elle en fut comme… éblouie. Et elle se rappela *pourquoi* elle l'avait aimé. Et pourquoi… elle l'aimait encore.

Aussitôt, il lui parut impérieux de dévier son esprit sur un autre sujet, et elle se força à écouter l'explication d'Oliver.

— … quand elle va naître, elle va pousser, et tu n'as pas idée de la force d'un bébé. Elle veut te connaître, et rien ne pourra l'arrêter. Et si elle exerce une pression trop forte sur les tissus cicatriciels tout neufs de ton utérus, elle pourrait te faire saigner. Or si ton bébé est très important pour moi, Ruby, ma priorité absolue, c'est toi. D'où la césarienne, pour la mettre au monde avant qu'elle déclenche l'accouchement.

— Si vous voulez qu'il m'arrive rien, ce serait encore mieux qu'il y ait pas d'opération, marmonna Ruby.

Un vestige de son ancienne rancœur était remonté à la surface, mais Oliver ne parut pas en prendre ombrage.

— C'est vrai. Je ferai tout pour que tu ne coures aucun

risque, sauf qu'il y en aura, c'est inévitable, mineurs mais bien réels. A toi de décider. Tu peux encore renoncer, et personne ne te le reprochera. C'est ton droit.

Le silence tomba dans la chambre. C'était une décision effroyablement difficile à prendre, songea Emmy qui, une fois encore, se demanda où était la mère de Ruby. Toutefois, lorsque l'adolescente s'exprima de nouveau, son inquiétude face à l'opération sembla avoir été supplantée par une émotion plus profonde.

— A sa naissance… elle aura une cicatrice, elle aussi ?

— En effet, dit-il, visiblement aussi intrigué qu'Emmy par ce qui tracassait Ruby.

— Et elle l'aura pour toujours ?

— Oui.

— Ce sera peut-être dur, pour elle, quand elle sera ado, murmura Ruby. Moi, je sais que j'oserais pas la montrer.

— Je ferai de mon mieux pour qu'elle soit aussi discrète que possible, dit Oliver.

— N'empêche, quand on est ado, on a honte de ce genre de truc. Et elle aura pas de maman pour lui dire que c'est pas si grave.

— Elle en aura une si elle est adoptée, intervint Emmy. Nous en avons déjà discuté, Ruby. Tu rencontreras même les parents qui la prendront et l'aimeront.

— Mais… moi, je l'aimerais encore plus. C'est *mon* bébé.

Soudain, Ruby fondit en larmes. Comme Emmy se penchait pour la prendre dans ses bras, elle bouscula le portable qui glissa du lit et tomba par terre, mais n'y prêtant pas attention, elle berça un long moment Ruby. Contrairement à la plupart des médecins qui auraient fui dès les premières larmes, Oliver resta jusqu'à ce que les sanglots s'apaisent.

— Oups…, murmura-t-elle quand elle se redressa et découvrit ce qu'il tenait dans les mains — le portable dont l'écran était brisé.

Une voiture, un ordinateur… Il allait finir par la prendre pour une « miss catastrophe »…

Ruby les regarda tour à tour d'un air incrédule.

— Emmy a cassé votre ordinateur et vous dites rien ? lança-t-elle à Oliver.

— Non. Parce qu'il y a d'autres choses plus importantes. Comme toi, en l'occurrence.

— Et Emmy ? Elle est pas importante, elle ? insista Ruby avec une indéniable curiosité amusée dans la voix.

— Je te dispense de répondre avant d'avoir appelé ton assurance pour savoir si ce genre de dégât est couvert, dit Emmy. Quant à toi, Ruby, si tu veux changer d'avis pour l'adoption…

— Je crois que… Oui, peut-être.

— Rien ne presse. Prends le temps de bien y réfléchir. De toute façon, ça peut attendre après l'opération, d'accord ?

Une fois dans le couloir, l'attitude d'Oliver changea brusquement. Il la fixa avec colère.

— Tu comptes la dissuader de garder le bébé ?

Son emportement prit Emmy au dépourvu.

— Moi ? Mais… Non, bien sûr. Que veux-tu dire ?

— Elle avait choisi de faire adopter son enfant, mais elle semble changer d'avis. Et toi, tu l'en empêches.

— Absolument pas. Je ne ferais jamais une chose pareille. Je lui ai juste dit de prendre le temps d'y réfléchir.

— Et pourquoi ne déciderait-elle pas, dès maintenant, de le garder ? Tu ne penses pas que c'est important ?

— Je ne crois pas que ce soit mon rôle de l'encourager dans un sens ou dans l'autre, répondit-elle, sentant l'irritation la gagner. Tout ce qui m'importe, c'est la gamine effrayée face à l'intervention délicate qu'elle doit subir demain. Elle n'a pas à prendre de décision maintenant. Elle en a déjà pris assez comme ça.

— Mais peut-être est-ce justement *maintenant* qu'elle peut décider. Alors qu'elle aime son bébé.

— Elle l'aimera toujours, rétorqua-t-elle, luttant pour garder son calme face à la colère et aux accusations d'Oliver. Ruby est une gamine de dix-sept ans terrifiée et sans aucun soutien familial. Si elle choisit de garder sa fille, c'est sa vie qui en sera bouleversée. De même que si elle la fait adopter. Ce que je viens de faire a été de lui offrir un peu d'espace. Si elle la garde, elle aura besoin de toute la force dont elle est capable.

— Elle obtiendra de l'aide.

— Et elle sortira à jamais de l'enfance. Mais je suis d'accord, ce n'est pas mon problème.

— Tu ne l'influenceras pas ? Je sais que tu es pour l'adoption.

— Et pas toi, à cause de ce qui t'est arrivé ? le défia-t-elle, furieuse à présent, ne sachant pas trop ce qu'il lui reprochait. Il est temps que tu surmontes tes idées toutes faites, Oliver. Les mères adoptives ne sont pas toutes comme celle qui t'a élevé, et les mères biologiques n'ont pas toutes la capacité d'aimer non plus. Il y a d'innombrables nuances entre le noir et le blanc, il faudrait que tu t'en rendes compte.

— Donc, tu ne l'encourageras pas à faire adopter sa fille ?

— Que croyais-tu, au juste ? Que j'allais lui proposer, moi, de l'adopter ?

— Je ne me risquerais pas à…

— Et tu aurais raison. Depuis quand une sage-femme influencerait-elle la décision d'une mère ? Ce serait totalement contraire à l'éthique. Et lui offrir d'adopter son bébé ? Pas question, non plus. J'ai *mes* enfants, Oliver, et je les aime. Je n'ai pas besoin d'en avoir d'autres.

— Mais Gretta va mourir.

Oliver se mordit la langue, mais trop tard. Emmy blêmit et elle dut s'appuyer contre le mur, comme si ses jambes refusaient soudain de la porter.

Que lui avait-il pris de dire une chose aussi horrible ? De

suggérer qu'une fillette allait mourir et que, par conséquent, la place serait libre pour une autre ? Etait-ce sa colère devant la nouvelle vie qu'Emmy s'était construite sans lui qui l'y avait poussé ? Quoi qu'il en soit, devant le regard plein d'affliction qu'elle lui lança, il éprouva une honte telle qu'il n'en avait pas connu depuis très longtemps. Il avait tout intérêt à se rattraper, et vite.

— Bon sang, Emmy, je suis désolé… Ce n'est pas du tout ce que je voulais dire, bien sûr… Tu veux bien me pardonner ? La santé de Gretta n'a rien à voir avec… avec rien. Je t'en prie, insista-t-il en tendant la main vers son visage. Je sais combien tu aimes Gretta et…

— C'est de la petite fille d'Emily dont vous parlez ?

Tous deux se tournèrent vers le jeune homme qui leur offrait cette diversion providentielle. Oliver reconnut aussitôt Noah Jackson, un interne qui lui avait été présenté plus tôt dans la semaine. Un garçon « brillant », selon Tristan, mais dont le sens de l'empathie laissait beaucoup à désirer. Ce dont il leur fit séance tenante une brillante démonstration…

— Salut, Emmy, reprit-il avec une insouciance enjouée. Vous parlez de Gretta, n'est-ce pas ? Comment va-t-elle ? Vous la connaissez ? ajouta-t-il en se tournant vers Oliver sans même attendre une réponse. Elle vaut le dérangement. Elle souffre de trisomie 21, avec un défaut septal auriculo-ventriculaire — une malformation si importante que même Tristan a baissé les bras, et pourtant elle a survécu. Je me suis servi de son dossier depuis la naissance pour mes recherches en dernière année. J'aimerais bien écrire un article sur elle dans la presse médicale. Ça en jetterait sur mon CV, surtout si j'appuie sur le dilemme moral qui s'est posé à la mère biologique. Il faut dire qu'Emmy a un sacré courage, avec cette patiente. A ce niveau-là, c'est franchement de l'héroïsme.

Devant la colère et la douleur qu'il lut dans les yeux d'Emmy, Oliver se plaça aussitôt entre elle et l'interne.

— Essayez d'approcher de nouveau Emmy avec vos

questions sur sa fille, Noah — sa *fille*, et non pas sa patiente —, et je vous fais avaler une par une les pages de vos fichues recherches. L'idée qu'Emmy aime Gretta ne vous a même pas effleuré, n'est-ce pas ? Elle souffre à l'idée de la perdre, et vous traitez sa fille comme un insecte sous un microscope ?

— Hé, doucement ! protesta Noah qui ne comprenait toujours pas. Emmy est toubib, elle savait à quoi s'attendre en prenant Gretta chez elle.

Emmy semblait sur le point de s'évanouir.

A deux pas d'eux, l'ascenseur s'ouvrit. Oliver saisit Noah par le col de sa blouse et, sans ménagement, le poussa dans la cabine.

— Arrêtez ! s'écria encore Noah, l'air ahuri. Mais qu'est-ce qui vous prend ? Qu'est-ce que j'ai dit ?

— Vous avez peut-être presque terminé votre formation de chirurgien, rétorqua Oliver. Mais vous allez devoir travailler vos dons d'empathie et votre capacité d'écoute, et vite, quitte à reprendre des cours de médecine familiale jusqu'à ce que ça vous rentre dans le crâne. Je veux vous voir traiter les patients sur le terrain et acquérir un minimum de compassion ; après seulement, j'envisagerai peut-être de vous confier des cas dans le cadre chirurgical. Maintenant, fichez le camp d'ici pendant que j'essaie de réparer les dégâts que vous avez faits.

— Des dégâts ? Mais *quels* dégâts ?

— Vous venez d'insulter quelqu'un qui se sacrifie pour essayer de réparer les dégâts chez les autres, justement.

L'ascenseur se referma et Oliver se retourna vers Emmy qui n'avait pas bougé. Elle était toujours affaissée contre le mur, blême, les joues mouillées de larmes.

— Ça n'a pas d'importance, Oliver. Il n'a dit que ce qui est, rien de plus.

— Il n'a que le droit de se taire, répliqua-t-il, toujours furieux de la voir aussi désespérée.

Devant sa détresse, elle était de nouveau pour lui *sa*

femme — comme si leur longue séparation équivalente à un divorce n'avait jamais existé. Son Emmy était malheureuse. Sans plus hésiter, il s'avança pour la prendre dans ses bras.

Elle devait le repousser, Emmy en avait conscience. Ce qu'il avait dit, pour Gretta, l'avait autant bouleversée que les odieuses remarques de Noah. Toutefois, elle connaissait son passé — son enfance, le fait qu'il avait été remplacé par le « vrai » fils de ses parents.

Noah, lui, manquait simplement de la plus élémentaire humanité. En revanche, la réflexion d'Oliver venait d'une blessure profonde qui ne s'était jamais tout à fait refermée. Et même… même s'il avait été aussi insensible que Noah, c'était, à cet instant, dans ses bras qu'elle souhaitait être, nulle part ailleurs. Dans les bras de son mari.

Car il l'était toujours. Pendant cinq ans, elle avait vécu ce qu'elle considérait comme un mariage parfait. Mais il ne l'avait pas été, bien sûr. Il y avait eu de nombreux fantômes qu'elle n'avait pas pu chasser, et qui rôdaient encore autour de lui.

— Emmy… Je regrette, murmura-t-il dans ses cheveux. Je t'avais moi-même déjà blessée, avant Noah. Je ne sais pas comment j'ai pu dire une chose pareille.

— Ce n'est pas grave.

Pourtant si, c'était grave. C'était précisément ce qui les avait éloignés l'un de l'autre. Pour Oliver, l'adoption était une simple transaction. Rien qui engage le cœur, contrairement au mariage. Mais même là, leurs vœux n'avaient pas tenu leurs promesses. Tous deux étaient aujourd'hui séparés.

Alors, pourquoi éprouvait-elle le sentiment d'avoir enfin regagné son port d'attache, tel un vaisseau en perdition ?

— Hé !… Il n'y a pas de problème avec Ruby, j'espère ? demanda Isla en les découvrant enlacés.

— Non, répondit Oliver sans se départir de son calme.

En revanche, méfie-toi du Dr Jackson. Il semble trouver que Gretta ferait un cobaye idéal pour ses recherches.

— Noah perturbe ma sage-femme ?

L'inquiétude d'Isla vira aussitôt à la colère.

— Je m'en occupe ! ajouta-t-elle.

— Pas la peine, dit Emmy en se ressaisissant tant bien que mal. Oliver l'a déjà pratiquement jeté dans l'ascenseur.

— Ah ! Parfait, commenta Isla. Bon… Je sais bien que rien ne vaut un câlin pour se redonner le moral, mais j'aurais besoin de toi en salle d'accouchement, Emmy.

— J'y vais tout de suite.

Oliver la suivit des yeux un instant alors qu'elle s'éloignait, puis reporta son attention sur Isla qui l'observait d'un air sévère.

— Ne t'avise pas de distraire mes sages-femmes.

Il eut le sentiment qu'elle devinait bien plus de choses qu'elle ne le laissait paraître.

— Ce n'est pas mon intention.

Elle continua à le fixer.

— Vous avez un lien, tous les deux ? Vous avez le même nom.

— Simple coïncidence, répliqua-t-il.

— Je n'en crois pas un mot. Mais je n'ai pas le temps de m'occuper de ça. Tout ce qui m'intéresse, c'est que tu ne viennes pas semer la pagaille dans mon équipe.

Comme l'état de Gretta semblait s'être stabilisé, Emmy crut qu'elle allait enfin passer une bonne nuit de sommeil, mais elle réussit à trouver une autre source de tracas — Oliver — et donc à ne pas fermer l'œil.

Pourquoi avait-il fallu qu'il vienne travailler précisément au Victoria alors que ce n'étaient pas les maternités qui manquaient en Australie ? Toutefois, ce n'était pas une simple coïncidence. Le service de natalité du Victoria était l'un des plus réputés du continent. Et Charles Delamere choisissait son personnel parmi les meilleurs dans leur spécialité.

Alors ? Devait-elle partir ? Quitter le Victoria juste parce que Oliver l'avait... prise dans ses bras ? Non. Ce serait stupide. D'ailleurs, ils pourraient très bien être amis, tous les deux.

Amis... Comme si c'était possible ! Pourtant, elle n'avait pas le choix. Donc, elle y arriverait. Ce ne serait peut-être pas facile, mais un jour, elle parviendrait à considérer Oliver comme un confrère. Rien de plus...

7.

Isla avait libéré Emmy de toutes ses autres tâches afin qu'elle puisse s'occuper uniquement de Ruby. La veille de ce vendredi, l'adolescente lui avait confié sa passion pour la couture, aussi Emmy avait-elle apporté aujourd'hui un des pulls de Toby pour lui donner l'occasion de lui montrer comment réparer un trou au coude.

Elle le raccommoda avec une telle habileté que lorsqu'elle eut terminé, Emmy put à peine repérer où avait été l'accroc, et la voir faire avait été un vrai plaisir. Lorsqu'on vint chercher Ruby pour la conduire en salle d'opération, celle-ci fut surprise de voir que le temps avait passé sans qu'elle s'en rende compte. Elle lui pressa la main avec chaleur.

— Merci, Emmy. Tu viendras me voir après ?

— Je viens avec toi, dit Emmy en précédant le lit roulant. Isla a estimé que si je dois t'aider à mettre ta petite fille au monde dans quelques mois, il fallait que j'aille me présenter à elle dès maintenant. Donc je suis censée rester en arrière-plan, ne pas m'évanouir, et admirer le travail du Dr Evans.

— Tu t'évanouirais pas, quand même ! Oh non ! Pas toi…

— Oh ! ne crois pas ça !

Marchant à côté du chariot, elle lui raconta avec humour quelques anecdotes qui amusèrent beaucoup Ruby. Toutes les deux riaient encore quand elles arrivèrent au bloc.

Oliver était déjà prêt, de même que Heinz Zigler et l'équipe qui les entourait. L'opération relevait d'une chirurgie de pointe. Ils allaient opérer non pas un patient, mais deux, dont un bébé qui ne serait pas encore viable hors de l'utérus. Les moyens déployés étaient hallucinants et le succès de l'intervention exigerait les compétences conjuguées de ce que le Victoria pouvait offrir de mieux.

Le moindre choc pourrait provoquer l'avortement du fœtus aussi l'anesthésie devait-elle être d'une extrême précision. Pour ce faire, Vera Harty, la meilleure anesthésiste du Victoria, avait demandé à son interne de la seconder. Tristan Hamilton, le cardiologue néonatal, était là pour contrôler le cœur du bébé tout au long de l'intervention. Les complications qui pouvaient survenir étaient si nombreuses…

L'opération en elle-même exigeait une adresse exceptionnelle, mais tout le reste devait également être parfait. Si Ruby perdait du liquide amniotique, il devrait être remplacé. Si le bébé saignait, ce sang devrait l'être aussi, et très rapidement, mais en douceur afin que cette perte ne puisse avoir le moindre impact. Tout devait être fait pour que le traumatisme du fœtus soit réduit au minimum.

Oliver accueillit Ruby avec chaleur. S'il était nerveux, il le cachait bien.

— Ça va, Ruby ? Qu'y a-t-il de si drôle ?

— C'est Emmy… Elle me racontait…

Ruby avait visiblement du mal à garder les yeux ouverts car la prémédication commençait à faire effet.

— … des trucs rigolos. Qui… arrivent ici à la maternité…

— Ah oui ? Elle t'a parlé de la fois où elle a aidé à mettre des jumeaux au monde et où l'équipe s'est mélangée dans les bracelets ?

Il releva brièvement les yeux vers Emmy pour lui sourire.

— Mathew s'est donc retrouvé enveloppé dans une jolie couverture rose et sa petite sœur dans une bleue. Tu te rends compte ? Ils auraient pu en être traumatisés à vie !

Emmy s'en souvenait parfaitement. Elle venait d'obtenir son diplôme, et la naissance de ces prématurés avait été une des premières auxquelles elle avait participé en tant que sage-femme responsable. Un accouchement complexe qui avait exigé beaucoup de monde dans la salle, ce qui l'avait perturbée. Elle se tenait à côté d'Oliver lorsque, plus tard, il était venu dans l'unité de néonatologie pour examiner les bébés et avait soulevé la couverture bleue. Emmy avait blêmi, mais lui n'avait rien dit, même si l'erreur était flagrante. Sans un mot, il l'avait aidée à intervertir les couvertures et les bracelets, et l'infirmière en chef — un vrai dragon —, à ce jour, ignorait encore sa bourde.

C'était à cet instant qu'elle était tombée amoureuse, conquise non seulement par sa discrétion, mais aussi par la façon dont il avait souri puis franchement ri lorsqu'elle avait voulu s'excuser. Il lui avait même raconté certaines des bêtises qu'il avait commises en tant qu'étudiant et interne… avant de l'inviter à dîner.

— Je crois que… que j'aimerais bien être infirmière, dit Ruby sur un ton endormi.

— Tu serais très douée, j'en suis sûr, répondit Oliver. Tu as toutes les qualités pour ça.

Puis les yeux de l'adolescente se fermèrent. L'anesthésiste adressa un signe de tête à Oliver, les plaisanteries cessèrent, et l'opération put commencer.

Oliver avait expliqué les risques à Ruby, et Dieu sait qu'il y en avait. Exposer cet être minuscule au monde extérieur alors qu'il était loin d'être armé pour cela était très dangereux. Emmy ignorait combien de fois cette intervention avait été pratiquée auparavant et s'il y avait eu des échecs, mais elle savait que si son enfant était concerné, elle n'en confierait la vie à personne d'autre qu'à Oliver.

Il travaillait de concert avec Heinz. Tous deux discutaient de la procédure au fur et à mesure tout en jetant de fréquents coups d'œil sur les échographies affichées au-dessus d'eux afin de vérifier la position du fœtus. Emmy qui secondait l'instrumentiste suivait ce qui se passait sur un autre écran.

Enfin vint le moment de l'incision finale. Doucement, très doucement, le bébé fut tourné dans l'utérus, et tous, dans la salle, purent distinguer le renflement à l'endroit où les vertèbres étaient mal formées. A cet instant, ce fut comme si chacun, l'espace d'une seconde, retenait sa respiration.

— Pauvre petite…, dit Tristan. Si elle naissait comme ça… Elle n'aurait aucune chance d'avoir une vie normale.

— Alors on va faire tout ce qui est en notre pouvoir pour y remédier, répondit Oliver d'une voix qu'Emmy n'avait encore jamais entendue.

Une voix qui trahissait sa tension. Heinz et lui allaient devoir déployer tout leur talent pour réparer cette anomalie. La complexité, la taille minuscule de la moelle épinière, et la minutie exigée représentaient un véritable défi.

Le front d'Oliver était en sueur. Non seulement son rôle exigeait une attention extrême, mais la température de la salle elle-même avait dû être augmentée pour le fœtus.

— Emmy, occupe-toi des compresses, dit Chris, l'infirmière en chef du bloc.

Elle alla donc aussitôt se poster près d'Oliver afin d'empêcher la transpiration de couler dans ses yeux. Totalement focalisé sur le fœtus, il ne la remarqua même pas.

Les caméras grossissaient les images du champ opératoire sur lequel il était penché au côté de Heinz. Tous, dans la salle, étaient concentrés sur leur travail ou sur les écrans. Sur ces deux êtres qui n'en faisaient qu'un — deux cœurs, deux vies…

Emmy en oubliait de respirer. Plus rien n'existait pour elle hormis permettre à Oliver de voir clair afin qu'il puisse accomplir un miracle.

Enfin, il commença à recoudre ; ses mains effectuaient des points minuscules tandis qu'il refermait très, très précautionneusement l'ouverture de la colonne vertébrale, couvrait la moelle épinière et les nerfs périphériques, prévenant ainsi tout dommage futur.

Après avoir contrôlé le niveau du liquide amniotique, Oliver sutura l'utérus tout en discutant avec Heinz. Il semblait être un peu plus détendu.

L'incision extérieure était à présent refermée.

L'intervention était terminée.

Emily eut soudain l'impression que ses jambes allaient refuser de la porter. Mais elle tint bon. Elle essuya le front d'Oliver une dernière fois et, enfin, il put lui adresser un sourire qu'il tourna ensuite vers toute l'équipe. Avant de revenir sur elle.

— On a réussi, dit-il sur un ton de triomphe modeste. Si nous parvenons à le garder au chaud pendant encore quelques semaines, ton bébé sera sauvé.

Ton bébé ? Mais que voulait-il dire ?

Soudain, elle se rappela ses plaisanteries, à l'époque où ils s'étaient connus, alors qu'ils travaillaient ensemble, elle en tant que toute nouvelle sage-femme, lui encore chirurgien obstétricien en formation.

— Emmy, la façon dont tu t'investis… Tu donnes l'impression que chaque bébé que tu mets au monde est le tien, lui avait-il dit alors. En fin de carrière, tu seras entourée de milliers d'enfants.

Le rêve, pour elle ! Elle songea fugacement à ceux qu'elle avait le droit d'aimer. Gretta et Toby.

Elle les aimait, farouchement et de toute son âme, mais comme elle baissait les yeux sur Ruby, elle comprit qu'elle avait encore de l'amour à donner. Cette adolescente la touchait tout particulièrement, et son cœur allait aussi vers ce petit être minuscule de nouveau en sécurité dans la matrice maternelle.

Le cœur savait grandir pour accueillir le monde entier…

Oliver, lui, n'avait jamais connu cela avec sa désastreuse mère adoptive. Il ne le connaissait toujours pas, et c'était précisément la raison pour laquelle leurs chemins s'étaient séparés.

Sa tâche terminée, elle s'écarta de la table. Oliver et le personnel du bloc, quant à eux, devaient se préparer pour l'intervention suivante. Elle se dirigea vers la porte pour se changer avant d'attendre Ruby dans la salle de réveil.

Bouger. Voilà ce qu'elle devait faire. Bouger. Toujours.

— Bien joué.

Devant les lavabos, l'humeur était celle d'une tranquille, mais profonde satisfaction. Pas de triomphalisme, toutefois. Tout le monde était conscient que les jours à venir pourraient se révéler critiques, mais l'opération s'était passée dans un tel calme, avec une telle douceur, qu'ils avaient évité de commotionner lle fœtus.

Oliver répondit d'un signe de tête au sourire que Tristan lui adressa en le rejoignant. Tous les deux avaient accompli leur formation chirurgicale ensemble et s'étaient séparés lorsque Tristan s'était spécialisé en cardiologie pédiatrique et lui-même en obstétrique. Toutefois leur amitié demeurait profonde, et Tristan était le seul à connaître le lien qui l'unissait à Emmy. Ils avaient d'ailleurs déjà eu une discussion très animée à ce propos…

— Ça finira par se savoir, de toute façon, lui avait dit Tristan. Alors, pourquoi en faire un secret ?

— Ce n'en est pas un. C'est juste que c'est du passé. Tous les deux, on a évolué vers autre chose…

Mais aujourd'hui, Tristan remit le sujet sur le tapis :

— Vous avez vraiment tourné la page, Emmy et toi ? demanda-t-il en ôtant sa tunique chirurgicale. J'avoue avoir du mal à le croire. Parce que, je ne voudrais pas dire, mais tu n'as pas cessé de lui lancer des coups d'œil, surtout quand tu t'apprêtais à faire quelque chose de risqué. Comme si tu allais puiser ta force en elle.

Oliver réagit aussitôt.

— Qu'est-ce que tu racontes ?

Comme s'il avait besoin d'Emmy pour opérer. Il avait exercé pendant des années sans elle, et jamais il n'avait eu à s'appuyer sur qui que ce soit.

— Tu as beau dire que c'est du passé, elle porte toujours ton nom, et si tu veux mon avis de simple spectateur, il est clair que les ponts ne sont pas réellement coupés entre vous, insista Tristan.

Oliver promena rapidement son regard sur les membres du personnel qui s'agitaient autour d'eux.

— Parle moins fort, s'il te plaît.

— Parce que tu penses que tu peux garder ça pour toi ?

— Pourquoi pas ?

— Eh bien… parce que c'est évident, répondit Tristan avec un sourire amusé. La sage-femme Evans et le chirurgien Evans… Avec les étincelles que vous provoquez dès que vous vous croisez, cela risque de jaser dur dans les couloirs.

— Tu ne m'aides pas beaucoup, tu sais…

— Je te dis juste que la vérité saute aux yeux de tout le monde ; il suffit d'être un tant soit peu observateur, répliqua Tristan en se dirigeant vers la porte. Et certains d'entre nous sont plus curieux que d'autres…

Le personnel du bloc se relayait pour veiller sur les patients en salle de réveil, mais Isla s'était arrangée pour qu'Emmy reste auprès de Ruby. Sans aucune famille pour s'occuper d'elle, il fallait impérativement lui tenir compagnie afin de la calmer. Aussi Emmy, assise près d'elle, la regardait-elle revenir lentement vers la conscience, sortir dans un premier temps de la sédation pour plonger dans un sommeil naturel. Le fait qu'elle lui tenait la main en lui parlant doucement n'y était peut-être pas étranger…

— C'est génial, Ruby. *Tu* as été formidable. Et ton bébé aussi. L'intervention a été un succès. Ta fille a désormais toutes les chances de s'en sortir grâce à ta décision.

Elle doutait que Ruby puisse l'entendre, mais, convaincue que le message finirait par l'atteindre, elle le lui répéta tout de même. Jusqu'à ce qu'elle soit interrompue…

— Ça va ?

Elle releva la tête et sourit en découvrant Sophia.

— Isla m'a envoyée ici pour te demander comment

s'était passée l'opération, dit-elle en tirant une chaise pour s'asseoir près d'elle au chevet d'Emmy. En ce qui nous concerne, RAS sur le front. Nous avons eu trois adorables bébés tout à fait normaux les uns derrière les autres ce matin, et pas la moindre contraction cet après-midi. Isla a dit que tu pouvais rester ici aussi longtemps que tu veux.

— C'est super, hein, Ruby ? dit Emmy en baissant les yeux sur l'adolescente.

Profondément assoupie, Ruby ne répondit pas.

— Tout s'est très bien passé. Oliver a été fantastique.

— Oui, je veux bien le croire, marmonna Sophia d'un air soudain embarrassé. Justement, à ce propos, il faut que je te dise… il y a des bruits qui courent dans les couloirs. Quelqu'un a surpris des bribes de conversation entre Tristan et Oliver devant les lavabos du bloc. Evans et Evans… Jusqu'à maintenant, personne n'avait fait le rapport ; après tout, c'est un nom assez commun. Sauf que… Evans n'est pas ton nom de jeune fille, n'est-ce pas ? C'est ton nom de femme mariée. Et d'après les rumeurs, ce serait Oliver, ton mari.

Aïe. Emmy pesta intérieurement, mais ce n'était pas franchement une surprise ; elle savait que quelqu'un, tôt ou tard, finirait par faire le rapprochement.

— C'était il y a longtemps. Nous avons rompu, il y a cinq ans, mais n'avons pas jugé utile de nous embêter avec toutes les formalités. Avant, mon nom était Green, et je préférais m'appeler Evans.

Mais, surtout, l'idée d'aller ratifier leur séparation chez un avocat lui avait paru insupportablement… sans appel.

— Ne serait-ce pas plutôt que cela te donnait l'impression d'être toujours liée à lui ? suggéra Sophia. Il paraît qu'il y avait des étincelles entre vous pendant l'intervention.

— Je m'occupe de Ruby, et Oliver s'efforçait de me rassurer…

Emmy s'interrompit, consciente d'être sur la défensive. Surtout devant le haussement de sourcils sceptique de Sophia.

— Allez, Emmy… A moi, tu peux bien le raconter. Je savais que tu avais été mariée, mais j'ignorais que c'était avec Oliver. Emmy, c'est un vrai tombeur ! En plus, il a déjà la réputation d'être un des rares chirurgiens à parler à ses patientes. C'est vrai, je t'assure. Je l'ai vu sourire à une de mes jeunes accouchées, ce matin, et j'en ai été toute chavirée. Alors pourquoi est-ce que… ?

— Un sourire ne suffit pas pour réussir un mariage.

Pourtant, elle y était toujours aussi sensible.

— Mais pourquoi avez-vous rompu ?

— A cause des enfants, répondit-elle avec brusquerie.

Elle avait déjà évoqué sa stérilité lorsque Sophia lui avait confié ses propres problèmes. Mais elle n'était pas entrée dans les détails…

— Il est parti parce que tu ne pouvais pas avoir d'enfants ?

— Nous… Enfin… Comme tu le sais déjà, j'ai subi plusieurs FIV. Ce que je ne t'ai pas dit, c'est que je suis tombée enceinte. J'ai accouché de Josh, mort-né à vingt-huit semaines.

— Oh ! Emmy… Tu as gardé ça pour toi depuis tout ce temps ?

— Je préfère ne pas en parler. C'est trop… douloureux.

— Oui, je vois ça…, soupira Sophia en se penchant pour la prendre dans ses bras. On dit que les FIV peuvent détruire un mariage. C'est ce qui s'est passé pour vous ?

— Non, ce n'est pas la raison.

Après avoir perdu Josh, tous deux avaient été profondément unis dans leur malheur. Sans Oliver, elle ignorait comment elle aurait pu surmonter cette épreuve.

Ce qui avait rendu d'autant plus dur ce qui avait suivi…

— Alors, c'est quoi ?

— Je ne pouvais plus… subir de FIV, murmura Emmy.

Le silence s'étira un instant entre elles. Ruby semblait profondément endormie, la main dans la sienne. Oui, le monde continuait de tourner, songea Emmy en revivant sa sortie de l'hôpital après avoir perdu Josh et avoir vu toutes ces mères heureuses avec leurs bébés.

— Je voulais désespérément avoir une famille, reprit-elle à voix basse. Cela devenait une obsession, et j'ai dit à Oliver que je voulais adopter, coûte que coûte. Mais ce que ça m'a coûté, au bout du compte, c'est... Oliver.

— Il s'y opposait ?

— Lui-même a été adopté, et comme il en garde de mauvais souvenirs, il ne voulait pas admettre qu'il puisse en être autrement. Il avait peur de ne pas être capable d'aimer un enfant adopté. De mon côté, je n'étais pas prête non plus à céder. Finalement, nous n'avons pas eu d'autre choix que de nous séparer. Voilà, tu connais toute l'histoire, Sophia. Et je compte sur toi pour ne pas l'ébruiter.

— Tu sais bien que ce n'est pas mon genre. Mais les murs ont des oreilles, dans cet hôpital, et ce qu'ils ne savent pas, ils l'inventent. Maintenant que tout le monde sait que vous avez été mariés...

— Ils passeront vite à autre chose...

A cet instant, Ruby s'étira et ouvrit les yeux.

— Hé... Salut, dit Emmy en lui souriant. Très heureuse de te voir de retour parmi nous. L'opération est un succès. A présent, notre principal souci est de vous laisser dormir toutes les deux, toi et ta fille, jusqu'à ce que ta grossesse reprenne son cours normal...

8.

Le samedi, Oliver, qui faisait son tour dans le service, entra dans la chambre de Ruby… et y trouva Emmy. Pourtant c'était son jour de repos. Alors, que faisait-elle au chevet de l'adolescente ? Elle… *raccommodait une chaussette ?*

Toutes les deux relevèrent la tête à son arrivée et sourirent devant son air sans doute ahuri.

— Bonjour, dit Ruby. Alors, c'est vrai ? Vous étiez mariés, tous les deux ?

Manifestement stupéfaite, Emmy la fixa, bouche bée.

— Comment est-ce que tu… ?

— Je l'ai entendu dire, c'est tout. Mais c'est vrai, hein ?

Emmy rangea un peu trop précipitamment ses affaires de couture et se leva.

— Oui, mais c'était il y a longtemps. Désolée, Oliver. Je te laisse la place.

— Pourquoi es-tu ici ? demanda-t-il, regrettant aussitôt son ton accusateur.

— Ruby m'apprend l'art du reprisage.

— Oh ? Et c'est… important ?

— En fait, oui. Aujourd'hui, tout le monde a tendance à jeter ses chaussettes dès qu'elles sont trouées. Ruby et moi nous efforçons de limiter à notre façon le gâchis universel.

— C'est une bonne chose, commenta-t-il, conscient d'être toujours aussi guindé, mais incapable sur le moment de s'en empêcher. Tu vas rentrer, maintenant ?

— Oui.

— Pourquoi vous êtes plus ensemble, tous les deux ? demanda Ruby.

Elle avait reçu l'ordre de rester couchée, mais comme elle se remettait rapidement, l'obligation de garder le lit était plus dans l'intérêt de son bébé que dans le sien, et il était évident qu'elle cherchait des distractions.

— Incompatibilité…, répondit Emmy avec une légèreté qui sonnait faux. Il avait la fâcheuse habitude de piquer toute la couette pendant son sommeil. J'ai bien essayé de la clouer de mon côté, mais on s'est simplement retrouvés avec une couette déchirée et un mariage qui battait de l'aile. Je repasserai te voir demain, Ruby, ajouta-t-elle avant de se pencher pour l'embrasser légèrement sur le front. En attendant, tu as besoin de quelque chose ?

— D'autres chaussettes ? suggéra timidement Ruby.

Emmy sourit.

— Demande au Dr Evans. Je parie qu'il en a un tiroir plein. Il faut que je te laisse, Ruby. Salut !

Il la suivit des yeux alors qu'elle s'éloignait. Elle avait toujours tellement de choses à faire chez elle. Alors, pourquoi venait-elle ici pendant son jour de congé ? Par attention ? Parce qu'elle se souciait de Ruby ? Elle s'était toujours souciée des autres, et c'était une des qualités qu'il avait le plus aimées chez elle.

— Vous êtes encore fou d'elle, dit Ruby.

Il se rendit alors compte qu'il continuait à fixer la porte par laquelle Emmy avait disparu.

— Non… Je pensais juste que… que je n'avais encore jamais assisté à une leçon de reprisage. Comment va ta fille ?

— Elle me donne toujours des coups de pied.

— Pas trop forts, tout de même ?

— Non… Pas trop.

Une fois de plus, il surprit une lueur effrayée dans le regard de Ruby. C'était de toute évidence la raison pour laquelle Emmy était passée la voir. Cette adolescente était bien trop seule, et telle qu'il la connaissait, Emmy ne devait pas le supporter.

S'il n'avait tenu qu'à elle, ils auraient adopté un bébé, et malgré tout ce qu'il avait pu lui dire après la disparition de Josh, il commençait à admettre qu'elle était capable d'aimer un enfant qui n'était pas le sien. La façon dont elle avait tenu Gretta, dont elle avait ri avec Toby... Bon, d'accord, Emmy était aussi différente qu'il était possible de sa mère adoptive, et il avait été cruel de sa part d'insinuer le contraire.

Il lui avait fallu dépasser ses propres résistances pour reconnaître qu'il aimait Emmy. Même s'il l'avait soutenue pendant les FIV, même s'il avait été le plus heureux des hommes quand elle avait été enceinte, lorsque Josh était mort... n'avait-il pas éprouvé, quelque part bien enfoui au fond de lui, un certain soulagement ? N'avait-il pas eu malgré lui le sentiment qu'il serait incapable d'ouvrir son cœur à tous ceux qui voudraient y entrer ?

Il aurait aimé Josh, il en était certain. Ce matin-là, quand la promesse qu'avait été ce petit garçon leur avait été arrachée, avait été le pire instant de sa vie. Et le masque de souffrance sur le visage d'Emmy...

Puis elle lui avait suggéré l'adoption ; elle était prête à les exposer tous les deux de nouveau à une semblable douleur pour un enfant qu'il ne connaissait pas...

— Voyons comment se porte ton ventre, dit-il en se penchant vers Ruby.

— Vous êtes encore fou d'elle.

— C'est une femme exceptionnelle. Mais comme elle l'a dit elle-même, je suis un « piqueur de couette ».

— C'est parce que vous avez pas eu d'enfants ? Mais comment...

— Non !

— C'est une des infirmières qui m'a dit qu'Emmy s'occupe de deux enfants avec sa mère. Si vous étiez mariés, pourquoi vous en avez pas eu ensemble ?

— Ruby, je crois que tu as suffisamment de soucis avec

ton propre bébé ; il n'est peut-être pas utile que tu t'inquiètes pour ceux des autres, ajouta-t-il, faussement sévère.

— Autrement dit, je ferais mieux de m'occuper de mes oignons, c'est ça ?

— Absolument. Maintenant, laisse-moi t'examiner.

— Oui, docteur, dit-elle avec un sourire un rien moqueur. Mais je continuerai à m'occuper de vos oignons à vous aussi. On dirait que personne ici ne savait que vous avez été mariés, donc, maintenant, ça intéresse tout le monde. Et moi aussi.

Ensuite, Oliver se sentit partagé sur la conduite à tenir. Devait-il garder ou non Gretta et Toby, cet après-midi ? En fait, il n'avait pas été clair avec lui-même, et ce depuis le début. Bien sûr, il aurait pu se retrancher derrière un surcroît de travail, et sans même avoir besoin de mentir, mais il avait promis. Aussi s'immergea-t-il dans ses tâches jusqu'à midi et demi passé. Un quart d'heure plus tard, il s'arrêtait devant chez Emmy.

Elle était dans le jardin de devant où elle aidait Toby à rouler sur un tricycle. Dès qu'elle le vit, elle prit le garçon dans ses bras et lui fit un signe de la main ; après une brève seconde d'hésitation, Toby l'imita. Toutefois Oliver attendit un instant avant de sortir de la voiture. Il avait besoin de calmer son cœur soudain emballé.

C'était comme la réalisation de leur rêve — l'amour, la famille, le plaisir d'être ensemble, et s'il l'avait quittée, c'était pour qu'elle ait encore une chance de voir ce souhait se concrétiser. Mais elle avait choisi de le faire seule…

Non, elle n'était pas seule ; elle avait sa mère. Ainsi que Mike, Katy et leur progéniture, à deux pas de chez elle. Sans oublier ses amis à l'hôpital.

Le seul qui manquait au tableau était lui-même, et c'était lui qui avait décidé de partir. Mais s'il était resté, ils n'auraient rien connu de tout cela. Ils auraient été un couple de professionnels, l'un et l'autre accaparés par leur travail et leur vie sociale.

Vraiment ? Ces certitudes, qu'il avait cinq ans auparavant, commençaient à lui paraître un peu bancales.

— Alors ? Tu ne peux plus te décoller de ton siège ? plaisanta Emmy en arrivant vers lui, Toby dans les bras.

Elle semblait plus jeune, aujourd'hui. Peut-être la perspective de profiter d'un peu de temps libre et de passer un après-midi avec sa mère avait-elle cet effet sur elle.

Pendant quelques heures, elle allait quitter ces enfants qui n'étaient pas les siens. Encore que si. *C'étaient* les siens. Toby la tenait par le cou et enfouissait le visage dans son épaule. Il était pieds nus, et Emmy lui chatouillait les orteils en marchant, ce qui le faisait beaucoup rire.

Elle adorait ces enfants.

Il avait cru… Bon, d'accord, il avait cru faire preuve de générosité en la quittant, cinq ans plus tôt. Il avait renoncé à leur mariage afin qu'elle puisse avoir ce qu'elle souhaitait. Et à présent… Pourquoi éprouvait-il exactement l'inverse ? Pourquoi se sentait-il insupportablement égoïste ?

Se ressaisissant, il redressa les épaules en prenant une discrète inspiration.

— Votre baby-sitter est arrivé, madame, dit-il en descendant de voiture.

Elle considéra le véhicule de location d'un air gêné.

— Tu n'as toujours pas récupéré ta décapotable ? Tu n'as pas trouvé les pièces ?

— Elles ne sont pas faciles à obtenir.

Il avait passé des heures à les chercher sur le Net.

— Oh ! Ollie…

Personne ne l'appelait Ollie. Sauf elle.

Elle posa une main sur son bras. Un geste qu'il interpréta comme une sorte de réconfort pour sa Morgan fichue. Elle qui s'occupait d'enfants dont *la vie* était fichue.

Pourtant, sa compassion était sincère. D'ailleurs en ce

qui la concernait, *tout* était sincère. Emmy… Il aimait vraiment cette femme.

Il aimait cette femme ?

— Toby, tu dis bonjour à oncle Ollie ? Je parie qu'il sait aussi faire des chatouilles.

— Je suis même très doué pour ça, commenta Oliver.

Mais l'enfant le prit de court quand il se tourna dans les bras d'Emmy pour se jeter dans les siens, si vite qu'il faillit le manquer. Soudain ils furent tous les trois serrés les uns contre les autres, avec Toby pris en sandwich entre eux deux. Ce qui le fit glousser, comme s'il était ravi d'avoir réussi une farce. Voir cet enfant heureux, ne serait-ce que l'espace d'un instant, fit du bien à Oliver. Pourtant Toby avait tant de problèmes… Sa colonne vertébrale était tordue, et de nombreuses opérations l'attendaient, ainsi que des années à porter un corset.

Mais Emmy serait là pour lui.

Oliver savait qu'il devait s'écarter, mais Emmy, elle, semblait au contraire s'accrocher à lui, comme si elle avait besoin de cette étreinte. Comme si sa présence et sa chaleur lui apportaient quelque chose. Quelque chose qui, lorsqu'elle était encore sa femme, allait de soi ?

— Emmy…

Le son de sa voix brisa l'instant. Emmy fit un pas en arrière en repoussant une mèche derrière son oreille et s'efforça de sourire.

— Désolée. J'aurais dû prévoir qu'il se jetterait dans tes bras. Il le fait toujours, avec Mike. Il est convaincu que tous les adultes qu'il croise ne le laisseront jamais tomber, et jusqu'à présent, il a raison. Mais un jour, Toby, tu découvriras que la vraie vie, ce n'est pas ça.

— Mais tu le protégeras aussi longtemps que tu le pourras.

— De toutes mes forces et de tout mon cœur… Bon, maintenant, maman est prête à partir. Elle est tellement excitée qu'elle n'a pas dormi de la nuit. Gretta a mangé.

Tout est prêt ; je n'ai plus qu'à enfiler un jean propre et à me brosser les cheveux.

— Pourquoi ne pas mettre une robe, plutôt ? suggéra-t-il sans réfléchir alors qu'elle se dirigeait vers la maison.

Cela ne le regardait pas, mais il comprenait soudain l'importance de cet après-midi pour elle et Adrianna.

— C'est si exceptionnel. Fais-en quelque chose de spécial.

Elle lui jeta un coup d'œil par-dessus son épaule.

— Une robe ? Je n'en ai pas porté depuis au moins cinq ans. Je n'en ai jamais l'occasion.

Fugacement, il songea à la vie sociale qu'ils avaient eue, à une époque. Lui manquait-elle ? Mais comme Toby se mettait à rire alors qu'il lui chatouillait les pieds, il eut la certitude que non, elle ne la regrettait pas.

— Mike viendra peut-être chercher Toby plus tard, lui dit Emmy juste avant de partir, un quart d'heure plus tard. Toby l'adore, donc pas de problème. Ce serait même plus simple pour toi puisque tu n'aurais à t'occuper que de Gretta. Tu as nos numéros de portable ? S'il y a un problème, tu appelles. Oh !... N'oublie pas que Gretta a besoin de Kanga... S'il y a le moindre souci, Kanga le réglera. Mais n'attends pas qu'elle soit fatiguée. Et si elle a du mal à respirer, tu peux augmenter son oxygène.

— Ne crains rien, Emmy. Je suis médecin, au cas où tu l'aurais oublié, dit-il en les poussant, elle et sa mère, vers la porte.

— Et quelle expérience tu as avec les enfants ?

— Je suis obstétricien et chirurgien.

— C'est précisément ce que je voulais dire : ces mômes-là ne sont plus dans le ventre de leur mère, et tu n'auras pas d'anesthésiste à portée de main pour les endormir. En revanche, tu peux avoir recours à la pile de films que je t'ai laissée dans le salon. Et aussi au bac à sable ; Gretta adore ça, mais il faut surveiller qu'elle ne mette pas de sable sur son matériel médical.

— Vas-y, maintenant, Emmy. Adrianna, emmène-la. Tu peux compter sur moi, Emmy, tu le sais bien.

— Oui, bien sûr que je le sais.

Elle s'était un peu éloignée quand elle revint en courant vers lui pour déposer un léger baiser sur sa joue. Un simple baiser de gratitude, mais qu'il ressentit pourtant presque comme une brûlure.

— Je l'ai toujours su, ajouta-t-elle. Tu es un homme bien, Oliver. Et je sais aussi que tu aurais été un père fantastique. Le problème ne se pose plus entre nous, mais j'ai toujours autant confiance en toi, même si ce n'est que pour un après-midi.

Il la vit battre plusieurs fois des paupières — pour un peu, il l'aurait soupçonnée de refouler des larmes —, puis elle embrassa une dernière fois Gretta et Toby avant de partir, cette fois pour de bon.

Et Oliver se retrouva seul avec les enfants.

Et le silence.

Les deux petits le fixaient. Toby, dans ses bras, se pencha en arrière pour mieux le voir. Pour essayer de discerner à qui il avait affaire ? Gretta, elle, assise dans une grande poussette et calée entre plusieurs coussins, se contentait de le regarder sans qu'il puisse interpréter son expression.

Faire confiance ou non ?

Soudain, les yeux de Toby se remplirent de larmes qui commencèrent à rouler sur ses joues.

L'un et l'autre avaient subi des traumatismes, songea Oliver, le cœur serré. Ils avaient été rejetés. Oubliés. Leurs parents n'avaient pas voulu, ou pas *pu*, s'occuper d'eux, et ils souffraient de sérieux problèmes médicaux. Sans doute leur courte vie avait-elle été semée de longs séjours en hôpital. Ils avaient appris malgré eux à se taire et à ne pas crier lorsqu'ils étaient abandonnés, fût-ce pour quelques heures ou plus.

Etait-il normal d'être aussi stoïque quand on avait deux et quatre ans ? Oliver sentit son ventre se crisper.

Kanga — ce devait être Kanga : une peluche pelée, qui avait dû être bleue, avec des grandes pattes et une longue queue — traînait sur la table. Il la prit et la tendit à Toby sous les yeux écarquillés de Gretta. De toute évidence, ce n'était pas dans l'ordre des choses. C'était *son* Kanga *à elle*.

De sa main libre, il souleva la fillette de sa poussette et porta les deux enfants sous le grand chêne, au fond du jardin, là où la pelouse, un peu trop haute, était d'un vert luxuriant. Dès qu'il les eut installés dans l'herbe, Fuzzy, le chien, vint se coucher près d'eux. Lui aussi semblait méfiant. Le garçonnet tenait toujours Kanga. L'air perplexe…

Après avoir ôté ses chaussures à Gretta, il saisit Kanga et, de sa queue, lui chatouilla la plante des pieds, ce qui parut la surprendre. Il fit la même chose à Toby. Le petit parut encore plus étonné, et comme il se penchait pour s'emparer de la peluche, celle-ci s'envola pour aller taquiner le museau de Fuzzy qui chercha à la happer, mais Kanga revint jouer avec les pieds de Gretta.

Comme elle cherchait à l'attraper, Kanga bondit pour lui embrasser le bout du nez puis retourna caresser les orteils de Toby qui en gloussa de plaisir alors que la peluche sautait sur la tête de Fuzzy, lequel, cette fois, se mit à aboyer.

A cet instant, enfin, Gretta perdit son sérieux. Son petit visage fut soudain éclairé d'un sourire alors qu'elle levait une main.

— Kanga, dit-elle, et la peluche se réfugia dans ses bras.

Elle la serra aussitôt contre elle avec tout l'amour dont est capable un enfant pour son jouet préféré.

— Kanga, répéta-t-elle en la tendant vers lui.

Mais ce simple mot l'avait essoufflée. Malgré les doses d'oxygène qu'elle avait reçues, elle était encore oppressée ? Cependant elle avait envie de jouer. Et, surtout, elle avait confiance. Oliver aurait aimé la serrer dans ses bras. Elle avait quatre ans. Il l'avait vue deux fois. Et il se sentait si… si…

— Hé !

Mike. Dieu merci…, songea Oliver, qui se sentait gagné par l'émotion. Comment était-il censé détendre cette petite fille s'il songeait à ce que la vie lui réservait ? Se tournant vers la barrière, il accueillit Mike d'un sourire plein de gratitude.

— Ça va, Mike ?

— On ne peut mieux. On va à la plage. Ça te dit ?

— Je garde les enfants.

Sa réponse lui valut un regard incrédule.

— Oui, et alors ? L'un n'empêche pas l'autre. Ces deux-là adorent la plage. Katy et Drew restent à la maison, mais il y a quatre sièges auto dans le break. T'es partant ?

Il aurait aimé rester tranquillement à l'ombre, à jouer avec les petits. Oui, mais à jouer à quoi ? Il n'allait pas les chatouiller tout l'après-midi ! Et Emmy avait raison : il avait une expérience limitée dans ce domaine, c'était le moins que l'on puisse dire… En revanche, Gretta… La plage… Peut-être pourrait-il se débrouiller.

— Et si on installait un des sièges dans ta voiture de location ? suggéra Mike. Comme ça, si Gretta veut rentrer, tu pourras la ramener ici. On a aussi des tentes pour s'abriter. Le break est tellement chargé que je me demande si on ne va pas racler le bitume ! Alors, c'est oui ?

— Bon, d'accord, répliqua Oliver, à court d'arguments.

Pourtant, alors qu'il réfléchissait à ce dont ils pourraient avoir besoin, une petite voix lui souffla qu'il aurait finalement préféré rester chez Adrianna pour s'occuper seul des deux enfants, et ainsi démontrer qu'il avait les qualités requises pour être un…

Un *père* ? En veillant sur eux une heure ou deux ? Qu'espérait-il ? Ebranler sa croyance tenace selon laquelle on ne pouvait aimer un enfant qui n'était pas le sien ? Et recevoir ensuite la médaille du héros ? Bien sûr que non.

C'était juste que… qu'il avait éprouvé le sentiment, très fugace mais bien réel, qu'il s'était peut-être trompé, lorsque Toby et Gretta s'étaient mis à rire. Serait-il possible que les souvenirs de sa propre enfance désastreuse aient faussé son opinion ? Mais qu'est-ce qu'un après-midi avec ces enfants prouverait ? Rien. Il avait fait son choix cinq ans auparavant, une décision prise en toute connaissance de cause, et rien n'avait changé depuis.

Sauf que le petit visage de Gretta qui s'était épanoui à l'évocation de la plage semait à présent le chaos dans ses convictions, de même que la certitude qu'Emmy serait ravie de cette initiative.

— Alors, tu viens ou tu comptes écrire une thèse sur le pour et le contre ? insista Mike.

Réagissant aussitôt, Oliver prit Kanga des mains de Toby pour le rendre à Gretta.

— On vient, mais tu vas devoir m'aider à prendre tout ce qu'il faut. Pour l'obstétrique, j'ai mes diplômes, mais en tant que père, je suis toujours au cours préparatoire…

— Tu crois qu'il va s'en sortir ? S'il y avait un problème…

— Ecoute, au lieu de te ronger les sangs, appelle Mike et dis-lui d'aller voir. Au moins, tu en auras le cœur net.

Emmy et sa mère étaient allongées l'une à côté de l'autre sur des tables de massage, juste avant que la séance ne débute. Les tables étaient confortablement matelassées et légèrement chauffées, l'éclairage tamisé, et le bruit des vagues franchissait discrètement les hautes fenêtres. Les bougies diffusaient un agréable parfum dans la cabine.

Tout était propice à la détente, pourtant, Emmy ne cessait de se tracasser. Donc elle appela… et entendit Mike ronchonner.

— Tu n'es pas censée t'inquiéter. Retourne à ta relaxation.

— Toby est avec toi ?

— Oliver et moi nous occupons de Toby, de Gretta

et de mes gosses. On est à la plage. Tu veux voir ? Je t'envoie une vidéo, tu la regardes et tu nous fiches la paix, O.K. ? Arrête de te faire du mouron. Ollie et moi, on a les choses bien en main, conclut-il avant de couper la communication.

Interloquée, elle fixa un instant son portable. Bizarre. De savoir ses enfants hors de chez elle et *sans* elle. Avec Oliver — Ollie…

Personne ne l'appelait Ollie. Sauf elle. Et maintenant Mike aussi. C'était comme si deux parties de sa vie fusionnaient. L'ancienne et la nouvelle ?… Non, ce n'était qu'un effet de son imagination. Après cet après-midi de baby-sitting, Oliver passerait à autre chose.

Un tintement cristallin annonça l'arrivée d'un message. La vidéo promise. Lorsqu'elle cliqua sur l'icône, elle put voir Toby, avec les deux bambins de Mike, en train de décorer un château de sable à l'aide de coquillages. Enfin, le gros tas informe qui passait pour un château. A quelques mètres de là, Fuzzy creusait un trou et le chien de Mike, tout excité, aboyait furieusement.

Elle entendit Mike rire alors que Toby déversait son seau d'eau sur le château.

— Si tu crois que je n'ai rien de mieux à faire que d'aller remplir les seaux pour toi, surtout ne te gêne pas, mon bonhomme. Je suis là pour ça !

Puis le portable balaya la plage jusqu'à l'eau et, soudain, Emmy retint sa respiration. Sur l'écran venaient d'apparaître Oliver… et Gretta. Tous deux étaient assis sur le sable mouillé, là où les vagues venaient gentiment mourir ; il l'avait installée sur son genou face à la mer. A côté d'eux, il avait stabilisé, à l'aide de ce qui ressemblait à des sacs de sable, une chaise pliante sur laquelle était posé le concentrateur d'oxygène portable afin de le protéger de l'humidité. Il montra à Gretta la vague qui s'approchait.

— Attention ! Elle arrive ! Un, deux, trois…

Puis il pressa Gretta contre lui alors que l'eau les entourait et mouillait les jambes de la petite. Lui-même était en short, torse nu. Emmy en fut étrangement émue ; elle avait oublié son corps…

Non. Elle n'avait rien oublié du tout. D'ailleurs, son cœur ne se serrerait pas ainsi si c'était le cas.

— Encore ! murmura Gretta en remuant ses orteils dans l'eau.

Emmy pouvait même voir son visage ravi. A cet instant, elle était une fillette normale, qui s'amusait comme une autre enfant de son âge. Et en toute confiance dans les bras de son… de son *quoi* ?

De son ami. D'Oliver, qui refusait d'offrir son cœur.

Sans un mot, elle tendit le téléphone à sa mère dont les yeux se remplirent aussitôt de larmes.

— Oh ! Emmy…

— Oui ?

— Tu crois que… ?

— Non.

— Dommage.

— C'est comme ça. Mais pour l'instant, il rend Gretta heureuse. Et c'est tout ce qui compte.

— Quel gâchis…, soupira Adrianna.

La porte s'ouvrit et leurs masseuses apparurent.

— Vous êtes prête ? demanda celle qui devait s'occuper d'Emmy. Oui ? Alors, videz votre tête et ne pensez qu'à l'instant présent.

Plus facile à dire qu'à faire, bien sûr… Bientôt, toutefois, les mains expertes sur son corps se chargèrent de repousser toute pensée intrusive.

Assis sur le sable, Oliver regardait — et sentait — Gretta prendre un réel plaisir à leur jeu. Elle était un petit elfe fragile, totalement dépendant de l'oxygène qui lui insufflait la vie, et elle lui faisait entièrement confiance. Elle voyait les vagues arriver sans peur car elle savait qu'il la soulèverait juste à temps, qu'il protégerait sa sonde nasale, la serrerait contre lui et la garderait de tout danger.

Pourtant, le danger la guettait, et rien ni personne ne pourrait s'y opposer. Il avait parlé d'elle à Tristan qui avait confirmé le diagnostic. Avec une malformation cardiaque aussi sérieuse, ce n'était qu'une question de temps.

Un temps très court.

Aussi ces instants passés avec elle aujourd'hui étaient-ils d'autant plus précieux. Il ne la connaissait pas, elle n'était pas sa fille, pourtant elle éveillait en lui une réelle tendresse.

S'il pouvait la soulager de ses souffrances… Mais c'était impossible. Il ne pouvait pas la protéger. Pas plus elle qu'Emmy. Pourtant, Dieu sait qu'il aurait été prêt à tout pour sauver cette petite fille qui riait et gigotait dans ses bras en enfouissant le visage dans son épaule quand la vague déferlait.

Emmy l'aimait. Et elle l'avait accueillie.

Il avait pensé que… Que si Emmy pouvait avoir un enfant, son enfant *à elle*, tout serait différent. Gretta serait alors reléguée au second plan.

Mais qu'en savait-il, en fait ? Cinq ans auparavant, il avait été si sûr. De ses opinions, de ses jugements. Et si son mariage avait échoué, c'était bien pour cette raison.

Aujourd'hui, toutefois, la situation n'était plus la même.

Il n'était plus le même.

— Encore ! lui réclama Gretta.

Il se rendit alors compte qu'il avait laissé passer plusieurs petites vagues sans rien faire. Pas sérieux…

— Emmy, elle, ne se laisserait pas distraire, dit-il en soulevant la fillette qui cria de plaisir. Emmy t'aime.

Mais tandis que Gretta se pressait encore contre son épaule, la question revint de nouveau le harceler.

Avait-il commis la plus grosse erreur de sa vie ?

Pouvait-il… ?

« Occupe-toi de Gretta, se reprit-il. Le reste est trop compliqué. Il est trop tôt pour y répondre. »

A moins qu'il arrive cinq ans trop tard ?

9.

Au retour d'Emmy et d'Adrianna, les deux petits étaient propres comme des sous neufs. Oliver leur avait fait prendre leur bain, les avait mis en pyjama, avait rétabli un semblant d'ordre dans la maison et il n'était pas peu fier de ses prouesses de baby-sitter. Les enfants étaient fatigués, mais heureux, et il ne restait plus à Emmy et à Adrianna qu'à leur donner leur dîner et à les coucher. Il pouvait partir avec le sentiment du devoir accompli…

Toutes deux étaient resplendissantes — mine superbe et cheveux brillants. De toute évidence elles avaient aussi fait un peu de shopping. Emmy portait une nouvelle écharpe dans les tons fuchsia qui lui allait à ravir.

— Waouh…, murmura-t-elle sur un ton impressionné.

Elles promenèrent leurs regards incrédules sur la cuisine. Assis à la table, Toby et Gretta attendaient sagement les toasts qu'il était en train de faire griller pour les faire patienter jusqu'au dîner.

— Eh bien… Il n'y a même pas le moindre jouet qui traîne, dit Adrianna.

— Mike les a emmenés à la plage, lui rappela Emmy.

Néanmoins elle lui souriait avec une gratitude sincère. Il prit un air faussement blessé.

— J'ai dû briquer la salle de bains. Je n'ai pas chômé, je t'assure…

— Je m'en doute, répliqua Adrianna qui s'affala en soupirant sur une chaise. Et si je préparais des œufs aux enfants ? Les toasts pourraient servir de mouillettes. Ensuite, je les mets au lit et j'y vais moi aussi. Je suis épuisée.

Elle se tourna alors pour dévisager Emmy.

— Mais toi, tu n'es pas prête à aller dormir. Il est encore tôt. Allez plutôt dîner dehors, tous les deux.

Emmy la fixa comme si elle avait perdu la raison.

— Dîner ? Mais…

— Oui. Dans un bon restaurant. Ou un petit boui-boui qui surplombe la baie, pourquoi pas ? Ce serait dommage de ne pas profiter de cette soirée superbe. Tu as des projets, pour ce soir, Oliver ?

— Euh… non, mais…, balbutia-t-il, pris au dépourvu.

— Alors, allez-y. Je suis sûre que vous en avez autant envie l'un que l'autre.

— Maman…

— Allez, hop ! Dehors, tous les deux ! Et pas de bruit en rentrant ; pas question de réveiller les petits…

La nuit était douce et calme, ce qui était plutôt inhabituel pour Melbourne, où les quatre saisons pouvaient aisément se succéder en une seule journée. Mais ce soir, les dieux leur souriaient. Oliver passa leur commande au *fish and chips* du quartier, puis acheta une bouteille de vin à l'épicerie voisine.

Ils avaient fait cela si souvent…, songea Emmy.

— Tu sais que j'ai encore notre couverture de pique-nique ? dit Oliver. Mais elle est dans le coffre de la Morgan.

— Oh ! Désolée.

— Ne le sois pas. Réjouis-toi plutôt que ton break n'ait que quelques éraflures. Tu en as trop besoin pour… Hé ! Regarde !

Une table très bien située sur le front de mer venait de se libérer et Oliver s'empressa d'aller y prendre place avant qu'un groupe de jeunes l'atteigne. Il fit signe à Emmy de se dépêcher de le rejoindre.

— Tu es pire que des mouettes sur un morceau de pain, commenta-t-elle, amusée, en s'asseyant face à lui.

— C'était un de mes talents. Tu t'en souviens, je suppose ?

— J'essaie de *ne pas* m'en souvenir.

— Et tu y arrives ?

Elle n'avait pas de réponse à lui donner. Ils commencèrent donc à manger en suivant des yeux quelques véliplanchistes, au loin, mais la question restait là, suspendue entre eux.

Combien de temps fallait-il pour oublier un mariage ? Et était-ce seulement possible ?

— Comment s'est passé ton séjour aux Etats-Unis ? s'enquit-elle pour rompre le silence qui commençait à devenir oppressant.

— Super… J'ai beaucoup appris.

— Tu étais un obstétricien quand tu es parti, et à ton retour…

— Je suis *toujours* un obstétricien avant tout.

— Mais tu as acquis les compétences qui t'ont permis de sauver le bébé de Ruby, et d'autres, bien sûr. Tu dois t'en féliciter.

— Emmy…

— Tu n'aurais jamais pu le faire si nous étions restés ensemble.

Elle était résolue à aborder ce sujet d'une façon naturelle, afin de pouvoir évoquer leur mariage comme un épisode tout simple de leur passé.

— Ce qui m'étonne, tout de même, c'est que tu n'aies toujours pas rencontré une autre femme et que tu n'aies fait aucune démarche pour divorcer. D'ailleurs, c'est plus ou moins pour ça que nous nous sommes séparés, non ? D'une certaine manière, j'avais envie de… de t'imaginer marié avec deux ou trois enfants.

— Etait-ce vraiment ce que tu souhaitais ?

Devant sa réponse un peu sèche, elle faillit renverser son verre. Elle le reposa prudemment et rencontra son regard.

— C'est ce que *tu* souhaitais. Et c'est la raison pour laquelle j'ai accepté notre séparation.

— Je croyais que tu voulais te remarier parce que tu avais besoin d'un conjoint pour pouvoir adopter.

— Je désirais des enfants, c'est vrai, dit-elle d'une voix faible, presque un murmure. Mais je n'ai jamais voulu d'autre mari que toi.

— Permets-moi d'en douter.

— Tes conditions étaient trop dures, Oliver. Peut-être que maintenant… Peut-être qu'avec un peu de recul, ce serait différent. Mais nous avions perdu Josh et j'étais si… à vif, j'avais un tel besoin de… d'attention… Tout ce que je souhaitais était avoir un enfant à bercer, à câliner… J'ai l'impression que je devais être un peu folle. J'exigeais bien trop de toi. Je ne me rendais pas compte que tu avais été blessé et que…

— Je n'ai pas été blessé.

— N'oublie pas que j'ai rencontré tes parents adoptifs, et ton épouvantable frère.

— Il y a longtemps que j'ai surmonté tout ça.

— Peut-on jamais surmonter le fait de ne pas avoir été désiré ? Tu as été adopté, a priori aimé, et, soudain, tu as été évincé par le « vrai » fils de tes parents. Ç'a dû être effroyable, pour toi.

— C'est de l'histoire ancienne.

— Bien sûr que non. Ce qui t'est arrivé a façonné ta personnalité. Peut-être…

Elle hésita, mais cette idée, depuis cinq ans, revenait régulièrement la hanter.

— Peut-être est-ce même à cause de ce traumatisme que tu n'as pas fondé de famille : tu crains qu'il rejaillisse sur les enfants que tu pourrais avoir, adoptés ou non. Cela expliquerait pourquoi tu n'as pas franchi le pas. Aurais-tu aimé Josh, Oliver, ou lui en aurais-tu voulu de connaître la tendresse qu'on ne t'a jamais donnée ?

— C'est du délire.

— Ah oui ? Alors, pourquoi ne pas divorcer ? Pourquoi ne pas te remarier ?

— Parce que je t'aime toujours, dit-il dans un souffle.

Elle se figea. Et avec elle, c'est toute la nuit qui s'immobilisa.

Parce que je t'aime toujours.

Se penchant, il lui effleura le poignet du bout des doigts, et cette caresse l'électrisa. Cinq ans plus tôt, ils avaient rompu. Avaient-ils commis une erreur ? Pourraient-ils simplement… retrouver ce qu'ils avaient perdu ?

— Emmy…

Il se leva, contourna la table pour venir s'asseoir à côté d'elle et prendre ses mains entre les siennes.

— Emmy… Tu le sens, toi aussi, n'est-ce pas ?

Elle frémit. Comment pourrait-elle ne *pas* le sentir ? Elle l'aimait toujours, et de toute la force de son cœur. Elle lui avait donné un fils. Oliver… Son mari…

— Emmy, répéta-t-il, en l'attirant vers lui.

Instinctivement elle leva son visage parce qu'une partie d'elle-même n'avait jamais renoncé à lui, et quand sa bouche s'empara de la sienne, le monde extérieur disparut. Seul comptait Oliver.

Elle eut l'impression de se fondre en lui. Son corps se languissait de lui depuis cinq ans et, soudain, il lui semblait reprendre vie sous la chaleur, la passion, la force, et le sentiment de sécurité qui l'emplissait… Même si, quelque part dans un coin de son cerveau, elle refusait encore d'y croire.

« Ce n'est qu'un souvenir du temps passé. Et ce sera encore plus douloureux lorsque cette fragile flamme s'éteindra à jamais. »

Mais elle était incapable de le repousser. Il l'étreignait avec force, comme s'il l'aimait vraiment, l'embrassait sans se soucier des gens qui les entouraient. Et même si ce n'était qu'un désir éphémère, elle répondait à son baiser avec la même fougue. Elle avait trop envie, trop besoin de cet homme…

Lorsque, au bout de ce qu'il lui sembla une éternité, ils

s'écartèrent à regret l'un de l'autre, ils découvrirent avec stupéfaction qu'ils avaient un public : le groupe de jeunes n'avait visiblement rien perdu de leur échange. En outre, pendant ce temps, des mouettes avaient picoré dans leur assiette et emporté quelques frites… Mais elle s'en moquait. Ce n'était certainement pas cela qui allait gâcher ce qui venait de se passer.

Comment cela avait-il pu arriver ? C'était comme s'ils avaient été de nouveau des adolescents, si absorbés l'un par l'autre que le monde autour d'eux s'était effacé.

Cependant, le monde existait bel et bien. Et il était temps d'y retourner…

— Nous allons devoir nous concentrer sur ce qui va se passer maintenant.

— C'est certain, répondit-il avec un regard entendu.

Il avait toujours lu dans son esprit comme dans un livre ouvert, et, soudain, elle lui en voulut d'y voir des choses qu'elle-même ignorait.

En revanche, il gardait pour lui-même une certaine part d'ombre. Ils avaient été mariés cinq ans, pourtant elle ne s'était pas rendu compte à quel point les blessures laissées par son enfance étaient profondes jusqu'à ce que la question de l'adoption se pose. Elle avait rencontré ses parents adoptifs, avait compris qu'ils étaient mesquins, mais Oliver avait toujours éludé le sujet comme s'il ne valait pas la peine de s'y attarder.

— Ils m'ont élevé, m'ont offert un bon départ, j'ai suivi mes études de médecine et je leur en suis reconnaissant.

Sauf que ce n'était pas vrai. Lorsque, après avoir perdu Josh, elle avait finalement évoqué l'adoption, elle avait provoqué chez lui une colère et une douleur telles qu'ils en avaient été tous les deux profondément choqués.

Alors non, elle ne connaissait pas cet homme. Pas plus maintenant qu'à ce moment-là.

Et ce n'était pas un baiser qui améliorerait la situation.

D'après lui, il l'aimait toujours, pourtant il l'avait quittée en l'encourageant à trouver quelqu'un qui saurait réaliser ses rêves.

— Emmy, je voudrais…

— … manger ton poisson avant qu'il refroidisse ?

Elle s'était empressée de lui couper la parole avant qu'il puisse dire quelque chose de sérieux, quelque chose en accord avec les émotions qui ravageaient ses traits, avec celles qui serraient sa propre gorge. Devait-elle comprendre que ce qui avait scellé leur couple était toujours là, bien présent ?

Non. C'était terminé, se dit-elle farouchement. Après avoir connu la douleur de la séparation, il était hors de question pour elle de la vivre une seconde fois. L'amour ? Même ce mot lui semblait dénué de sens.

— Tu as raison, dit-elle avant de porter une bouchée à ses lèvres bien que la faim l'ait désertée. D'ailleurs, il vaut mieux que je ne traîne pas trop. Je dois retourner auprès des enfants. Ce baiser était stupide, Oliver. Alors nous allons tous les deux l'oublier et passer à autre chose.

— Tu crois vraiment que c'est possible ?

— Bien sûr. Dépêche-toi de finir ton assiette avant que les mouettes s'en chargent pour toi.

La maison était plongée dans l'obscurité. Oliver s'apprêtait à l'accompagner jusqu'à la porte, mais elle l'en dissuada.

— J'ai besoin de dormir, Oliver. Bonsoir.

Ce n'était pas très gentil de sa part, songea-t-elle en refermant en hâte la porte d'entrée sur elle. Jamais elle n'aurait eu cette attitude désagréable avec un étranger. La moindre des choses aurait été de le remercier.

Sauf que… il l'avait embrassée. Il lui avait dit qu'il l'aimait encore. Mais si elle voulait continuer à travailler au Victoria, il était indispensable qu'elle reste en bons termes avec lui.

Résolument, elle attrapa son téléphone et écrivit un texto.

Merci pour aujourd'hui. C'était vraiment

généreux de ta part. Le baiser était une erreur, mais les mouettes nous en sont reconnaissantes ! Et maman et moi le sommes aussi.

Voilà. C'était exactement ce qu'il fallait. Un message très léger. Inclure les mouettes et sa mère pour remercier quelqu'un qu'elle avait bien connu pour son geste désintéressé.

Seulement… c'était plus que cela… Oui, impossible de le nier. Il l'avait embrassée. Elle pouvait encore sentir ses lèvres sur les siennes. Et le goût de son baiser.

Après cinq ans, son corps ne l'avait toujours pas oublié. Et le désirait encore.

Avait-elle commis une grosse erreur en acceptant leur séparation ? Son corps disait que oui, mais ici, dans la maison silencieuse, alors qu'elle écoutait les respirations paisibles de ces deux enfants qui étaient devenus les siens, sachant pertinemment où ils seraient si elle ne les avait pas accueillis, elle ne pouvait avoir aucun regret. Son esprit, en tout cas, n'en avait pas.

Même si son cœur et son corps lui soufflaient un tout autre message…

Oliver ne parvenait pas à quitter la maison des yeux. Bizarrement, il avait le sentiment que sa famille s'y trouvait.

Ce qui était stupide. Cinq ans plus tôt, il avait posé un ultimatum avant de se résoudre à tourner la page, et ce laps de temps lui avait permis d'acquérir les compétences qui l'avaient propulsé au top des spécialistes de la chirurgie *in utero*. Des bébés avaient survécu grâce à lui. Ce qui ne serait jamais arrivé s'il était resté ici — s'il était devenu un membre de la ménagerie d'Emmy.

Il tenta de se secouer ; il ne pouvait pas rester planté là, devant chez elle, tel un voyeur. Si seulement il avait pu prendre sa Morgan pour longer la côte, pour échapper aux émotions qui le torturaient ; rouler en décapotable lui aurait mis du baume au cœur. Mais Emmy l'avait démolie. Et comme si cela ne lui avait pas suffi, elle avait aussi brisé l'équilibre qu'il avait réussi à atteindre au cours de ces dernières années, avait anéanti cette chimère selon laquelle il était un solitaire, un homme qui n'avait besoin de personne.

Il avait besoin d'elle. Il la désirait passionnément. Leur baiser, ce soir, avait fait voler en éclats toutes les illusions derrière lesquelles il s'était retranché.

Son portable tinta ; il l'ouvrit pour lire le message d'Emmy qui le remerciait poliment de cette soirée, et referma brutalement l'appareil.

Elle traitait leur baiser d'*erreur*, et c'était sans doute ce qu'il y avait de mieux à faire. En attendant, il n'allait pas rester là. Elle finirait par le remarquer, et de quoi aurait-il l'air ? Il se dirigea donc vers sa voiture de location. Il avait un studio à l'hôpital, mais, trop préoccupé pour songer à dormir, il préféra prendre le chemin de la plage.

Après s'être garé, il ôta ses chaussures et marcha sur le sable. Beaucoup de couples se promenaient, main dans la main, et l'un d'eux, en particulier, retint son attention ; tous deux devaient avoir dans les soixante-dix ans, peut-être même plus, et l'homme boitait. Un problème de hanche ? La femme avait glissé son bras sous le sien, visiblement pour l'aider. Cependant, de toute évidence, son soutien n'était pas que physique. L'amour qui les unissait depuis des décennies allait bien au-delà.

Et c'était exactement ce qu'il désirait partager de nouveau avec Emmy… Mais pourrait-il adopter les enfants ? Pourrait-il prendre ce risque ? Encore que… était-ce vraiment un risque ? Il avait tenu Gretta dans ses bras, et ce qu'il avait ressenti…

Elle souffrait du syndrome de Down associé à des complications. D'après Tristan, son espérance de vie était de quelques mois à peine. Il serait stupide, voire impossible, de trop s'investir émotionnellement pour une fillette aussi atteinte.

Il pouvait encore entendre sa propre mère adoptive…

« Ce n'est pas comme s'il était vraiment notre fils. Si nous n'avions pas eu Brett, nous n'aurions jamais su ce qu'est vraiment l'amour. Et maintenant nous sommes coincés avec lui. C'est un peu comme d'avoir un coucou dans son nid. »

S'il devait jamais éprouver cela… Non, c'était trop dur. Il ne savait pas quoi penser. Quoi ressentir.

Mais Emmy avait choisi. Elle avait accepté qu'il reprene sa liberté afin qu'il puisse trouver quelqu'un d'autre avec qui il pourrait avoir des enfants *à lui*. Des enfants qu'il pourrait vraiment aimer.

Bon sang… En soupirant, il laissa son regard glisser sur l'eau qu'éclairait la lune et où se reflétaient des myriades d'étoiles.

Il voulait Emmy auprès de lui. Mais elle n'était plus seule. Elle avait Gretta et Toby. Sa mère… Des êtres qu'elle aimait.

Elle n'avait pas de place pour lui.

Et c'était peut-être mieux ainsi, songea-t-il en enfonçant les mains dans ses poches. Jamais il n'aurait dû venir travailler au Victoria. S'il avait su qu'Emmy y exerçait…

Alors ? Devait-il aller ailleurs ?

Pourquoi pas ? Il s'était mis d'accord avec Charles Delamere pour un essai de trois mois.

Il avait donc douze semaines pour se décider.

10.

Il était encore très tôt quand Oliver prit son service, le lundi matin. Comme il était passé voir Ruby la veille, et qu'elle et son bébé se portaient bien, il décida de ne pas lui rendre visite tout de suite et se réfugia dans son bureau. Après avoir répertorié ce dont il aurait besoin pour ses futures recherches, il contrôla le tableau de service des sages-femmes afin de choisir un moment où il ne risquait pas de croiser Emmy.

Il se dirigeait donc discrètement — du moins le croyait-il — vers la maternité, quand Isla Delamere surgit dans le couloir, l'air stressé. Son soulagement fut toutefois manifeste dès qu'elle l'aperçut.

— Oliver, tu tombes bien Je sais que tu es spécialisé dans les interventions *in utero* et que tu consacres le reste de ton temps à tes recherches, mais tu es avant tout un obstétricien, non ?

— Absolument, répondit-il, intrigué par cette entrée en matière.

— J'ai quatre naissances sur le feu, si je puis dire, et nous sommes débordés. Deux accouchements posent problème. Emmy s'est chargée de l'un d'eux, moi de l'autre. Ma parturiente est du genre mondaine capricieuse… Elle avait réservé une chambre dans un établissement privé, mais a fait une crise d'hystérie dès les premières douleurs, si bien que son mari nous l'a amenée parce que c'était plus près, mais je peux me débrouiller avec elle. Quant à Emmy, elle s'occupe d'une mère de substitution qui porte l'enfant de sa sœur — c'est l'ovule de sa sœur et le sperme de son beau-frère, tout est très bien organisé. Ce qui l'est moins, c'est l'émotion que ça génère. Maggie est une multipare qui a déjà eu quatre enfants à elle et pour qui tout s'était très bien passé, mais pour celui-ci, la dilatation est ralentie, ce qui rend la sœur hystérique. Le problème, c'est qu'on ne peut pas la mettre dehors, alors Emmy a besoin de renfort, Oliver. Notre interne est clouée chez elle avec quarante de fièvre, Darcie assiste à une conférence, et Sean est en pleine césarienne, donc il ne reste plus que toi. Tu peux nous donner un coup de main ?

— Oui, bien sûr.

— Parfait. Tiens, je te donne le dossier. Salle 4.

— Tu t'en sortiras, avec ton cas ?

— Ma parturiente veut de la péthidine, de la morphine, un bloc rachidien, une amputation à la taille, un transport immédiat à Hawaii, et récupérer son corps, répliqua Isla avec une sombre ironie. Et le col n'est ouvert que de deux centimètres… Mais j'ai connu pire. En revanche, Emmy n'a pas l'air de s'amuser ; elle a besoin de toi. Vas-y.

La dernière fois où il l'avait vue, ils s'étaient embrassés. Et maintenant…

Emmy, de toute évidence, s'apprêtait à procéder à un examen vaginal. Le regard qu'elle lui adressa n'avait rien à voir avec leur baiser. Son soulagement était purement professionnel.

— Voici le Dr Evans, annonça-t-elle aux personnes présentes dans la salle. C'est un de nos meilleurs obstétriciens. Tu es entre de bonnes mains, à présent, Maggie.

— Elle n'a besoin de personne.

La femme qui venait d'intervenir était la copie conforme de celle qui était allongée sur la table, sauf qu'elle avait quelques années de plus et était élégamment vêtue.

— Tu as juste à pousser, Maggie, dit-elle en ignorant Oliver. Trente-six heures, c'est bien trop long. Allez, vas-y, pousse…

Comme il croisait le regard implorant d'Emmy, Oliver comprit sans mal ce qui se passait. Un homme, sans doute le mari de Maggie, était assis près d'elle et lui tenait la main ; il avait l'air aussi stressé que son épouse. La sœur était elle aussi accompagnée d'un homme avec un pull en cachemire d'excellente qualité. Tous deux guettaient anxieusement la naissance de leur enfant.

Oliver avait déjà assisté à ce genre de situation, et remarqué l'émotion très forte qu'elle générait. La maternité de substitution rémunérée était interdite dans ce pays, il fallait donc que ce soit un don. Et quel don ! Porter un enfant pour sa sœur…

Pour Maggie, toutefois, le sujet n'était pas d'actualité ; elle semblait au bord de l'épuisement.

Trente-six heures…

— Allez, Maggie…, l'encouragea de nouveau sa sœur. Tu as mis tous tes enfants au monde en moins de douze heures et on dit que plus on en a, plus ça va vite. Alors tu peux y arriver.

— Elle a besoin de le faire à son propre rythme, intervint Emmy. Ce bébé naîtra lorsqu'il sera prêt.

A en juger la pointe d'exaspération dans sa voix, elle répétait ce qu'elle avait déjà dû dire plusieurs fois.

— Mais tout ce qu'elle a à faire, c'est de pousser…

En ayant assez entendu, Oliver lui coupa la parole.

— Donnez-moi vos noms, ce sera plus facile. Maggie, je connais déjà le vôtre…

— Je suis Rob, son mari, dit sur un ton très las l'homme qui tenait la main de Maggie. Leonie est sa sœur et l'épouse de Connor. Le bébé est le leur.

— Bien. Il faut que les choses soient claires, dit Oliver, sans s'énerver mais en restant ferme et concentré sur Maggie. Ce bébé sera peut-être celui de Leonie et de Connor une fois qu'il sera né, mais pour l'instant, il est celui de Maggie. Pour que la naissance se passe bien, elle doit le considérer comme *son propre* enfant. Alors, compte tenu de son état de fatigue, il vaudrait mieux que vous alliez attendre dans la salle voisine. Elle a besoin d'espace.

— Mais c'est *notre* enfant ! protesta Leonie d'un air horrifié. Maggie était d'accord pour…

— Pour le porter, oui.

Emmy le fixait d'un air inquiet, attendant manifestement de voir où il voulait en venir.

— Pour le moment, le corps de Maggie, lui, est persuadé que c'est le *sien* et si on lui dit le contraire, il risque de bloquer la progression de l'accouchement. Je regrette, mais si vous ne voulez pas que votre sœur subisse une césarienne, vous devez sortir.

— Oh ! non ! s'exclama Leonie. Nous voulons assister à la naissance de notre fille !

— Vous pourriez le faire depuis la cabine d'observation destinée aux étudiants. C'est une vitre sans tain, ajouta-t-il en désignant un grand miroir au bout de la salle. Maggie, êtes-vous d'accord pour que votre sœur et son mari assistent à la naissance de là-bas ?

— Je veux juste… accoucher… à mon propre rythme, murmura Maggie.

— Mais je veux être la première à la tenir dans mes bras, insista Leonie.

Oliver dut se retenir pour ne pas la saisir par le col de son chemisier et la traîner hors de la salle… S'il pouvait comprendre l'impatience et l'angoisse de cette femme, il plaçait avant toute chose la santé de Maggie et de son bébé. Le reste passait en second.

— Ce que Maggie fait pour vous est sans doute ce qu'une femme peut faire de plus généreux pour une autre, dit-il, se forçant à se montrer conciliant. Elle porte votre fille, mais, pour l'instant, ce qui compte pour elle, c'est de croire que c'est *son* enfant. Il faut que vous gardiez bien cela à l'esprit. Ce bébé naîtra quand Maggie le décidera. Quand son *corps* et ses *hormones* le décideront, et lorsque la petite sera née, ce sera son droit de choisir le moment de vous la donner. Emmy, es-tu d'accord ?

— Oui, tout à fait, répliqua-t-elle en hochant lentement la tête.

Emmy était jusqu'ici restée silencieuse, les yeux fixés non pas sur lui, mais sur Maggie. D'après son expression, il était clair qu'elle avait tenté d'amadouer les parents biologiques, mais ceux-ci étaient si habitués à user de leur autorité qu'ils l'avaient probablement exercée sur Maggie, sans écouter Emmy.

Ce n'était pas pour rien qu'Isla l'avait envoyé ici. Si l'accouchement s'était déroulé normalement, Emmy n'aurait pas eu besoin de lui, mais étant donné l'état d'épuisement de Maggie, des complications étaient à envisager.

— Maggie, souhaitez-vous être un peu seule ?

La gratitude qu'il lut dans ses yeux lui confirma que son intuition avait été la bonne.

— Oui. Je sais que j'avais dit à Leonie qu'elle pourrait être là, mais…

— Mais votre corps a besoin de calme, termina-t-il pour elle.

Sans hésiter, il s'avança vers la porte et l'ouvrit en grand.

— Leonie et Connor, je regrette, mais je dois vous demander d'aller dans la cabine d'observation, si Maggie y consent, bien sûr. Toutefois, le miroir est un écran électrique. Nous l'éteindrons le temps de faire un examen du col, et nous le rallumerons dès qu'elle le décidera. Est-ce ce que vous souhaitez, Maggie ?

— Je… oui.

— Mais elle avait promis…, commença Leonie.

— Votre sœur vous a promis un bébé, Leonie, la coupat-il. En échange, le minimum que vous puissiez lui offrir est un peu d'intimité à ce stade du travail. Je suis certain que vous le comprendrez.

Le visage de Leonie se crispa alors qu'elle luttait contre les larmes.

— Oh ! Maggie… Je suis désolée, je…

Totalement absorbée par la perspective de devenir mère, elle en avait oublié sa sœur, songea-t-il en la voyant essuyer ses yeux. Comme pour n'importe quelle femme dans l'univers, seul comptait son bébé.

Il lui tint la porte ouverte, se plaçant de sorte à lui cacher sa sœur. Maggie n'avait pas besoin à cet instant de subir l'émotion des autres. Son seul souci devait être l'enfant à venir.

— Nous vous appellerons quand Maggie sera prête à vous recevoir, déclara-t-il avec un grand sourire. Vous avez une machine à café au bout du couloir. Installez-vous tranquillement pendant que Maggie met votre fille au monde.

Devant son ton aimable mais sans appel, tous deux n'eurent d'autre choix que d'obtempérer.

Emmy éprouva un tel soulagement qu'elle se serait volontiers abandonnée contre Oliver pour pleurer.

Ces deux dernières heures avaient été un vrai cauchemar. Chacune de ses suggestions avait été écartée ou critiquée par Leonie qui « savait tout ». Liée par sa promesse, Maggie avait été incapable de tenir tête à sa sœur, et Emmy avait dû respecter son choix. Mais Oliver avait renversé la situation et, à présent, ils n'étaient plus que quatre dans la salle d'accouchement.

— J'ai supprimé le son et l'image de la cabine d'observation pour l'instant, annonça Oliver. Nous les rétablirons quand vous serez prête, Maggie. Encore que je vous conseille de ne pas remettre tout de suite le son. Comme ça, vous vous sentirez libre de dire ce que vous voulez ou même de hurler si vous le souhaitez, et nous serons les seuls à vous entendre.

— Elle voudrait être ici, murmura Maggie en s'agrippant à la main de son mari.

— Oui, mais dans l'immédiat, il s'agit uniquement de vous et de *votre* enfant, répliqua Oliver. Emily, tu devais l'examiner. Maggie, voulez-vous que je sorte ?

Emmy haussa les sourcils. Un obstétricien qui proposait de sortir pendant l'examen du col de l'utérus par la sage-femme ? Décidément, Oliver était plein de surprises.

— Mais vous êtes médecin, murmura Maggie d'un air décontenancé.

— En effet.

— Alors, restez. J'ai besoin de… Enfin, je veux dire…

— Tu as besoin de l'influence d'Oliver sur ta sœur, termina Emmy pour elle. Tu as besoin d'un homme qui sait prendre les choses en main, et tu l'as en la personne de ce médecin ici présent. Oliver sait ce qu'il veut et comment l'obtenir. Pour l'instant, ce qu'il veut, c'est une naissance en douceur et sans histoire pour ton bébé, et si quelqu'un peut y parvenir, c'est bien lui.

Il resta donc. Comme, apparemment, le travail n'avait pas progressé depuis des heures, Emmy proposa à Maggie un léger massage. Fasciné, il suivit des yeux ses mains fines tandis qu'elles exerçaient leur magie sur le corps de Maggie, apaisaient la douleur, évacuaient le stress.

A une époque, lui aussi, elle l'avait massé. Il avait tellement aimé sentir ses paumes glisser sur sa peau…

Une sérénité bienvenue plana dans la pièce. A la demande de Maggie, il réactiva la vitre sans tain de la cabine d'observation afin que Leonie et Connor puissent assister à la naissance, mais elle se rangea à son avis pour le son. Rien de ce qu'elle dirait ne sortirait de la salle.

Sous l'effet des doigts d'Emmy, Maggie se détendit et le miracle s'accomplit : les contractions reprirent, fortes et régulières, et, bientôt, ce fut l'étape suivante.

— Elle arrive, murmura Maggie. Oh ! Je veux la voir.

Oliver la souleva d'un côté, Rob de l'autre, tandis qu'Emmy l'encourageait sans relâche.

— J'aperçois le haut de son crâne… Allez, Maggie, pousse encore une fois…

Enfin, le bébé glissa dans les mains tendues d'Emmy. Avec une extrême douceur, elle le déposa aussitôt sur le ventre de Maggie afin que celle-ci puisse le toucher et avoir la certitude qu'elle avait mis au monde une petite fille bien formée et bien vivante.

Les larmes aux yeux, Maggie enveloppa d'un bras protecteur la minuscule nouveau-née puis lui caressa délicatement la joue. Voyant ses traits s'altérer, Oliver éteignit de nouveau la vitre de la cabine d'observation avant de passer la tête par la porte.

— Tout va bien, dit-il à Leonie et Connor, dont les visages étaient presque écrasés contre la paroi de verre.

Tous deux se tournèrent vivement, mais il les empêcha de passer lorsqu'ils s'avancèrent vers lui.

— Vous avez pu voir que nous avons une jolie petite fille en bonne santé, mais nous allons devoir réparer une légère déchirure avant de vous laisser entrer.

— On ne peut pas la prendre ? demanda Leonie. La garder dans les bras le temps de…

— Il faut d'abord qu'elle reste avec Maggie. Le fait de l'avoir contre elle et de la laisser prendre le sein accélérera l'évacuation du placenta. Les besoins de Maggie sont prioritaires. Je suppose que vous le comprenez ?

— Oui…, murmura Leonie. Oui, bien sûr. Mais… nous nous étions mis d'accord pour qu'elle ne l'allaite pas. J'ai tellement envie de la tenir dans mes bras…

— Vous aurez tout le temps voulu pour le faire, mais le colostrum est une étape importante dans le processus de la naissance. Je comprends ce que vous éprouvez, mais promesses ou non, je dois me concentrer sur Maggie pour l'instant.

Après avoir refermé la porte, il changea de place avec Emmy afin de s'occuper de la délivrance du placenta. La naissance avait été tout à fait normale, et sa présence n'était plus nécessaire, mais il savait que, sitôt qu'il quitterait la salle, Leonie et Connor tenteraient de s'imposer.

Maggie eut un sourire rayonnant lorsque sa fille trouva un de ses seins et se mit à téter avec avidité. Assis près d'elle, silencieux, une main posée sur son bras, Rob observait la nouveau-née avec une émotion palpable.

— En fait, il n'existe aucune loi qui oblige une mère de substitution à donner son bébé, dit doucement Oliver. Quelle que soit la façon dont il a été conçu. Si vous voulez la garder, Maggie, vous êtes légalement la mère de cette enfant. Il est encore temps pour vous de revenir sur votre décision…

Mais Maggie sourit en contemplant la nouveau-née avec amour, avec émerveillement.

— Ce bout de chou est la fille de Leonie, murmura-t-elle. Je sais que vous n'avez pas eu une bonne impression de ma sœur ; les circonstances ne s'y prêtaient pas — avec la durée de l'accouchement, rien d'étonnant si elle était dans tous ses états. Mais je vous suis profondément reconnaissante d'avoir organisé ce moment d'intimité afin que nous puissions dire au revoir à cette petite avant de la confier à sa mère avec tout notre amour.

Comment pouvait-elle consentir à l'abandonner ? se demanda-t-il, stupéfait. A présent, la nouveau-née tétait l'autre sein. L'osmose semblait totale. Parfaite.

— Ce n'est pas comme si nous la perdions complètement, expliqua Rob en effleurant la joue du bébé. Elle sera notre nièce et notre filleule.

— Et sans doute plus que ça, même, ajouta Maggie qui semblait ne pouvoir se départir de son sourire. Et puis nos enfants auront une cousine… D'ailleurs, on voit bien qu'elle n'est pas à nous. Elle a les cheveux de Connor et elle ne ressemble à aucun des nôtres. Mais cet instant a été très précieux…, ajouta-t-elle en levant vers eux des yeux brillants de larmes. Emmy, tu peux leur demander de venir, maintenant ?

— Tu es sûre ? Maggie, c'est *ta* décision. Comme te l'a dit Oliver, tu peux encore en changer.

— Je ne reviendrai pas sur ma promesse, répondit Maggie avec une sérénité que rien ne paraissait pouvoir troubler. Durant toute la grossesse, elle était mon bébé, et c'était ce que je voulais éprouver. Mais maintenant… Maintenant il est temps pour ma sœur de faire connaissance avec sa petite fille…

— Comment peut-elle faire une chose pareille ? demanda Oliver, encore sous le choc. Donner l'enfant qu'elle a porté…

Emmy et lui venaient de quitter la salle où Leonie, le visage mouillé de larmes, berçait son bébé sous le regard émerveillé de Connor.

— Par amour, répondit Emmy avec douceur tandis qu'ils se dirigeaient vers les lavabos.

— Tu crois sérieusement que Leonie sera une bonne mère ?

— Sans aucun doute. J'ai pu l'observer pendant la grossesse de Maggie ; elle l'a accompagnée d'un bout à l'autre. Oui, c'est une femme d'affaires, mais elle l'est devenue précisément parce que Connor et elle ne pouvaient pas avoir d'enfants. Et contrairement aux apparences, elle et Maggie s'adorent.

— Donc, pour toi, elle s'occupera aussi bien de cette fillette que Maggie ? insista-t-il, perturbé.

— Aucune idée. Mais je suis sûre en revanche que cette petite recevra tout l'amour dont elle a besoin, et c'est ce qui compte. Je sais que, pour toi, c'est difficile à concevoir, mais cette croyance te vient de ton propre chagrin. As-tu déjà pensé à te faire aider ?

— Tu veux dire par un *psy* ? lança-t-il, se rebellant à cette idée.

— Un thérapeute. Nous en avons de très bons, ici.

— Je n'ai pas besoin de thérapie.

— Moi, je trouve que ce serait bien, au contraire, Ollie. Tu gardes au fond de toi une colère non résolue à cause de ton enfance… Elle a même détruit notre mariage. L'adoption te terrifiait. Aurais-tu peur de ta réaction envers les enfants ?

— Ne dis pas n'importe quoi.

Elle jeta sa tenue stérile dans la poubelle prévue à cet effet.

— D'accord… Tu sais, je m'interrogeais l'autre jour, après que tu m'as embrassée. Combien de femmes as-tu connues, après moi ? J'ai l'impression qu'il n'y a pas dû en avoir beaucoup. Pourquoi ?

Elle l'observait avec une attention troublante. Et un intérêt sincère. Sage-femme et infirmière très compétente, elle était habituée à s'occuper des bébés, mais aussi des parents. Peut-être parvenait-elle à voir au-delà des apparences… A moins qu'elle soit à cet instant simplement Emmy, son ex-femme.

— Emmy, j'aimerais revoir Gretta et Toby.

D'où cette idée incongrue surgissait-elle ? Il en fut le premier surpris. Encore que… Lorsque, sur la plage, il avait tenu dans ses bras cette fillette à qui il restait si peu de temps à vivre, il avait éprouvé… quoi ? Un détachement professionnel ? Non. Un obstétricien incapable de partager la joie d'un enfant ferait aussi bien de devenir comptable. Alors ? De la tristesse ? Non, ce n'était pas cela non plus.

Il avait éprouvé… un sentiment de paix. Oui. Il s'en rendait compte à présent. Alors qu'il était assis sur le sable, les vagues venant lui lécher les pieds, il avait ressenti le plaisir de la petite et aussi l'affection profonde dont l'entourait Emmy. Emmy qui avait réussi à lui rendre son sourire. Parce que, sans elle, inutile de s'illusionner, Gretta, avec ses nombreux problèmes médicaux, aurait été condamnée, après le rejet de sa mère biologique, à passer sa courte existence dans des institutions. Or grâce à Emmy, elle connaissait un vrai foyer et une tendresse sans limites.

S'il était resté, peut-être auraient-ils pu adopter un nouveau-né sans bagage médical. Sauf que, à l'époque, il ne se croyait pas capable d'aimer un enfant qui ne serait pas le sien. Emmy, elle, aimait Gretta de tout son cœur.

Se serait-il trompé ? Soudain, il souhaita que ce soit le cas. Car il avait envie de participer à cet amour qu'Emmy déversait sur ses deux petits protégés.

— Oliver, rien ne t'oblige à…

— Je sais, mais j'aimerais passer plus de temps avec Gretta.

Avancer trop vite, à ce stade, ne ferait que l'éloigner, il le savait. Ce qu'il éprouvait pour Emmy était si complexe. Si… tourmenté. Il l'avait tellement blessée. Ses enfants seraient peut-être un moyen pour lui de se faire pardonner.

Ses enfants.

— A quelle heure finis-tu, ce soir ?

— 18 heures.

— Je devrais pouvoir être libre à 17 heures. Et si je venais remplacer Adrianna pendant une heure ?

— Je suis sûre qu'elle en serait ravie. Et tu… tu pourras rester pour prendre le thé, après ?

Ce fut plus fort que lui. Il leva une main pour laisser courir le bout de son index sur sa joue. Elle semblait si épuisée. Il aurait voulu la prendre dans ses bras et l'emmener loin d'ici… Mais devant le regard désorienté qu'elle fixa sur lui, il préféra mentir.

— Ce ne sera pas possible, non. Je dois être à l'hôpital à 19 heures pour une réunion. Je partirai quand tu arriveras.

— Tu… es vraiment sûr de le vouloir, Oliver ?

— Oui. Et si tu le veux bien, j'aimerais… partager avec toi ce qu'il reste de temps à Gretta. Ça n'a rien à voir avec ce qui se passe entre nous, ajouta-t-il aussitôt avant qu'elle proteste. C'est simplement que… ta fille m'a conquis.

11.

Elle aurait dû refuser. L'idée qu'Oliver veuille s'occuper des enfants la perturbait, c'était le moins qu'on puisse dire, mais la réaction de sa mère, lorsqu'elle l'appela pour la prévenir, la déconcerta encore davantage.

— J'ai toujours pensé que c'était un homme formidable… J'ai tellement regretté que vous vous soyez séparés tous les deux, mais vous traversiez une épreuve cruelle qui aurait brisé n'importe quel autre couple.

— Nous sommes incompatibles, protesta Emmy sans conviction.

— Peut-être pas autant que tu le penses, répondit Adrianna sur un ton clairement amusé.

— Maman…

— O.K., cela ne me regarde pas, et je ne m'en mêlerai plus. A ce soir, Emmy…

Mais sa mère n'en pensait pas moins, songea Emmy en se dirigeant vers la salle d'accouchement où l'attendait une autre parturiente.

Après la naissance sans problème d'une petite fille accueillie avec émotion par ses parents italiens, Emmy se rendit au chevet de Ruby, dont les difficultés rendaient celles qu'elle rencontrait avec Oliver presque dérisoires.

L'adolescente était adossée contre ses oreillers, entourée

de magazines et avec la télévision allumée, mais elle avait l'air de s'ennuyer. Toutefois, sitôt qu'elle la vit, elle s'anima.

— Emily, tu sais, j'ai réfléchi… Toi et le Dr Evans vous êtes plus ensemble parce que vous pouviez pas faire un bébé. Enfin, c'est ce que je pense, mais je suis sûre que c'est ça.

Emmy tressaillit. Des bruits de couloirs ? Sûrement pas. Seule Sophia était au courant, et elle la savait incapable de divulguer un secret.

— Mais qui… ?

— Je t'ai entendue, l'interrompit Ruby. Quand j'étais endormie, après l'opération. Tu en parlais avec une autre sage-femme.

Emmy se rappela qu'elle était en effet au chevet de Ruby lorsqu'elle s'était confiée à Sophia.

— Alors je me suis dit… J'attends un bébé dont je ne veux pas. Alors pourquoi tu le prendrais pas ?

Le souffle coupé, Emmy s'assit sur le bord du lit.

— Ruby… Comment peux-tu suggérer une chose pareille ?

— Je peux pas le garder. Comme je dois rester couchée pour pas accoucher trop tôt, j'ai le temps de réfléchir. Depuis que je suis enceinte… D'abord, Jason m'a laissée tomber. Après, maman m'a dit qu'elle me ficherait à la porte si je le gardais. Au début, pourtant, j'étais contente. Ça me faisait même pas peur. Je pensais que je pourrais être une bonne mère. C'est seulement après que… les complications sont arrivées.

— Elles ont été en partie résolues, Ruby. Ta fille a toutes les chances de naître en bonne santé.

— Oui, mais je suis passée d'un canapé à l'autre depuis que ma mère m'a virée de la maison et j'ai dû quitter l'école. Et maintenant, avec le bébé… plus personne veut de moi.

— Donc ce n'est pas un problème d'adoption, répliqua Emmy en se forçant à prendre un ton enjoué. Il faut seulement que tu te définisses un avenir pour toi et ta fille. Je demanderai à une de nos deux assistantes sociales de venir te voir. Elle pourra t'aider à y voir plus clair.

Les yeux de Ruby se remplirent de larmes.

— Mais il peut se passer tellement de choses… Mon bébé risque d'être prématuré… Si au moins il avait une maison… et si toi et le Dr Evans pouviez prendre soin de lui…

— Ruby, laisse tomber.

Touchée par l'angoisse de l'adolescente, Emmy se pencha pour la prendre dans ses bras.

— Tout s'arrangera, tu verras. Et tu n'auras pas à te séparer de ta petite fille, je te le promets.

— Mais vous en avez besoin, tous les deux. Elle pourrait sauver votre mariage.

— Il n'y a plus rien à sauver depuis longtemps. Et ta fille n'y changera rien. Ruby… Je veux que tu cesses de te soucier de moi et de ma vie sentimentale, et que tu ne t'occupes que de toi.

Oliver arriva chez Emmy à 17 heures tapantes. Adrianna l'accueillit avec un plaisir évident, lui dit toute sa joie de le voir de retour, alla même jusqu'à l'étreindre, puis déclara presque aussitôt son intention d'aller faire une sieste.

Ensuite, il se retrouva seul avec les enfants.

Il les sortit tous les deux pour profiter de cette belle soirée d'automne, et fut soulagé de constater que Mike n'était pas dans les parages. Les deux petits étaient visiblement heureux de le voir, mais fatigués, et ils semblaient manquer d'entrain.

Inquiet, il posa une main sur le front de Toby et le trouva un peu chaud ; il se pourrait qu'il ait un peu de fièvre. Katy, la voisine, était enrhumée. Est-ce que ça viendrait d'elle ou d'un de ses enfants ?

Peut-être s'alarmait-il pour rien. Il était comme un parent anxieux, songea-t-il, se moquant de lui-même. Il n'avait rien d'un père ; il n'était que le baby-sitter et il devait garder Gretta et Toby pendant une heure, rien de plus.

Il les installa sous le chêne. Fuzzy, qui les avait suivis, ravi, se coucha d'office sur les jambes de Gretta. La bouteille d'oxygène était posée près d'elle, comme un dur rappel de la réalité, mais pour l'instant, l'air de cette douce soirée embaumait et l'herbe était tiède.

— Regardez là-haut, les enfants. Qu'est-ce que vous voyez ?

Tous deux s'exécutèrent docilement.

— Arbre, dit Gretta.

— Arbre, répéta Toby.

Il sourit. Gretta et son petit perroquet…

Ils formaient une famille. Une famille fragile, c'était certain, mais, pour aujourd'hui, il s'en contenterait.

— Moi, je vois un ours.

Comme les petits, alarmés, écarquillaient les yeux, il les rassura en tendant un bras vers le ciel.

— Vous voyez ce gros nuage ? Le nez sur le côté, et sa bouche qui sourit.

Ni l'un ni l'autre ne semblaient capables de discerner ce qu'il leur décrivait, mais ils échangèrent un regard et parurent presque se mettre d'accord pour ne pas le contrarier.

— Ours, dit Gretta.

— Ours, répéta Toby.

— Il doit vivre dans les nuages. C'est peut-être l'ours de Boucles d'Or. Vous connaissez cette histoire ?

Toby était un petit Africain de deux ans qui souffrait des effets d'une malnutrition précoce ainsi que d'une cyphoscoliose et dont le visage portait les cicatrices d'un noma. Gretta, elle, était atteinte du syndrome de Down. Boucles d'Or était très loin de leur univers.

— Il était une fois…

Reconnaissant sans doute l'annonce d'une histoire, les enfants se firent attentifs.

— Il était une fois trois ours. Papa ours, Maman ours, et Bébé ours, et tous les trois habitaient dans les nuages. Celui de Bébé ours était le plus petit et le plus duveteux ;

Maman ours en avait un de taille moyenne, mais bien moelleux ; quant à celui de Papa ours, il était très gros, avec de larges traces de bottes parce que, Maman ours avait beau le sermonner, il ne les enlevait pas avant de monter dans son nuage. Maman ours aurait dû priver Papa ours de porridge, mais elle était trop gentille et elle aimait trop son gros nounours pour le punir.

— Ma Emmy…, murmura Gretta.

Surpris, il se demanda ce que cette fillette pouvait comprendre. *Ma Emmy…* Comme si Gretta reconnaissait en Emmy sa propre Maman ours.

Tout en tenant la petite contre lui, il se força à revenir à cette histoire où l'on préparait de la bouillie dans les nuages… Le vrai monde, pour l'instant, devrait attendre.

Lorsqu'elle rentra, Emmy trouva Adrianna en train de préparer en chantonnant le dîner dans la cuisine.

— Où est Oliver ? Et les enfants ?

D'un signe de tête, sa mère lui désigna le jardin, et elle les vit aussitôt tous les trois, assis dans l'herbe. Oliver était au milieu, les deux petits serrés contre lui et Fuzzy sur les genoux.

— Il leur raconte des histoires, et il est très doué pour ça. J'avais laissé ma fenêtre ouverte quand je me suis reposée et je pouvais l'entendre. Les enfants n'arrêtent pas de glousser.

— Ils ne comprennent pas ce qu'il dit.

— Ils en comprennent assez pour savoir quand rire, crois-moi. Des ours dans les nuages, un vol de porridge, des rebondissements… C'est vraiment un homme adorable. Il l'a toujours été, d'ailleurs…

— Maman…

Sa mère soupira.

— Oui, je sais, ça ne me regarde pas. Et je sais aussi que c'est le chagrin qui vous a séparés.

Emmy n'avait pas envie d'en parler. Pas envie de ressasser cette période si douloureuse.

— Ce n'était pas le chagrin, c'était…

— … des difficultés insurmontables, oui. Mais d'après ce que je peux voir, elles ne m'apparaissent pas aussi insurmontables que ça. Tu le préviens que le dîner est prêt ?

— Je… Non.

— Allez. Ne sois pas lâche.

— Maman… Je ne veux pas retomber amoureuse de lui.

Adrianna se tourna alors pour l'étreindre brièvement.

— Je sais, ma chérie. Mais tu n'as rien à craindre, parce que, de toute façon, tu n'as jamais cessé de l'aimer…

Lorsque Emmy vint leur annoncer que le dîner était prêt, Oliver lui trouva l'air fatigué et soucieux. Fuzzy courut vers elle en aboyant, et Toby le suivit en rampant. La cyphoscoliose ne lui permettait pas encore de marcher, mais il crapahutait dans l'herbe, ses jambes raides lui donnant une drôle d'allure de petit scarabée. Un scarabée qui poussa un cri de joie quand Emmy le cueillit au vol.

Gretta, qui ne pouvait pas bouger, se contenta d'attendre en souriant qu'elle vienne la chercher, et Oliver ne put s'empêcher de songer que ces enfants étaient lourds et qu'Emmy était trop mince, et…

Mais c'était la vie qu'elle avait choisie. La vie qui avait remplacé celle qu'elle aurait eue auprès de lui.

Il se leva pour prendre Gretta et sa bouteille d'oxygène dans ses bras, puis se dirigea vers Emmy. Quand elle étreignit sa fille, il les serra spontanément à son tour contre lui et tous les quatre se retrouvèrent pressés les uns contre les autres, avec Fuzzy qui bondissait joyeusement près d'eux.

Tout à coup, Toby se mit à tousser et Emmy recula aussitôt, l'air alarmé.

— Oh ! non… Le rhume de Katy…

— Ils sont restés avec moi, et il n'avait pas encore toussé.

En plein air, ça ne devrait pas poser de problème. Tu veux que nous essayions de les isoler ?

— Ce serait trop tard, du moins si c'est bien le rhume de Katy. De toute façon…

— De toute façon ? insista-t-il comme elle se taisait.

— Maman et moi avons pris une décision. Gretta, qui a passé pratiquement sa première année à l'hôpital, devenait totalement dépendante et elle commençait à ne plus avoir de réaction. Après la dernière série d'opérations — très risquées, mais non payantes —, Tristan nous a conseillé de la garder à la maison et de l'aimer. C'est ce que nous faisons, et nous serons une famille jusqu'au bout.

Sa voix se brisa soudain, mais son regard exprimait toute sa détermination.

— Je ferai tout ce qui est en mon pouvoir pour lui éviter d'attraper quoi que ce soit. Toby pourra dormir avec maman et je resterai avec Gretta ; comme ça, ils ne seront pas dans la même chambre. Nous nettoierons tout et désinfecterons. Mais c'est tout ce que nous pourrons faire.

— Ce qui, déjà, exigera beaucoup de travail.

— Tu as une autre solution ? dit-elle en relevant la tête. Gretta est ma fille, Oliver. Et je suis la seule à décider.

Le rhume de Toby n'alla pas plus loin que quelques reniflements et une légère toux. Il était plus calme qu'à son habitude, mais de toute évidence heureux de rester allongé sous le chêne tous les soirs en écoutant les histoires qu'Oliver leur racontait.

Parce qu'Oliver avait pris l'habitude de venir tous les soirs.

— Pourquoi ? lui demanda Emmy le troisième jour. Oliver, tu n'y es pas obligé. Tu ne me dois rien.

— Ça n'a rien à voir avec toi, Emmy. Enfin… très peu.

D'ailleurs, il en était le premier surpris. Car, au début, à ses yeux, ces enfants avaient été ceux d'Emmy, ceux qu'il lui avait refusés. S'il avait souhaité s'occuper d'eux, c'était avant tout pour elle. Une façon, en quelque sorte, de renouer les liens entre eux — avec une bonne dose de culpabilité de sa part.

Mais, à présent… Alors que les ours devenaient des tortues ou des éléphants, il se rendait compte qu'il prenait autant de plaisir qu'il en donnait, et en éprouvait une paisible satisfaction.

Pour éviter de penser à Emmy et à l'échec de leur mariage, il avait consacré ces cinq dernières années à sa profession. Il s'était bâti une carrière en devenant l'un des meilleurs chirurgiens *in utero* au monde, mais l'abnégation presque totale qu'il lui avait fallu l'amenait maintenant à souhaiter davantage. Or son retour en Australie lui permettait d'avoir enfin du temps libre.

Et ce n'était pas uniquement à Emmy qu'il songeait, mais aussi à Gretta et à Toby. Ainsi qu'à l'histoire qu'il allait leur raconter ce soir pour les faire rire. Et à la façon dont il pourrait alléger le fardeau pesant sur les épaules d'Emmy.

Comment avait-il pu croire qu'elle serait incapable d'aimer un enfant adopté ? Et lui ? Jamais il n'aurait imaginé qu'un jour deux petits malmenés par la vie se fraieraient ainsi un chemin jusqu'à son cœur. Deux petits qui, sans Emmy, seraient aujourd'hui placés dans une institution.

Mais ceux-ci, tôt ou tard, lui briseraient le cœur. L'avenir de Gretta était très sombre ; quant à Toby, une fois que son état de santé se serait amélioré, le nombre de documents officiels exigés pour le garder dans le pays serait probablement ahurissant.

Toutefois, Emmy ne semblait pas s'en préoccuper. Elle se contentait de… les aimer. Son courage et son dévouement le stupéfiaient, et le poussaient à réfléchir à sa propre vie.

Quelle erreur cruelle et stupide avait-il commise ? A quoi avait-il tourné le dos ?

Emmy semblait contente de le voir et reconnaissante de l'aide qu'il lui apportait, mais elle conservait une certaine distance. Que dirait-elle s'il lui demandait de reconsidérer leur relation ? Il n'avait bien sûr aucun droit de le lui demander. Par ailleurs… comment pourrait-il la protéger de la douleur à laquelle elle serait immanquablement exposée avec ces enfants ?

Mais, apparemment, il ne lui était pas donné de choisir. Peut-être ne pourrait-il pas les adopter, mais à force de passer ainsi du temps avec eux tous les soirs, il commençait à les aimer.

Comme il avait toujours aimé leur mère ?

Une routine s'était peu à peu installée. Emmy rentrait de l'hôpital et trouvait Oliver avec les enfants et Fuzzy sous le chêne. Cependant, il ne s'interrompait pas ; il continuait simplement à raconter ses histoires, mais en l'incluant, et c'était pour elle un merveilleux instant de détente. Elle s'allongeait avec eux en laissant son regard se perdre dans les frondaisons, ou bien fermait les yeux et s'abandonnait à la musique de sa voix chaude.

Une musique qui rendait les enfants si heureux. Gretta ne comprenait sans doute pas grand-chose à ces récits, mais, couchée dans l'herbe, elle était totalement détendue et respirait presque normalement. Quand elle se trémoussait pour se presser le plus possible contre Oliver, Emmy sentait son cœur se serrer devant sa joie évidente.

Quant à Toby… Les cicatrices, sur son visage, lui déformaient légèrement la bouche et il avait du mal à articuler les mots, mais, grâce aux histoires d'Oliver, il s'y efforçait de plus en plus.

— C'est alors qu'arriva le géant…, annonça Oliver en prenant une grosse voix.

Le petit visage de Toby se plissa de plaisir.

— Poum… Poum… Poum…, dit-il.

L'intelligence de son petit garçon emplissait Emmy de fierté. Oliver leva alors la main, paume ouverte, vers Toby qui vint la frapper de la sienne, et tous les trois répétèrent en chœur « Poum… poum… poum… » avant de pouffer.

Emmy songea alors que… que… Non, mieux valait ne rien penser. Qu'avait dit sa mère ? Que l'amour qu'elle ressentait pour Oliver était toujours là ? Non, pas du tout : elle avait donné tout son amour à ses enfants. Il ne lui en restait plus pour Oliver.

Toutefois, alors qu'elle écoutait la suite de l'histoire du géant, elle savait qu'elle se mentait à elle-même.

Le lendemain matin, lorsqu'elle entra dans la chambre de Ruby, elle y découvrit Oliver. Bien sûr…

Il était clair que cet homme était revenu discrètement dans sa vie et n'était pas près d'en ressortir. Il était obstétricien, alors il était normal qu'elle le croise souvent dans le service — et comme c'était lui qui s'occupait de Ruby et de son bébé, elle le rencontrait aussi régulièrement à son chevet. Par ailleurs, il lui avait offert de l'aider avec Gretta et Toby ; aussi le retrouvait-elle tous les soirs quand elle rentrait chez elle.

Le problème était que… chaque fois, elle avait l'impression de perdre ses moyens. Comme si… Comme si elle l'aimait encore ? Non. Ils étaient séparés depuis cinq ans, et Oliver n'était plus désormais qu'un confrère et un ami. Son cœur n'avait donc aucune raison de s'affoler ainsi…

Elle dissimula son trouble derrière son enjouement habituel.

— Ça va, Ruby ? J'espère que le Dr Evans t'a félicitée ? Parce qu'elle a été fantastique, Oliver. Elle est restée très calme et très patiente afin de bien cicatriser et de donner toutes les chances à sa fille. J'admire ton courage, Ruby.

L'adolescente posa les mains sur son ventre avec un petit sourire satisfait.

— Tout ira bien pour elle.

— On va te laisser rentrer chez toi, dit Oliver qui se pencha pour lui remonter ses couvertures. Tu sais où aller ?

Emmy n'en revenait pas. Un chirurgien qui bordait sa patiente et s'inquiétait de ce qu'elle allait faire une fois sortie de l'hôpital ?

— Wendy, l'assistante sociale, m'a trouvé une place dans un foyer, répondit Ruby. Maman veut pas de moi à la maison, mais Wendy s'est arrangée pour que je touche une aide sociale. Elle m'a aussi donné l'adresse d'une association qui me donnera gratuitement des meubles et des affaires pour le bébé.

Oliver fronça les sourcils.

— Oui, mais tu seras toute seule. Je ne suis pas sûr que…

— Il paraît que la dame qui s'occupe du foyer a déjà hébergé des filles enceintes. Et si j'ai un problème, elle m'amènera à l'hôpital. C'est cool, non ?

Elle hésita un instant en les regardant tour à tour, se mordit la lèvre, puis prit une profonde inspiration avant de se lancer :

— J'arrête pas d'y penser, et puisque vous êtes là, ensemble… Je voudrais que vous adoptiez mon bébé, tous les deux.

Emmy, à qui Ruby avait déjà fait cette proposition, ne fut pas trop prise au dépourvu. En revanche, Oliver, lui, semblait avoir reçu une grande claque ou un jet d'eau glacée en pleine figure. Sans doute était-ce la première fois de sa carrière qu'il se voyait offrir un bébé…

— Qu'est-ce que tu racontes ? dit-il enfin. Ruby, je regrette, mais ton bébé n'a rien à voir avec nous.

— Mais il pourrait, insista Ruby en se redressant contre son oreiller. J'ai pas arrêté d'y réfléchir, et je sais que je pourrai jamais m'en occuper, du moins pas comme il faudrait. J'ai même pas fini le lycée et j'ai pas d'argent pour payer une baby-sitter. Je pourrai jamais lui donner tout ce dont elle a besoin.

— C'est de toi qu'elle a besoin, intervint gentiment Emmy. De sa mère.

— Oui, mais de plein d'autres choses aussi que je pourrai jamais lui offrir. Et en plus, comment j'arriverai à la faire soigner, avec son spina-bifida ? Le Dr Zigler m'a déjà dit qu'il lui faudra d'autres opérations. Et avec quoi je paierai, alors que j'ai déjà même pas de quoi acheter un paquet de couches ? J'ai pas le choix. Il faut qu'elle soit adoptée. Mais je veux être certaine qu'elle sera heureuse dans sa famille, et avec vous deux, je suis *sûre* qu'elle le sera. Je t'ai entendue parler, Emmy, quand tu pensais que je dormais… Vous vous êtes séparés tous les deux parce que vous ne pouviez pas avoir de bébé. Alors pourquoi pas prendre le mien ? Je pourrais venir la voir, de temps en temps. Ma mère voudra sûrement pas de moi, mais je pourrais retourner au lycée, et apprendre un métier, travailler, et gagner assez pour lui acheter des cadeaux, et peut-être devenir quelqu'un dont elle sera fière…

— Ruby…

Jamais les médecins ne devaient s'asseoir sur le lit des patients, une règle inscrite dans le règlement et répétée à tous les membres du personnel durant leur formation. Pourtant, à cet instant, Oliver s'assit près de Ruby pour la prendre par les épaules.

— Ruby, tu ne peux pas nous donner ton bébé.

Des larmes roulant sur ses joues, elle secoua la tête.

— Je veux que mon bébé soit aimé. Avec vous deux, elle serait heureuse, je le sais. Parce que vous vous aimez, ça se voit. Je sais qu'Emmy en a déjà deux, et que vous allez chez elle tous les soirs… Que sa mère aussi l'aide, et qu'elle a une grande maison…

— Qui t'a raconté tout ça ? s'enquit Emmy, abasourdie.

— J'ai demandé, répondit Ruby en haussant les épaules. Toutes les infirmières te connaissent, Emmy, et elles disent que tu es une super-mère. Ce serait génial pour mon bébé. Tu pourrais l'adopter pour de bon, elle serait à toi. Tu pourras même choisir son nom. Et si vous vous remariez, vous serez une vraie famille.

Dans la chambre, le silence menaça de s'éterniser. Oliver tendit la main vers Emmy qui vint s'installer près de lui. Le médecin et la sage-femme assis sur le lit d'une patiente… Tant pis. Les circonstances autorisaient cette légère infraction au règlement.

En revanche, ce que leur suggérait Ruby aurait violé le code de déontologie médicale.

— C'est impossible, Ruby, dit-il gentiment tandis qu'Emmy attrapait plusieurs mouchoirs en papier pour elle-même et Ruby. C'est le plus beau compliment que j'aie jamais reçu, et je suis certain que c'est le cas pour Emmy aussi. Ta confiance nous touche énormément. C'est le plus beau cadeau qu'une mère peut offrir.

Soudain, il songea à sa propre mère. Jamais il n'avait cherché à la revoir. Il lui en avait toujours voulu de l'avoir confié à un couple incapable d'aimer. Mais Ruby, elle, cherchait par tous les moyens à assurer le bonheur futur de sa fille en la confiant à des gens dont elle était certaine qu'ils sauraient l'aimer. Mais qui ne pouvaient pas accepter.

Il vit Emmy lui lancer un coup d'œil et fut soulagé lorsqu'elle prit la relève.

— Ruby, nous sommes ton obstétricien et ta sage-femme, ce qui nous place dans une position de pouvoir, dit-elle avec douceur. Ce serait comme un professeur qui aurait une liaison avec une élève. Cette élève ne pourrait jamais se soustraire à l'autorité du professeur. Et c'est même probablement ce qui l'aurait séduite dès le départ.

— Je comprends rien à ce que tu dis.

— Je veux dire que nous t'aimons beaucoup, que tu t'en rends compte, et que ça t'influence, que tu le veuilles ou non. Ruby, même si nous le souhaitions, nous ne pourrions pas adopter ton enfant. Ce ne serait tout simplement pas… acceptable.

— Mais ce serait bien pour vous deux. Ça vous réconcilierait.

— Ce n'est pas un enfant qui peut ressouder un mariage rompu. Ton offre est très généreuse et très touchante, mais quelle que soit la décision que tu prendras, nous ne devrons pas être concernés. Notre rôle consiste uniquement à nous occuper de toi jusqu'à ce que ton bébé naisse ; ensuite, il te faudra retourner avec lui dans le monde réel.

— Mais je veux pas y retourner ! Ça me fait peur. Et je veux pas confier mon bébé à n'importe qui…

Comme elle éclatait en sanglots, Emmy se leva pour l'étreindre et la bercer tendrement.

Il devrait partir, songea Oliver. Sa présence était inutile ; il n'était que l'obstétricien de Ruby, rien de plus. Toutefois, l'adolescente s'était adressée à eux deux ; elle les considérait vraiment comme un couple. Un couple qu'elle espérait ressouder en leur offrant son enfant…

Aussi resta-t-il assis là pendant que Ruby pleurait dans les bras d'Emmy — et, soudain, il prit conscience d'être plus amoureux de sa femme qu'il ne l'avait jamais été.

Sa femme. Emmy… Ils étaient séparés depuis cinq ans et, pourtant, il avait le sentiment qu'elle n'avait jamais cessé de faire partie de lui.

Il la vit se pencher sur Ruby pour essuyer son visage mouillé en lui souriant.

— Hé…, murmura-t-elle. Tu veux connaître mon autre solution ?

Une autre solution ? Laquelle ? Si Emmy lui proposait de prendre seule sa fille en placement, il interviendrait.

Néanmoins, il éprouvait la curieuse impression qu'elle avait autre chose en tête.

— Maman et moi avons parlé de toi, dit-elle sans attendre la réponse de Ruby. Je sais que ce n'est pas déontologique de discuter du cas d'une patiente en dehors de l'hôpital, mais elle vit avec moi et m'aide à m'occuper de mes deux enfants. C'est une femme fantastique qui, en plus, a une grande maison.

Quoi… ? Mais il ne put intervenir car Emmy reprit, paraissant marcher sur des œufs.

— Il n'est pas question que tu t'installes chez elle, bien entendu, mais nous avons un bungalow au fond du jardin. Une chambre/salon avec une douche et une petite véranda. C'est très propre, et on peut y vivre en toute indépendance.

Ruby avait cessé de pleurer et elle fixait Emmy avec une sorte de fascination. Et lui aussi. C'était là qu'Emmy et lui avaient passé la nuit la fois où ils étaient venus rendre visite à Adrianna et où ils n'avaient pas voulu reprendre la route le soir même.

C'était même là qu'avait été conçu Josh.

— Maintenant, c'est à toi de décider. Si tu le prends, ma mère te demandera un loyer si modeste que tu pourras le prélever sur tes allocations. Evidemment, il faudra que tu supportes les cris de nos petits diables dans le jardin et je ne peux pas te promettre qu'ils te ficheront toujours la paix. Mais, en échange, nous pourrions t'aider… L'école est au bout de la rue, et c'est une des rares qui proposent une garderie, surtout pour les enfants du personnel, bien sûr, mais aussi pour ceux d'étudiants dans le besoin. Si tu le désires, tu pourras même reprendre tes études. Ce ne sera pas facile, parce que tu auras la responsabilité de ta fille, mais tu as choisi de ne pas avorter, et cela a exigé du courage et de la détermination. Ma mère et moi pensons sincèrement que tu peux t'en sortir, Ruby, et nous sommes prêtes à te donner un coup de main. Voilà. C'est une possibilité pour toi. Réfléchis-y.

— Mais qu'est-ce que c'est que cette histoire ? demanda Oliver sitôt qu'il se retrouva dans le couloir avec Emmy.

— Quoi ? Tu as un problème ?

— Vous seriez prêtes à vous occuper d'elle, toi et ta mère ?

— Nous en avons discuté, oui. Il ne s'agirait pas de « s'occuper » d'elle, mais de l'aider… et de lui permettre de terminer sa vie d'adolescente. De retourner à l'école. De s'amuser encore.

— Elle nous a offert son bébé. Je sais que ce n'est pas possible, mais… si ça l'était, tu accepterais ?

— D'adopter son enfant ? Non !

— Ce serait ton propre bébé. Un enfant que tu pourrais aimer sans restriction. L'offre que tu lui as faite serait-elle un pis-aller ?

— C'est ce que tu crois ?

Elle s'adossa au mur, les mains dans le dos, et le dévisagea.

— Tu ne comprends toujours pas, n'est-ce pas ?

Du coin de l'œil, il vit Isla et Sophia les observer depuis le bureau des infirmières ; ce qui venait de se passer serait sur toutes les lèvres d'ici ce soir. Il aurait mieux valu qu'il s'éloigne, mais Emmy le retenait prisonnier de son regard.

— Tu as établi un barème pour l'amour, n'est-ce pas ? ajouta-t-elle d'un ton entendu, mais non dénué de souffrance.

— Je ne saisis pas ce que tu veux dire.

— Tu te crois incapable d'aimer un enfant qui ne serait pas le tien. C'est ça, ton barème — tout ou rien. En revanche, moi, tu m'accordes un peu plus de possibilités. Tu me concéderais un 10 pour mon propre bébé, mais comme ce choix m'a été refusé, tu conçois que j'ai un peu d'amour à offrir et que, pour cette raison, j'ai accueilli Gretta et Toby. Cependant, toujours selon ta logique, mon amour pour eux ne peut pas atteindre 10. A la rigueur, tu mettrais un 6 pour Toby parce qu'il survivra, ou plutôt un 5 parce qu'il a le dos tordu et que je risque de ne pas pouvoir le garder. Et Gretta ? Elle, elle va mourir, et peut-être même très vite, alors je ferais peut-être mieux de me restreindre à un 3 ou un 2. En revanche, si Ruby me donnait son bébé… Ce serait une adorable nouveau-née avec peut-être de très légères imperfections, mais comme je l'aurais dès ses premiers jours, le score pourrait monter jusqu'à 8. Sauf, bien sûr, qu'il n'est pas question que je l'adopte, donc tu te demandes pourquoi je perds du temps à m'y intéresser. Un bébé que je n'aurai même pas sous ma garde… Alors, pour quelle raison offrir le bungalow ? C'est la question que tu te poses, n'est-ce pas ?

Il la fixa, atterré.

— Tu divagues… Ce n'est pas du tout ce que je voulais dire.

— Mais c'est ce que tu penses !

A présent, elle semblait furieuse au point d'oublier qu'ils se trouvaient dans un couloir de l'hôpital et que n'importe qui pouvait les entendre.

— Tes parents adoptifs étaient détestables, et ce sont eux qu'il faut éliminer de tes normes de référence, Oliver. Je n'ai besoin d'aucun barème, moi. J'aime mes enfants, c'est tout, ni plus ni moins que si je les avais mis au monde, et j'aimerai le bébé de Ruby, et maman et moi aimerons Ruby parce qu'elle est encore une gamine elle-même. Et tu sais quoi ? Notre cœur continuera à s'ouvrir à tous ceux qui viendront ensuite parce que plus tu as d'amour à donner, plus il s'amplifie.

— Emmy…

— Laisse-moi finir, dit-elle en levant une main. Tu t'es enfermé toi-même dans une cage et tu n'arrives pas à en sortir à cause de ce barème idiot ; comme tu ne peux pas avoir ce que tu estimes digne d'un 10, tu préfères te contenter d'un 0 et, franchement, j'en suis désolée pour toi.

Elle ferma les yeux une seconde et, quand elle les rouvrit, elle semblait s'être ressaisie. Mais il la connaissait assez pour voir la souffrance dans son regard.

— Je t'aimais, Oliver, dit-elle avec une tendresse qui lui noua la gorge. Tu étais tout pour moi. Mais même un amour aussi fort ne signifie pas qu'il exclut tout le reste. Il y a des « 10 » partout. Si tu consentais à sortir de ta prison, tu t'en rendrais compte, mais tu t'y refuses, et je n'ai pas d'autre choix que de l'accepter.

S'écartant du mur, elle commençait à s'éloigner quand elle lui refit face brièvement.

— C'est tout ce que j'avais à dire. Nous nous étions mis d'accord il y a cinq ans, et rien n'a changé. Alors tant pis. Reste bien en sécurité dans ta prison. Je me contenterai de continuer à aimer sans toi.

12.

Perturbée, Emmy passa le reste de la journée à regretter de s'être exprimée aussi violemment au vu et au su de tout le monde. Maintenant, elle devait affronter les silences et les regards en biais, devinant sans mal que les commentaires allaient bon train dans son dos, et au fil de la journée, elle commença à culpabiliser de s'en être ainsi prise à Oliver.

Oliver qui s'était replié sur lui-même, comme toujours. Sa seule incursion hors de sa sphère de solitude avait été pour l'épouser. A présent, il était de nouveau rentré dans sa coquille.

Sauf qu'elle avait divulgué des informations d'ordre privé et qu'il serait bien capable de démissionner pour ça.

Et elle le perdrait une nouvelle fois.

Elle lui avait dit qu'elle s'en moquait, qu'elle avait assez d'amour à donner pour compenser cette éventualité, mais elle avait menti. Parce que perdre Oliver serait comme perdre une partie d'elle-même.

Oui, sa mère avait raison... Elle aimait toujours Oliver Evans.

Oliver n'eut pratiquement pas une seconde à lui de toute la journée, mais ce que lui avait dit Emmy restait gravé dans son esprit. Et il ne pouvait plus voir une femme enceinte sans penser « 10 »... En revanche, les futurs pères plafonnaient généralement à 6 ou 7. Sauf celui à qui il avait accordé un 3 devant son attitude terrifiée et qui, après s'être accroché et avoir vaincu son angoisse pour soutenir au mieux sa femme qui accouchait, avait finalement gagné un 10 dans son estime.

Parce que cet enfant était vraiment le sien ?

Possible, se dit-il en regardant l'heureux couple, alors que les paroles d'Emmy continuaient de résonner dans ses oreilles. Mais pas nécessairement…

Après s'être changé, il se dirigea vers la maternité avec l'intention de voir un prématuré qu'il avait aidé à naître, mais il ne parvint pas jusqu'à sa couveuse.

Un nouveau-né était exposé sous les lampes destinées à traiter la jaunisse. Maggie et Leonie étaient assises de part et d'autre du berceau. La mère de substitution et la mère biologique.

Leonie caressait la joue de son bébé avec une tendresse qui lui coupa le souffle. Qu'était devenue la femme autoritaire qui n'avait cessé de lancer des ordres pendant l'accouchement ? Maggie, elle, était juste revenue pour tirer son lait et voir… sa fille ?

Non. Ce n'était pas la sienne, mais celle de Leonie, et elle observait sa sœur avec tant d'amour qu'il en fut très… ému.

Quelle note lui donnait-il ? Un 0 ou un 10 ? Emmy avait raison : l'amour venait sans qu'on l'attende, sous toutes les formes, à petites doses ou massivement, et il songea de nouveau à ses parents adoptifs et à l'affection mesquine qu'ils ne lui avaient accordée qu'à contrecœur. Il songea à Emmy avec sa Gretta et son Toby. Il songea à Adrianna qui, en coulisses, dispensait son amour sans compter.

C'étaient autant de coups qui lui martelaient le cerveau. Quel idiot… Depuis son enfance, le regard qu'il portait sur le monde avait été déformé par deux personnes incapables d'aimer hors de leurs paramètres rigides, et il avait quitté Emmy par peur d'être comme eux.

Il ne pouvait plus arrêter ses pensées. Soudain, il songea à cette femme qui l'avait fait adopter ; jamais il n'avait cherché à la retrouver parce qu'il la blâmait de l'avoir abandonné.

Mais le monde ne se résumait pas au noir et blanc. Peut-être pourrait-il…

— Tu cherches quelqu'un ?

Il se retourna brusquement. C'était Isla.

— Si tu n'as rien à faire, j'aurais bien besoin d'un coup de main… Un de mes infirmiers est absent, et le petit Patrick James a faim. Tu saurais te débrouiller avec une sonde orogastrique ?

Patrick James était justement le prématuré qu'il venait voir. La veille, il avait dû avoir recours à une césarienne quand Dianne, la mère, avait manifesté des signes de pré-éclampsie. Pour l'instant, elle n'était pas encore tirée d'affaire, mais, à trente-quatre semaines, le bébé s'en sortirait.

Sans même réfléchir, Oliver accepta. D'autres tâches l'attendaient, bien sûr, mais rien d'urgent. Alors il s'installa près de l'incubateur de Patrick James et surveilla son alimentation par la sonde orogastrique, ce qui lui permit de noter avec satisfaction que tout laissait penser que Patrick James pourrait se nourrir normalement d'ici à quelques jours. Pour un prématuré de trente-quatre semaines, c'était un exploit.

Tous les bébés étaient des sources d'émerveillement.

Il se surprit lui-même à sourire en caressant la joue du nouveau-né. Pour un peu, si la chance lui était offerte, il aimerait peut-être…

Aimer. L'amour… Il l'avait connu, avant, avec Emily. Et il lui avait tourné le dos.

Il repensa à l'amour de Leonie pour son bébé, à celui de Maggie pour sa sœur, et tandis qu'il songeait aux infinies variations de ce sentiment si fort, il sentit celui qu'il éprouvait pour sa femme se manifester toujours plus fort en lui.

*
* *

Ce soir-là, Emmy découvrit avec plaisir la superbe Morgan décapotable enfin réparée d'Oliver garée devant chez elle. Elle sourit d'autant plus qu'elle était soulagée de le revoir malgré tout ce qu'elle lui avait dit le matin même. Gretta et Toby seraient tristes s'il ne venait plus.

Quand il ne viendrait plus ? Son sourire s'effaça alors qu'elle entrait dans la cuisine où l'accueillirent des odeurs irrésistibles. Les visites d'Oliver encourageaient sa mère à accomplir des prouesses culinaires.

— Mama ! dit Toby, ravi.

Elle le sortit de sa chaise haute pour le faire virevolter dans les airs, puis se tourna vers Oliver. Il était assis près de la cuisinière, Gretta dans les bras. La petite, toutefois, ne lui souriait pas ; elle posait sur elle un regard intense, un peu perturbé.

Et sa respiration…

Emmy eut le sentiment, pendant une fraction de seconde, que le sol allait se dérober sous ses pieds. Tenant toujours Toby contre elle, elle s'avança.

— Ce n'est sans doute rien, dit Adrianna sur un ton manquant de conviction. C'est sûrement juste…

— C'est sans doute le rhume de Katy, acheva Oliver. Il n'y a pas urgence, mais à présent que tu es ici, nous devrions peut-être l'emmener au Victoria pour que Tristan puisse la voir.

ICC — insuffisance cardiaque congestive. Bien sûr… Tristan l'avait mise en garde contre ce risque.

— Tu ne l'auras pas pour longtemps, lui avait-il dit, avec gentillesse, mais sans ménagement.

Un simple rhume… Jamais elle n'aurait dû…

— Tu ne peux pas la protéger de tous les dangers, murmura Oliver au cours de cette longue nuit pendant laquelle la respiration de Gretta devint de plus en plus laborieuse. Tu lui as donné un foyer, tu lui as donné de l'amour, c'était ta décision et c'était la bonne. En restant dans un environnement stérile, peut-être aurait-elle survécu plus longtemps, mais elle n'aurait pas *vécu*.

— Oui, mais…

— Je sais, la coupa-t-il avec douceur alors que le souffle de Gretta vacillait, toujours plus faible. Tu l'aimes, et l'amour refuse de lâcher prise.

Il marqua une légère pause avant d'ajouter :

— Emmy… Je n'aurais jamais dû partir. J'étais aveugle, et sourd et… inconscient. Crois-tu que tu pourrais me reprendre ?

— Ollie…

— Non. Ne réponds pas tout de suite. Ce n'est pas le moment. Mais je t'aime, Emmy, et j'aime Gretta, aussi. Et je te suis reconnaissant de me permettre d'être ici, maintenant. Merci de me laisser aimer.

Emmy se sentait au-delà de l'épuisement. Après avoir tenu aussi longtemps qu'il le pouvait, son corps soudain la trahissait. Gretta semblait dormir dans ses bras, mais elle glissait de plus en plus profondément vers cette angoissante frontière invisible.

Alors qu'elle luttait pour garder les yeux ouverts, Oliver le remarqua.

— Tu as besoin de te reposer. Couche-toi sur le divan avec elle. Je te promets de te réveiller sitôt qu'elle sera consciente.

Il savait aussi bien qu'elle que cela n'arriverait sans doute plus. La fin était si proche…

Mais qui pouvait prédire combien de précieuses heures ils avaient encore devant eux ? La mort avait sa façon bien à elle de décider du lieu et de l'instant. Oliver avait si souvent constaté qu'elle guettait la distraction des proches, rien que quelques secondes, pour emporter le malade — comme si ce bref moment de solitude donnait à celui-ci la permission de s'abandonner. Qui pouvait comprendre ? Tout ce qu'il savait était qu'Emmy n'était plus en état de décider.

— Je vais prendre ton fauteuil, ajouta-t-il en posant une main sur son épaule. Allonge-toi.

— Comment veux-tu que je dorme ?

— Comment pourrais-tu t'en empêcher ?

Il l'embrassa tendrement sur le front et l'étreignit en souhaitant transmettre sa force à cette femme qui donnait, donnait encore, donnait toujours…

Comment avait-il pu penser un jour que son amour était conditionnel ? Comment avait-il pu imaginer que l'adoption, pour elle, pouvait être autre chose qu'un engagement total de tout son être ?

Comment avait-il pu quitter cette femme, son Emmy, capable de tant donner ? Cette femme qui l'avait aimé, lui ?

Et qui l'aimait encore et lui avait montré que lui aussi était capable d'un tel amour.

— Je te réveillerai s'il y a le moindre changement. Je te le promets.

— Tu… tu l'aimes, ma fille ?

— Pour elle, c'est un 10, répondit-il en souriant avant de baisser les yeux sur Gretta. Sans doute même plus.

Comme elle s'installait avec Gretta sur le divan en la tenant contre elle avec tout l'amour dont elle était capable, la fillette bougea légèrement et son petit corps parut se détendre contre celui de sa mère.

Sa mère. Emmy.

Sa mère biologique l'avait abandonnée parce que s'occuper d'une petite fille atteinte du syndrome de Down et souffrant d'un problème cardiaque inopérable lui avait paru insurmontable. Mais Emmy, elle, ne s'était pas souciée de tout cela. Seule avait compté Gretta.

— Dors, ordonna-t-il en remontant une couverture sur ses épaules.

— Tu veilles sur elle, hein ?

— Je te le jure.

Elle esquissa un faible sourire puis ferma les yeux. Moins de cinq secondes plus tard, elle sombrait dans le sommeil.

Le silence de la nuit était presque total. Seul le perturbait le souffle de Gretta circulant dans la tubulure d'oxygène.

Adrianna dormait dans la chambre voisine avec Toby. Son amour pour le garçonnet était presque aussi fort que celui d'Emmy.

La grand-mère, la mère, les enfants…

Il souhaitait faire partie de cette famille. Assis là, dans le calme de la nuit, il sut que c'était son vœu le plus cher. Dire que le destin lui avait fait le don de cette femme et qu'il l'avait laissée partir.

Mais Emmy lui avait de nouveau permis d'entrer dans sa vie. Elle l'avait autorisé à l'aimer…

Gretta bougea. Un mouvement qu'il n'aurait sans doute pas perçu si ses sens n'avaient pas été tout entiers tournés vers elle. Il la vit esquisser une grimace imperceptible. Souffrait-elle ? Impulsivement, il se pencha pour la soulever et la prendre contre lui. Emmy s'agita légèrement, elle aussi, dans un demi-sommeil.

— Je la berce un peu, murmura-t-il. Tu veux bien ?

Elle acquiesça d'un signe de tête et avec une ombre de sourire avant de se rendormir.

La nuit se referma sur eux, et ce fut comme une paix qui descendait pour les étreindre. Un moment de grâce.

Sa famille.

Gretta était nichée dans ses bras. Son souffle devenait de plus en plus superficiel, mais son visage était paisible, son corps totalement détendu.

Il ne connaissait cette fillette que depuis quelques semaines, mais son courage, sa force et sa personnalité avaient conquis son cœur. Son cœur qui était comme broyé alors que la vie la quittait tout doucement…

Soudain, son souffle s'altéra.

— Emmy ?

Ouvrant aussitôt les yeux, elle s'assit en repoussant les

cheveux de son visage et, du bout des doigts, effleura le visage de sa fille. Rien de plus. Une simple caresse.

— Tu veux la prendre ? proposa-t-il alors que la respiration de Gretta se faisait à chaque seconde plus ténue.

— Non, garde-la. Elle t'aime, Oliver. Tu as illuminé nos vies, ces dernières semaines.

— Tu veux prévenir Adrianna ?

Elle secoua la tête.

— Elle m'a dit qu'elle ne le supporterait pas. Ce sera juste nous deux… si tu le veux.

Elle continuait de caresser tendrement le visage de Gretta dont le souffle devenait presque imperceptible. Son corps, lui aussi, semblait perdre toute substance. En revanche, Oliver ressentait puissamment l'énergie d'amour qui les enveloppait comme un cocon tous les trois.

Puis la respiration de Gretta cessa.

L'immobilité les saisit alors, comme s'ils devenaient des statues taillées dans la pierre.

Arrêtez les pendules… De qui était ce poème, déjà ? Ah, oui… W.H. Auden. La force de ces vers, curieusement, l'aida. D'autres, tant d'autres, avaient vécu ces instants. D'autres avaient éprouvé ce déchirement, cette douleur de voir partir le parent, l'enfant, l'ami, l'amant. La tristesse de voir ceux qu'on aime quitter ce monde.

Gretta avait été aimée inconditionnellement. Que ses propres parents adoptifs aient accordé leur tendresse au compte-gouttes — telle dose pour un enfant adopté, telle dose pour un enfant biologique — n'avait rien à voir avec ce qui se passait à cet instant, ni avec ce qu'Emmy et lui décideraient de faire à l'avenir.

Leur amour était si fort que cette petite fille resterait à jamais dans leurs cœurs.

Emmy ôta la canule d'oxygène de Gretta. Puis elle remonta la fermeture de son pyjama et lui nettoya le visage.

Ce fut seulement à l'instant où elle tint le petit corps

inerte dans ses bras avec tout l'amour dont elle était capable que les larmes vinrent.

— Va appeler maman, dit-elle d'une voix étranglée tandis qu'il se levait, maladroit, ne sachant que faire de son chagrin et du sien. Et Toby… Il faut qu'il vienne aussi, Oliver. Nous devons être ensemble. C'est notre famille.

La cérémonie, trois jours plus tard, fut très simple. Seuls ceux qui avaient vraiment aimé Gretta étaient présents. Sa mère biologique avait choisi de ne pas y assister.

— Je ne crois pas que je pourrais le supporter, avait-elle dit. Je vous laisse vous occuper d'elle.

Ce qu'ils firent. Quand ce fut terminé, ils restèrent tous les trois un instant devant la petite tombe, Emmy, Adrianna et lui, pour dire adieu à une partie d'eux-mêmes.

Elle avait si brièvement traversé sa vie, songea Oliver. Comment pouvait-on aimer quelqu'un aussi fort en si peu de temps ? C'était pourtant le cas. Ses sentiments pour cette fillette n'auraient pas été plus forts s'il l'avait connue depuis des années.

Puis il prit Emmy dans ses bras, et les promesses qu'ils échangèrent alors se passèrent de mots.

Sa place était ici. Avec eux.

Katy, qui s'était occupée de Toby pendant la cérémonie, leur amena l'enfant alors qu'ils sortaient du cimetière.

— Si on allait au jardin botanique ? suggéra Mike. Il y a un super-terrain de jeux pour les enfants. Je crois que ça nous ferait tous du bien.

Ils eurent la surprise d'y retrouver tous leurs amis de l'hôpital — Isla et Alessi, Sophia, Charles, Tristan et même l'odieux Noah — tous ces gens qui aimaient Emmy et qui étaient là pour la soutenir dans son chagrin.

Soudain, comme par magie, plein de ballons roses s'élevèrent à travers les arbres. Chacun d'eux contenait un petit paquet de graines ainsi que les instructions pour les planter — des pattes de kangourou, les fleurs préférées de Gretta qui continuerait ainsi à être parmi eux.

Oliver éprouva une réelle émotion alors qu'il regardait tous ces amis qu'il s'était faits en si peu de temps, des amis qui avaient été là pour soutenir Emmy pendant qu'il était au loin et qui, il le savait, seraient toujours là pour eux.

Et ce *toujours* lui convenait tout à fait.

Un par un, les participants, conscients que le moment était venu de les laisser seuls, vinrent les saluer. Sophia et Isla saisirent chacune Adrianna par un bras.

— Vous venez avec nous au Rooftop ?

Adrianna lança un coup d'œil contrit à Emmy.

— Si ça ne t'ennuie pas… je meurs d'envie de boire un cognac.

— Vas-y, maman, on te rejoint là-bas, dit Emmy.

— Vous voulez que je prenne Toby ? proposa Adrianna à Oliver qui portait le petit garçon.

— Merci, mais j'ai besoin de le garder avec moi, pour l'instant, dit Oliver.

Emmy cilla. Si elle s'attendait à un tel aveu de sa part…

Une fois que Sophia, Isla et sa mère se furent éloignées, Oliver et elle se retrouvèrent seuls avec son fils. Avec *leur* fils ?

Puis Oliver l'entraîna vers un bosquet où ils s'allongèrent sous un arbre énorme tandis que Toby, qui avait patiemment subi les étreintes de tout le monde, s'échappait pour ramper sur l'herbe toujours tel un scarabée et s'abandonnait au plaisir de ramasser des feuilles en gloussant.

La mort laissait indifférent un enfant de deux ans, et Emmy en remerciait le ciel.

— Je crois bien que c'est le nez de Gretta, dit alors Oliver en désignant un nuage. Elle est là-haut, en train de se demander quelle assiette de porridge est la sienne.

Emmy fut la première surprise de s'entendre rire. Roulant

sur le ventre, elle posa le menton sur son torse alors qu'il enfouissait les doigts dans ses cheveux.

— Je t'aime, Emmy, murmura-t-il. Je t'aime plus que tout. Accepterais-tu de me laisser faire partie de ta famille ?

Sa gorge se serra, refusant de laisser franchir les mots. Toby eut le temps de faire le tour de l'arbre avant qu'elle recouvre sa voix.

— Tu en as toujours fait partie, Oliver. Il y a cinq ans, j'étais trop choquée, trop désespérée pour comprendre ce que tu éprouvais. Depuis, je me suis repassé de nombreuses fois le film dans ma tête pour tenter de le voir de ton point de vue, et je me suis rendu compte que je t'avais mis un revolver sur la tempe. C'était blanc ou noir, adoption ou rien, et c'était injuste de ma part.

— Même si tu avais raison ? Même si tu *as* raison ?

Elle sentait le cœur d'Oliver battre fort sous sa main. Cette journée avait été si chargée en émotions… Cependant, son univers avait cessé de tourner follement ; il avait trouvé son axe véritable.

— Je suis heureux d'être revenu à temps pour connaître Gretta, reprit-il en lui caressant les cheveux. Elle fait partie de toi, Emmy, et de moi aussi, maintenant. De nous. Comme Toby. Comme Adrianna. Comme tous ceux qui ont lâché des ballons aujourd'hui. Tu as raison, l'amour ne se mesure pas. On aime, c'est tout. Et je t'aime, Emmy. Acceptes-tu de me reprendre, de m'intégrer dans ta fantastique ménagerie ? Avec Toby, et Adrianna, et Fuzzy, et Mike et Katy et les enfants, et Ruby et bientôt son bébé ? Me permettras-tu de les aimer avec toi ? Me laisseras-tu t'aimer ?

Elle avait pleuré toute la journée et avait cru ne plus avoir de larmes. Et pourtant… Essuyant ses joues mouillées du revers de la main, elle se redressa sur un coude pour plonger ses yeux dans les siens. Et ce qu'elle vit dans le regard caramel la fit chavirer. Elle y vit du chagrin. De l'amour.

Elle y vit aussi de l'espoir, et n'était-ce pas ce qu'elle désirait ? Qui savait quelles difficultés la vie pouvait encore leur envoyer ? Toutefois, cette même vie lui avait miraculeusement rendu cet homme.

Son mari. Son âme sœur.

— Je ne peux pas t'empêcher de m'aimer, dit-elle en riant à travers ses larmes. Et je ne le voudrais pas, non plus ! Je t'aime, et savoir que tu m'aimes aussi… A mon avis, c'est Gretta, de là-haut, qui nous offre ces miracles. Je le sais.

Un bruit leur fit tourner la tête. Toby qui était revenu vers eux leur lança alors une poignée de feuilles sur le visage, puis gloussa, visiblement ravi de sa farce.

Oliver l'attrapa par la taille et le souleva au-dessus d'eux, provoquant les éclats de rire de l'enfant.

— Espèce de petite fripouille ! Tu as de la chance qu'on t'aime !

Devant l'air radieux de Toby, Emmy sentit son cœur se gonfler de tendresse et de joie. Tout allait pour le mieux dans le monde de son fils. Il avait son Emmy et son Oliver. Sa Gretta resterait avec lui dans l'amour qu'ils partageraient et qu'ils répandraient autour d'eux.

Toby était avec sa famille.

Deux semaines plus tard, ils étaient de retour dans le jardin botanique, cette fois pour une cérémonie que tous deux jugeaient importante. Car ce qu'ils avaient à dire nécessitait des témoins. Leurs amis, qui les avaient soutenus durant les moments difficiles, méritaient maintenant d'assister à leur bonheur, et tous étaient présents. Même Ruby ; Isla et Sophia prenaient soin d'elle, mais l'adolescente semblait affronter l'avenir avec une assurance croissante.

Oliver avait demandé à Charles Delamere de diriger cette cérémonie plutôt originale. Charles, le directeur du Victoria, l'homme qui l'avait recruté, celui qui avait insisté pour qu'il « rentre au bercail ».

— Bienvenue, à tous, commença Charles. Aujourd'hui, Emmy et Oliver m'ont demandé de les aider à faire quelque chose qui leur tient à cœur devant tous ceux qui leur sont chers. Il y a dix ans, tous les deux s'étaient mariés. Les circonstances, les épreuves, la vie les ont séparés, mais la destinée les a de nouveau réunis. Alors ils ont décidé de renouveler leurs vœux ici même, dans ce jardin botanique qui a une signification particulière pour leur famille. Donc si je peux avoir votre attention…

Il l'eut sans difficulté. Des rires et des applaudissements retentirent alors que leurs amis les regardaient s'avancer vers Charles tels deux jeunes amants qui ont devant eux toute la vie pour s'aimer.

— Emily, poursuivit Charles, conservant le sérieux de son rôle. Souhaites-tu dire quelque chose ?

— Juste que je l'aime, dit-elle d'une voix chargée d'émotion. J'ai épousé Oliver il y a dix ans parce que je l'aimais, et mon cœur est toujours à lui aujourd'hui. Ce qui nous a séparés il y a cinq ans était une blessure qui est toujours ouverte, mais elle fait partie de nous, et je refuse d'affronter sans lui ce que la vie nous réserve, les joies comme les peines.

Elle se tourna alors vers lui.

— Oliver, je t'aime. Je t'aime et je t'aimerai toujours. Pour le meilleur et pour le pire. Je veux redevenir ta femme, et je promets de t'aimer envers et contre tout.

Oliver croyait s'être suffisamment préparé. Pourtant, sa voix flancha au moment de répondre, et il dut s'éclaircir la gorge pour vaincre l'émotion.

— Je t'aime aussi, Emily, dit-il en lui prenant les mains. Nous ne rattraperons jamais ces années perdues, mais nous avons l'avenir devant nous. Nous avons Toby, notre fils, pour qui nous nous battrons avec l'aide de tous ceux qui nous aiment afin de le garder. Nous avons aussi le souvenir de notre Josh que nous avons perdu, et de tous ces instants merveilleux que nous a offerts notre petite Gretta. Nous avons bien sûr aussi tous nos amis, et, surtout, Adrianna, pour nous soutenir.

Il se tourna vers sa belle-mère qui souriait à travers ses larmes, puis reporta son attention sur son épouse.

— Mais pour l'instant, reprit-il, je veux simplement te dire que je t'aime, et que plus jamais nous ne serons séparés. Je serai à tes côtés pour le meilleur et pour le pire, dans la joie comme dans la peine. Nous serons une famille unie, et peut-être un jour aurons-nous plus d'enfants, plus d'amis, plus de chiens, plus de chaos… Et je souhaite de tout cœur que nous affrontions tout avec amour et espoir. Emily Louise, acceptes-tu de me reprendre pour époux ?

— Evidemment, répondit-elle, visiblement trop émue pour en dire plus.

Elle s'accroupit alors que Toby, qui venait de se libérer des bras d'Adrianna, se frayait un chemin à travers les jambes des participants pour les rejoindre. Oliver le souleva dans ses bras et tous trois prirent la pose devant tous les appareils photo et portables.

— Evidemment, répéta-t-elle à voix basse, pour lui seulement, et tout leur public parut disparaître, ne les laissant que tous les deux.

Plus rien ne comptait en dehors de leur bonheur et, cette fois, ils savaient que rien ne pourrait jamais dissoudre leurs vœux.

— Je t'épouse ici même, maintenant, mon Oliver. Je redeviens ta femme, et notre union durera jusqu'à la nuit des temps…, murmura-t-elle en scellant cette promesse d'un long baiser annonciateur de tous les bonheurs à venir.

Si vous avez aimé *Un heureux bouleversement*
et *Le meilleur des papas*,

Ne manquez pas la suite de la série « **Passions à la maternité** »
le mois prochain dans votre collection Blanche !

Retrouvez ce mois-ci,
dans votre collection

Blanche

Carol Marinelli
Un heureux bouleversement
Marion Lennox
Le meilleur des papas

Laura Iding
Un bébé à adopter
Louisa Heaton
Sa femme idéale

Susan Carlisle
Une seconde chance à saisir
Tina Beckett
Des retrouvailles inattendues

Kate Hardy
Le dilemme du Dr Forrest
Anne Fraser
Un été à Cape Town

Leur mission : sauver des vies.
Leur destin : trouver l'amour

HARLEQUIN
www.harlequin.fr

Vous n'avez pas le temps de lire tous les romans Harlequin ce mois-ci ?
Découvrez les 4 meilleurs avec notre sélection :

[COUP DE CŒUR]

OFFRE DE BIENVENUE

Vous avez aimé cette collection ? Vous aimerez sûrement
la collection Les Historiques ! Recevez gratuitement :

♦ 2 romans Les Historiques gratuits ♦
et 2 cadeaux surprise !

**Une fois votre colis de bienvenue reçu, si vous souhaitez continuer à recevoir nos
romans Les Historiques, cela se fera automatiquement. Vous recevrez alors chaque
mois 2 romans inédits de cette collection au tarif unitaire de 6,95€ (Frais de port
France : 2,35€ - Frais de port Belgique : 4,35€).**

➡ ET AUSSI DES AVANTAGES EXCLUSIFS :

**➡ LES BONNES RAISONS
DE S'ABONNER :**

Des cadeaux tout au long de l'année.

♦

Des réductions sur vos romans par
le biais de nombreuses promotions.

<u>Aucun engagement de durée
ni de minimum d'achat.</u>

♦

Aucune adhésion à un club.

♦

Vos romans en avant-première.

♦

La livraison à domicile.

♦

Des romans exclusivement réédités
notamment des sagas à succès.

♦

L'abonnement systématique et gratuit
à notre magazine d'actu ROMANCE.

♦

Des points fidélité échangeables
contre des livres ou des cadeaux.

REJOIGNEZ-NOUS VITE EN COMPLÉTANT ET EN NOUS RENVOYANT LE BULLETIN !

✂

N° d'abonnée (si vous en avez un) ⎵⎵⎵⎵⎵⎵⎵⎵⎵⎵

HZ5F02
HZ5FB2

Mme ☐ Mlle ☐ Nom : .... Prénom : ....

Adresse : ....

CP : ⎵⎵⎵⎵⎵ Ville : ....

Pays : .... Téléphone : ⎵⎵⎵⎵⎵⎵⎵⎵⎵⎵

E-mail : ....

Date de naissance : ⎵⎵ ⎵⎵ ⎵⎵⎵⎵

☐ Oui, je souhaite être tenue informée par e-mail de l'actualité d'Harlequin.

☐ Oui, je souhaite bénéficier par e-mail des offres promotionnelles des partenaires d'Harlequin.

<u>Renvoyez cette page à</u> : Service Lectrices Harlequin – BP 20008 – 59718 Lille Cedex 9 - France